TAC税理士講座 編

2025 年度版

みんなが欲しかった!

税理士

簿記論の教科書&問題集 2

資産会計編

TAC出版
TAC PUBLISHING Group

はじめに

近年、インターネットの普及にともない、世界の距離は凄まじいスピードで近くなりました。文化、経済、情報はもとより、会計についても国際財務報告基準（IFRS）などによりひとつになりつつあります。

その目的はただひとつ「幸福」になることです。

しかし、そのスピード感ゆえに、たった数年後の世界でさえ、その予測が困難になってきていることも事実です。このような先の読めない不確実な時代において重要なことは、「どのような状況でも対応できるだけの適応力」を身につけることです。

本書は、TACにおける30年を超える受験指導実績に基づく税理士試験の完全合格メソッドを市販化したもので、予備校におけるテキストのエッセンスを凝縮して再構築し、まさに「みんなが欲しかった」税理士の教科書ができあがりました。

膨大な学習範囲から、合格に必要な論点をピックアップしているため、本書を利用すれば、約２カ月で全範囲の基礎学習が完成します。また、初学者でも学習しやすいように随所に工夫をしていますので、日商簿記検定２級レベルからストレスなく学習を進めていただけます。

近年、税理士の活躍フィールドは、ますます広がりを見せており、税務分野だけでなく、全方位的に経営者の相談に乗る、財務面から経営支援を行うプロフェッショナルとしての役割が期待されています。

読者のみなさまが、本書を最大限に活用して税理士試験に合格し、税務のプロという立場で人生の選択肢を広げ、どのような状況にも対応できる適応力を身につけ、幸福となれますよう願っています。

TAC税理士講座
TAC出版　開発グループ

本書を使った税理士試験の**合格法**

Step 1 学習計画を立てましょう

まずは、このChapterにどのくらいの時間がかかるのか（①）、1日でどこまで進めればよいのか（②）、2つのナビゲーションを参考に、学習計画を立てましょう。また、Check List（③）を使ってこれから学習する内容を確認するとともに、同シリーズの財務諸表論とのリンク（④）を確認しましょう。簿記論と財務諸表論を並行して学習することで、理論・計算の両面から、より効果的に学習ができます。

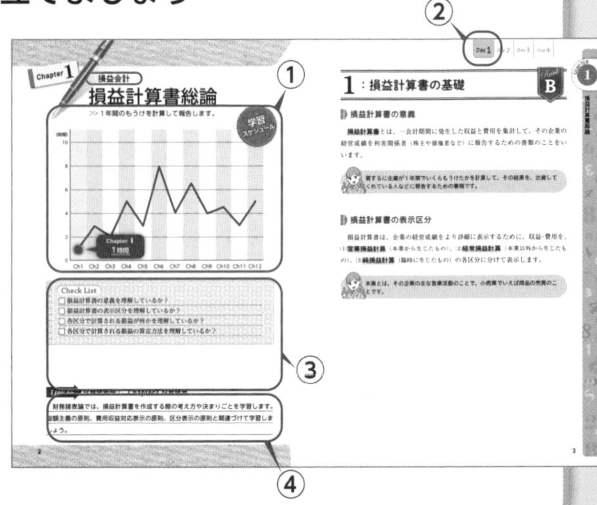

Step 2 「教科書」を読みましょう

🚩は重要論点です。例題（⑤）も多く入っていますので、試験でどのような問題を解けばよいのかをイメージし、実際に電卓をたたいて、解きながら読んでいくと効果的です。また、多くの受講生がつまずいてきたちょっとした疑問や論点については、ひとことコメント（⑥）と会話形式のスタディ（⑦）に、発展的論点はプラスアルファ（⑧）としてまとめてあるので、参考にしてください。

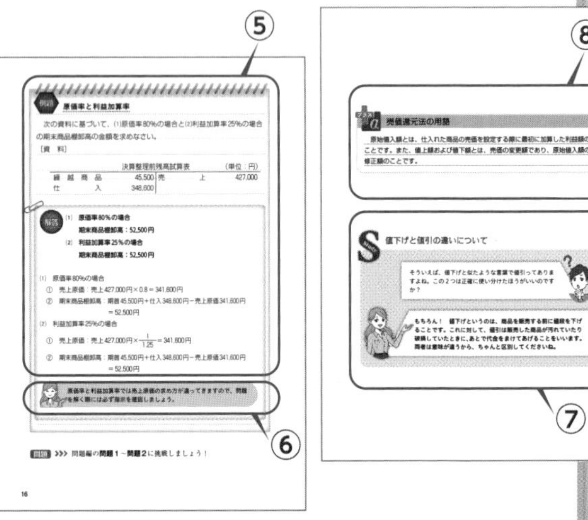

Step 3 「問題集」を解きましょう

ある程度のところまで教科書を読み進めると、問題集へのリンク（⑨）があるので、まずは基礎（⑩）問題から確実に解いていきましょう。会計知識は本を読むだけでは身につきません。実際に手を動かして問題を解くことが、知識の吸収を早めます。解き終えたら、出題論点や学習のポイント（⑪）を参考に、どの程度まで理解して解けていたか、確認しましょう。

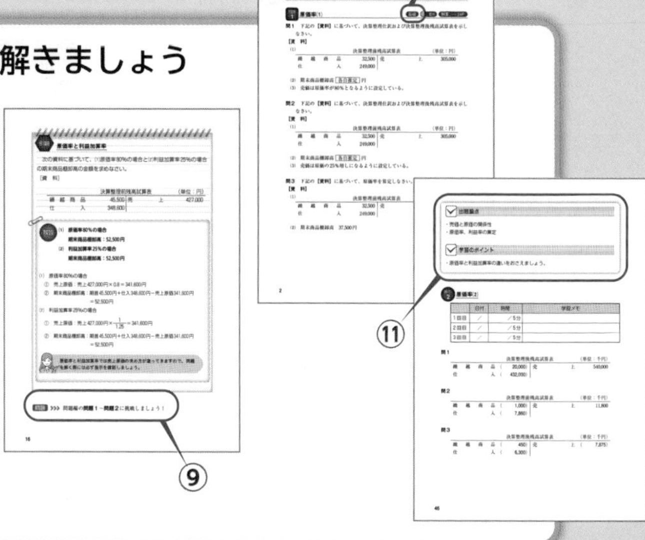

Step 4 復習しましょう

本書には、Point（⑫）やChapterの終わりにまとめ（⑬）を入れていますので、問題を解いて、知識が不足しているなと感じたら、そのつど、振り返るようにしましょう。また、問題集の答案用紙はダウンロードすることもできますので、これを利用して最低3回は解くようにしましょう。その際、解説についているメモ欄（⑭）に、ミスしたところや所要時間を記録し、正確にすばやく解けるようになっているかについて、チェックしましょう。

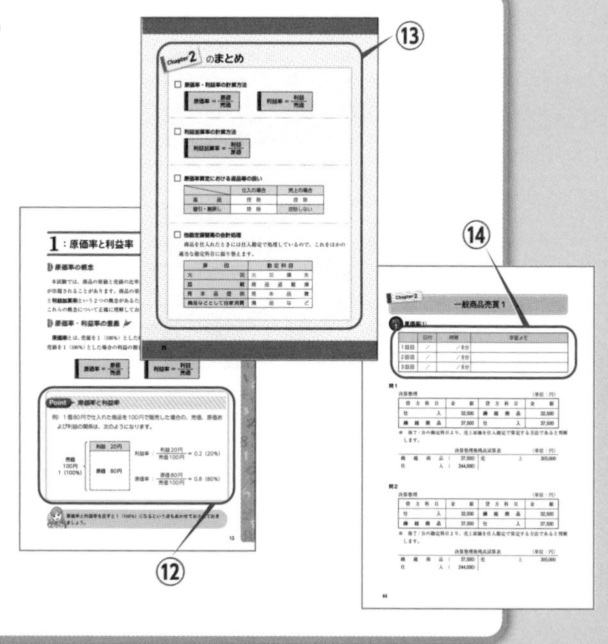

Step Up 実践的な問題を解きましょう

①おすすめ学習順

本書の学習が一通り終わったら、本試験に向けて、実践的な問題集を解いていきましょう。おすすめの学習順は、解き方学習用問題集（「簿記論 個別問題の解き方」「簿記論 総合問題の解き方」）で現役講師の実際の解き方を参考にして自分の解き方を検討･確立し、「過去問題集」で本試験問題のレベルを体感することです。

②各書籍の特徴

「簿記論 個別問題の解き方」は、中レベルから本試験レベルのオリジナル個別問題を収録しており、簿記論の試験全範囲を網羅しています。一般的な解説ではなく、「実践的な解き方」「具体的な解答手順」「解答の思考過程」を詳細に解説しています。

「簿記論 総合問題の解き方」は、基礎・応用・本試験の総合問題を収録しており、現役講師がどのように総合問題を解いているのかを実感しながら、段階的に基礎レベルから本試験問題までの演習ができるようになっています。

「過去問題集」は、直近５年分の本試験問題を収録しており、かつ、最新の企業会計基準等の改正にあわせて問題・解説ともに修正を加えています。時間を計りながら実際の本試験問題を解くことで、自分の現在位置を正確に知ることができます。

論点学習

Step Up

解き方学習

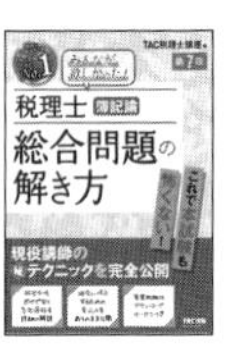

過去問演習

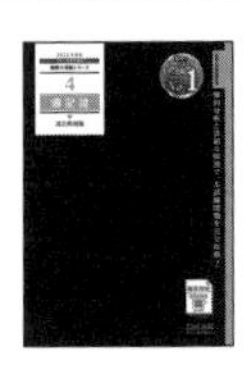

Level Up 問題演習と復習を繰り返しましょう

①総論

解き方学習用問題集で、どのように問題を解くのかがわかったら、さまざまな論点やパターンの問題を繰り返し解いて、得意分野の確立と苦手分野の克服に努めましょう。苦手分野の克服には、間違えた問題（論点）の復習が必須です。

②個別問題対策

本試験の第１問・第２問は、会計基準の知識を問う問題や構造的な個別問題が出題されます。
「みんなが欲しかった！税理士 簿記論の教科書＆問題集」の問題集部分を繰り返し演習するのでも十分ですが、「個別計算問題集」ではさらに様々な形式やレベルの問題を収録しています。本書と併用することで、論点網羅も含めて本試験対策は万全です。

③総合問題対策

本試験の第３問は、個別論点を組み合わせた総合問題形式で出題されます。
「総合計算問題集」には「基礎編」と「応用編」があります。「総合計算問題集 基礎編」は、総合問題を解くための基礎力の養成を主眼とした書籍です。一方、「総合計算問題集 応用編」は、本試験レベルの問題に対応するための答案作成能力の養成を主眼とした書籍です。

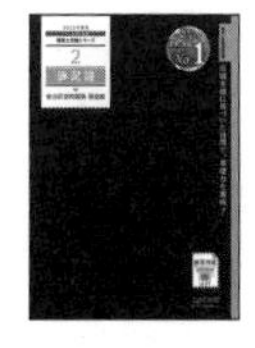

本書を利用して簿記論・財務諸表論を**効率よく学習するため**の「スタートアップ講義」を税理士独学道場「学習ステージ」ページで**無料公開中**です！

カンタンアクセスはこちらから ⇨

https://bookstore.tac-school.co.jp/dokugaku/zeirishi/stage.html

税理士試験について

みなさんがこれから合格をめざす税理士試験についてみていきましょう。
なお、詳細は、最寄りの国税局人事第二課（沖縄国税事務所は人事課）または国税審議会税理士分科会にお問い合わせ、もしくは下記ホームページをご参照ください。
https://www.nta.go.jp/taxes/zeirishi/zeirishishiken/zeirishi.htm

国税庁 >> 税の情報・手続・用紙 >> 税理士に関する情報 >> 税理士試験

☑概要

税理士試験の概要は次のとおりです。申込書類の入手は国税局等での受取または郵送、提出は郵送（一般書留・簡易書留・特定記録郵便）にて行います。一部手続はe-Taxでも行うことができます。また、試験は全国で行われ、受験地は受験者が任意に選択できるので、住所が東京であったとしても、那覇や札幌を選ぶこともできます。なお、下表中、受験資格については例示になります。実際の受験申込の際には、必ず受験される年の受験案内にてご確認ください。

受験資格	・会計系科目（簿記論・財務諸表論）は制限なし。 ・税法系科目は以下のとおり。 所定の学歴（大学等で社会科学に属する科目を１科目以上履修して卒業した者ほか）、資格（日商簿記検定１級合格者ほか）、職歴（税理士等の業務の補助事務に２年以上従事ほか）、認定（国税審議会より個別認定を受けた者）に該当する者。
受験料	１科目 4,000 円、２科目 5,500 円、３科目 7,000 円、４科目 8,500 円、５科目 10,000 円
申込方法	国税局等での受取または郵送による請求で申込書類を入手し、試験を受けようとする受験地を管轄する国税局等へ郵送で申込みをする。

☑合格までのスケジュール

税理士試験のスケジュールは次のとおりです。詳細な日程は、毎年４月頃の発表になります。

受験申込用紙の交付	４月上旬～下旬（土、日、祝日は除く）
受験申込受付	４月下旬～５月上旬
試験日	８月上～中旬の３日間
合格発表	11 月下旬

☑試験科目と試験時間割

税理士試験は、全11科目のうち５科目について合格しなければなりません。５科目の選択については、下記のようなルールがあります。

	試験時間	科　目	選択のルール
1日目	9：00～11：00	簿記論	会計系科目。必ず選択する必要がある。
	12：30～14：30	財務諸表論	
	15：30～17：30	消費税法または酒税法	税法系科目。この中から３科目を選択。ただし、所得税法または法人税法のどちらか１科目を必ず選択しなくてはならない。また、消費税法と酒税法、住民税と事業税はいずれか１科目の選択に限る。
2日目	9：00～11：00	法人税法	
	12：00～14：00	相続税法	
	15：00～17：00	所得税法	
3日目	9：00～11：00	国税徴収法	
	12：00～14：00	固定資産税	
	15：00～17：00	住民税または事業税	

なお、税理士試験は科目合格制をとっており、１科目ずつ受験してもよいことになっています。

☑合格率

受験案内によれば合格基準点は満点の60％ですが、そもそも採点基準はオープンにされていません。税理士試験の合格率（全科目合計）は次のとおり、年によってばらつきはありますが、おおむね15％前後で推移しています。現実的には、受験者中、上位10％前後に入れば合格できる試験といえるでしょう。

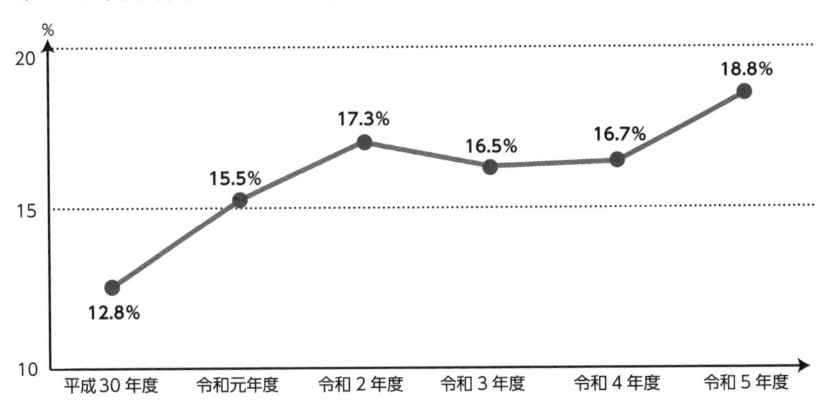

☑出題傾向と時間配分について

税理士試験の簿記論は３問構成です。一方、試験時間は２時間であり、全部の問題にまんべんなく手をつけるには絶対的に時間が足りません。そこで、戦略的な時間配分が必要となります。

	第１問	第２問	第３問
配　点	25点	25点	50点
主な出題内容	会計基準の知識を問う問題や構造的な問題	会計基準の知識を問う問題や構造的な問題	資料の与えられ方が独特な総合問題

では、どのように時間配分をすればよいでしょうか。ここで、配点に注目してみましょう。上記のとおり、第１問と第２問は25点、第３問が50点です。過去の出題傾向を見ると、配点が高い問題ほど解答箇所が多く設定され、点数の差がつきやすいといえます。

したがって、１点でも多く点数を取る（合格点に近づく）ためには、配点の高い問題に多く時間をかけ、１問でも多く正答する必要があるといえます。

そこで、配点が２倍の第３問には倍の時間をかけ、かつ、１問あたり最低でも30分は確保するという戦略から、簿記論の時間配分は、以下のようにするのがよいでしょう。

第１問	第２問	第３問
30分	30分	60分

ただ、これは一つの目安です。簿記論の問題の難易度は一定しておらず、上記の時間配分通りにいかないということが、起こりえます。

仮に、難易度の高い問題が出た場合は、第３問に60分かけるというスタンスだけは崩さないようにすれば、必要最低限の点数は確保できるでしょう。

目次

試験合格のためには、基礎的な知識の理解のもと、網羅的な学習が必要とされます。しかし、試験範囲は幅広く、学習を効率的に進める必要もあります。目次の★マークは過去10年の出題頻度を示すものです。効率的に学習する参考にしてください。

出題頻度（過去10年）	
★★★	4回以上出題
★★	2～3回出題
★	1回出題
—	未出題

CHAPTER 1

貸借対照表総論

ここでは、貸借対照表の総論について学習していきます。

まずは貸借対照表の表示区分ごとに、どのような項目が表示されるのか、大まかでよいのでおさえましょう。

Chapter 1

資産会計

貸借対照表総論

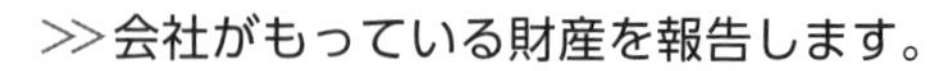

>>会社がもっている財産を報告します。

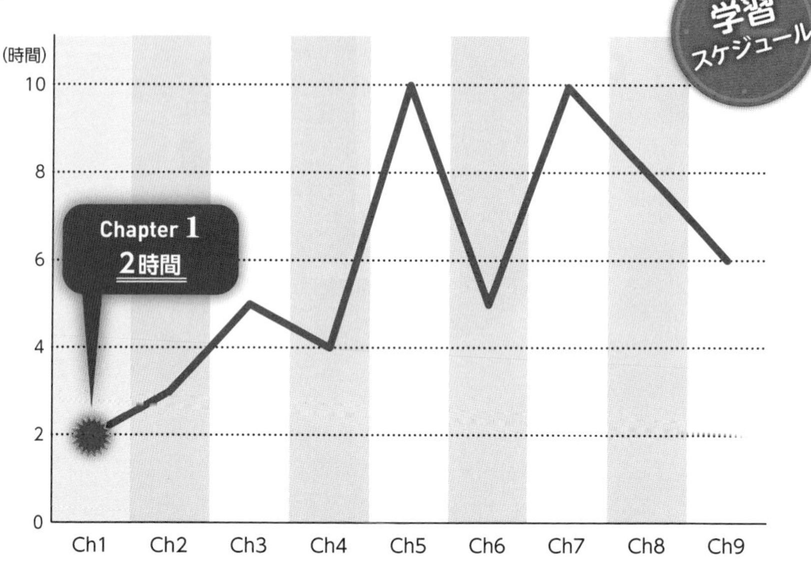

Check List

- □ 貸借対照表の意義を理解しているか？
- □ 貸借対照表の表示区分を理解しているか？
- □ 流動・固定の分類基準を理解しているか？
- □ 貸借対照表の配列方法を理解しているか？

Link to 財務諸表論① **Chapter4 財務諸表**

財務諸表論では、貸借対照表を作成する際の考え方や決まりごとを学習します。貸借対照表完全性の原則・総額主義の原則・区分表示の原則などと関連づけて学習しましょう。

1：貸借対照表の基礎

Rank B

貸借対照表とは

貸借対照表は、決算日における資産・負債・純資産を記載して、その企業の財政状態を利害関係者（株主や債権者など）に報告するために作成する財務書類をいいます。

要するに、企業が決算日時点において、いくらの資産、負債、純資産をもっているのかということを報告するための書類です。

貸借対照表の表示区分

貸借対照表は**資産の部**、**負債の部**、**純資産の部**の３つの区分に大きく分かれています。

純資産の部は、簿記論３で詳しく学習します。ここでは、どのようなことが記載されるのかを、ざっと確認する程度で十分です。

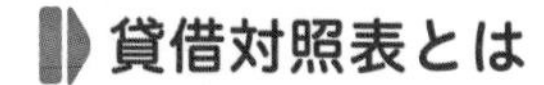

貸借対照表のひな形

実際の貸借対照表のひな形は次のようになります。

貸借対照表

㈱水道橋産業　　X2年3月31日　　(単位：円)

資産の部			負債の部		
Ⅰ 流動資産			Ⅰ 流動負債		
現金預金		153,000	支払手形		80,000
受取手形	160,000		買掛金		200,000
売掛金	240,000		短期借入金		80,000
貸倒引当金	△8,000	392,000	前受収益		10,000
有価証券		140,000	未払法人税等		13,400
商品		32,000	流動負債合計		383,400
前払費用		4,000	Ⅱ 固定負債		
流動資産合計		721,000	社債		200,000
Ⅱ 固定資産			長期借入金		96,000
1．有形固定資産			固定負債合計		296,000
建物	400,000		負債合計		679,400
減価償却累計額	△180,000	220,000	純資産の部		
備品	200,000		Ⅰ 株主資本		
減価償却累計額	△108,000	92,000	1．資本金		678,500
土地		320,000	2．資本剰余金		
有形固定資産合計		632,000	(1)資本準備金		64,000
2．無形固定資産			(2)その他資本剰余金		16,000
のれん		158,000	資本剰余金合計		80,000
無形固定資産合計		158,000	3．利益剰余金		
3．投資その他の資産			(1)利益準備金		48,000
投資有価証券		120,000	(2)その他利益剰余金		
投資その他の資産合計		120,000	別途積立金	16,000	
固定資産合計		910,000	繰越利益剰余金	90,500	106,500
Ⅲ 繰延資産			利益剰余金合計		154,500
社債発行費		40,000	4．自己株式		△38,400
繰延資産合計		40,000	株主資本合計		874,600
			Ⅱ 評価・換算差額等		
			1．その他有価証券評価差額金		35,000
			2．繰延ヘッジ損益		12,000
			評価・換算差額等合計		47,000
			Ⅲ 新株予約権		70,000
			純資産合計		991,600
資産合計		1,671,000	負債・純資産合計		1,671,000

Point 貸借対照表の表示区分

① 資産の部

流動資産、固定資産、繰延資産に区分して表示します。

流動資産…主たる営業活動にともなって発生した債権および決算日の翌日から1年以内に現金化、費用化される資産
→現金預金、受取手形、棚卸資産、有価証券、前払費用、短期貸付金など

固定資産…決算日の翌日から1年を超えて現金化、費用化される資産
・有形固定資産→建物、備品、土地、建設仮勘定など
・無形固定資産→特許権、のれん、ソフトウェアなど
・投資その他の資産→投資有価証券、投資不動産、長期貸付金など

繰延資産…本来は費用であるにもかかわらず、特別に資産として計上することが認められたもの
→創立費、開業費、株式交付費、社債発行費等、開発費

② 負債の部

流動負債、固定負債に区分して表示します。

流動負債…主たる営業活動にともなって発生した債務および決算日の翌日から1年以内に支払期限が到来する負債
→買掛金、短期借入金、(短期) リース債務、未払費用、前受金など

固定負債…決算日の翌日から1年を超えて支払期限が到来する負債
→社債、長期借入金、(長期) リース債務、退職給付引当金など

③　純資産の部

株主資本、評価・換算差額等、新株予約権に区分して表示します。

〈株主資本〉

資　本　金…株主からの払込金額のうち会社法の規定で資本金とされる部分

資本剰余金…株主からの払込金額のうち資本金以外のもの

→資本準備金、その他資本剰余金

利益剰余金…会社の利益から生じたもの

→利益準備金、別途積立金、繰越利益剰余金など

自 己 株 式…会社が保有している自社の株式

〈評価・換算差額等〉

その他有価証券評価差額金…その他有価証券を時価評価することによって生じた評価差額の金額

繰延ヘッジ損益…ヘッジ会計を適用することによって繰り延べられた損益

〈新株予約権〉

新株予約権…新株予約権（ストック・オプションを含む）を発行した場合に計上されるもの

上記の区分は個別財務諸表を前提としています。連結財務諸表の場合には、少し変わります。

2：貸借対照表項目の分類・表示

資産および負債は２つの基準によって、流動項目と固定項目に分類されます。

正常営業循環基準

正常営業循環基準とは、企業の主たる営業サイクル内にあるものを**流動項目**とする基準です。

たとえば、現金、受取手形、売掛金は回収期限に関係なくつねに流動資産に表示して、支払手形、買掛金は決済期限に関係なくつねに流動負債に表示します。

一年基準

一年基準とは、決算日の翌日から１年以内に入金または支払期限が到来するものを**流動項目**とし、１年を超えて入金または支払期限が到来するものを**固定項目**とする基準です。

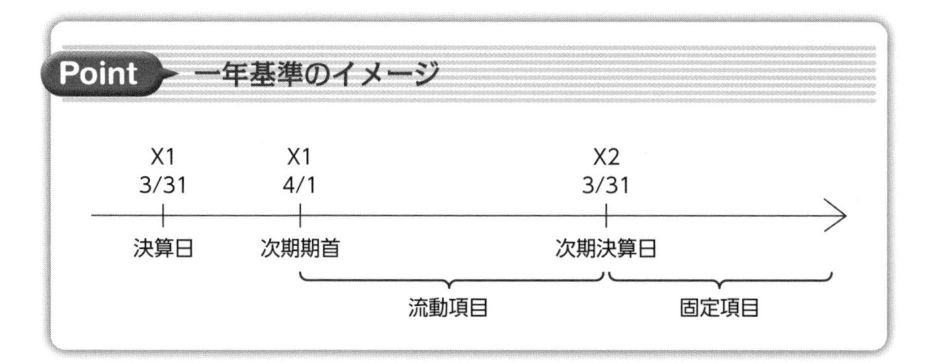

たとえば、決算日の翌日から１年を超えて入金または支払期限が到来する満期保有目的の債券や社債は固定資産・固定負債に表示しますが、１年以内に入金または支払期限が到来する場合は流動資産・流動負債に表示することになります。

例題 **一年基準**

決算日（X2年３月31日）の次の貸付金について、流動資産か固定資産かの判定を行いなさい。

① 30,000円（貸付日X1年８月１日、返済日X2年７月31日）

② 70,000円（貸付日X2年２月１日、返済日X4年１月31日）

解答

①	流動資産（短期貸付金）
②	固定資産（長期貸付金）

①の貸付金については返済日が当期の決算日の翌日から１年以内であるため、流動資産となります。一方、②の貸付金は返済日が決算日の翌日から１年超であるため、固定資産となります。

仕訳を示すと以下のようになります。

（短期貸付金）	30,000	（貸付金）	100,000
（長期貸付金）	70,000		

分類の方法

現行制度では、まず正常営業循環基準が適用され、営業サイクル内にある資産・負債を流動項目とします。そして、正常営業循環基準によって流動項目とされなかった項目に対してはさらに一年基準を適用し、流動項目と固定項目に分類します。

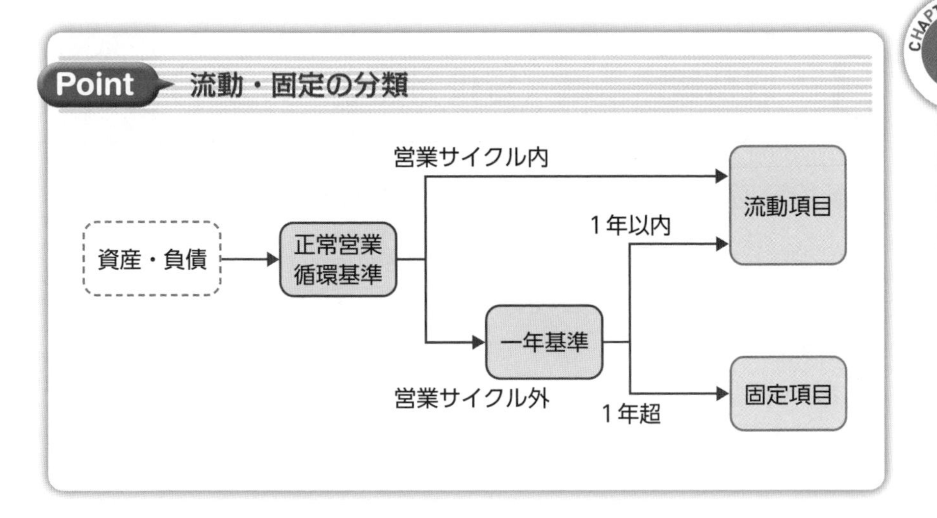

上記２つの基準によらず、例外的に、科目の性質、所有目的などの条件により、流動・固定に分類されるものもあります。たとえば、有形固定資産は長期間にわたって使用する目的で所有するため、固定資産に分類表示します。これは残存耐用年数が１年未満となっても変わりません。

貸借対照表の配列

貸借対照表の配列には、流動性配列法と固定性配列法があります。

流動性配列法とは、資産・負債の配列を「流動項目→固定項目」の順序で配列する方法です。**固定性配列法**とは、資産・負債の配列を「固定項目→流動項目」の順序で配列する方法です。

現行制度では、原則として流動性配列法によって表示します。

電力会社やガス会社など、固定資産の占める割合が多い企業では、例外的に固定性配列法で表示することも認められています。

3：収益認識基準（貸借対照表への影響）

契約資産と顧客との契約から生じた債権とは

収益認識に関する会計基準では、企業が顧客から受け取る対価に対する企業の権利を、契約資産と顧客との契約から生じた債権に分けています。

(1) 契約資産とは

契約資産とは、企業が顧客に移転した財又はサービスと交換に受け取る対価に対する企業の権利のうち、顧客との契約から生じた債権以外のものです。

(2) 顧客との契約から生じた債権とは

顧客との契約から生じた債権とは、企業が顧客に移転した財又はサービスと交換に受け取る対価に対する企業の権利のうち、無条件のものです。

無条件とは、財やサービスを顧客に提供済みであり、あとは時間が経過すれば取引の対価を受け取れる状況などのことを指します。

Point　契約資産と顧客との契約から生じた債権

商品Aと商品Bの販売契約を締結し、双方の引き渡しが対価の支払条件である場合において、4月1日に商品A（売価600円）を、5月4日に商品B（売価900円）を引き渡したとき、営業債権を次のように計上します。

① 4月1日：商品Aのみを引き渡した

商品Aという財の移転が完了するため、対価を得る権利が生じます。ただし、支払いの請求ができるのは商品Bも引き渡した時点という条件なので、まだ無条件とはいえません。

⇒商品Aの対価を受け取る権利は、**契約資産**となります。

② 5月4日：商品Bも引き渡した

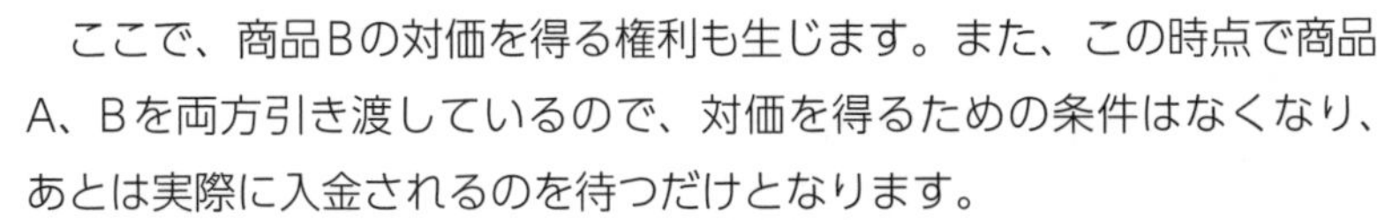

ここで、商品Bの対価を得る権利も生じます。また、この時点で商品A、Bを両方引き渡しているので、対価を得るための条件はなくなり、あとは実際に入金されるのを待つだけとなります。

⇒商品Aの対価を受け取る権利は、**契約資産**から**顧客との契約から生じた債権**に振り替えます。

⇒商品Bの対価を受け取る権利は、**顧客との契約から生じた債権**として計上します。

契約負債とは

契約負債とは、財又はサービスを顧客に移転する企業の義務に対して、企業が顧客から対価を受け取ったものまたは対価を受け取る期限が到来しているものをいいます。

財やサービスを提供する前に、対価を受け取ったときの負債です。たとえば、商品売買における前受金などです。

返品資産とは

返品資産とは、顧客から商品を回収する権利のことをいいます。これは返品権付の商品販売のように、顧客から商品の一部が返ってくると見込まれるような場合に認識します。

返金負債とは

返金負債とは、顧客から受け取ったまたは受け取る予定の対価のうち、企業が権利を得ると見込まない額のことをいいます。

返品資産・返金負債

次の（①）、（②）に入る語句を答えなさい。

顧客に対して10個の商品（原価100円/個、売価150円/個）を販売したが、2個の返品が見込まれる場合、300円（150円×2個）の（①）を認識するとともに、200円（100円×2個）の（②）を認識する。

解答

①	返金負債
②	返品資産

販売した商品のうち2個は返品が見込まれるので、対価のうち商品2個分は、返金負債を認識します。また、返金負債の決済時に顧客から商品を回収する権利について返品資産を認識します。

貸借対照表の表示科目

契約資産、契約負債、顧客との契約から生じた債権、返品資産、返金負債は、適切な科目で貸借対照表に表示します。

分類	具体例（表示科目）
契約資産	契約資産、工事未収入金など
契約負債	契約負債、前受金など
顧客との契約から生じた債権	売掛金、営業債権など
返品資産	返品資産など
返金負債	返金負債など

本試験では、問題文の指示に従い解答しましょう。

Chapter 1 のまとめ

□ 流動資産とは

流動資産：主たる営業活動にともなって発生した債権および決算日の翌日から１年以内に現金化、費用化される資産

現金預金、受取手形、棚卸資産、有価証券、前払費用、短期貸付金など

□ 固定資産とは

固定資産：決算日の翌日から１年を超えて現金化、費用化される資産

・有形固定資産：建物、備品、土地、建設仮勘定など
・無形固定資産：特許権、のれん、ソフトウェアなど
・投資その他の資産：投資有価証券、投資不動産、長期貸付金など

□ 繰延資産とは

繰延資産：本来は費用であるにもかかわらず、特別に資産として計上することが認められたもの

創立費、開業費、株式交付費、社債発行費等、開発費

□ 流動負債とは

流動負債：主たる営業活動にともなって発生した債務および決算日の翌日から１年以内に支払期限が到来する負債

買掛金、短期借入金、（短期）リース債務、未払費用、前受金など

□ 固定負債とは

固定負債：決算日の翌日から１年を超えて支払期限が到来する負債

社債、長期借入金、（長期）リース債務、退職給付引当金など

□ 純資産の部

株主資本、評価・換算差額等、新株予約権に区分して表示します。

〈株主資本〉

資　本　金：株主からの払込金額のうち会社法の規定で資本金とされる部分

資本剰余金：株主からの払込金額のうち資本金以外のもの
→資本準備金、その他資本剰余金

利益剰余金：会社の利益から生じたもの
→利益準備金、別途積立金、繰越利益剰余金など

自己株式：会社が保有している自社の株式

〈評価・換算差額等〉

その他有価証券評価差額金：その他有価証券を時価評価することによって生じた評価差額の金額

繰延ヘッジ損益：ヘッジ会計を適用することによって繰り延べられた損益

〈新株予約権〉

新株予約権：新株予約権（ストック・オプションを含む）を発行した場合に計上されるもの

□ 貸借対照表項目の分類基準

正常営業循環基準	企業の主たる営業サイクル内にあるものを流動項目とする基準
一　年　基　準	決算日の翌日から１年以内に入金または支払期限が到来するものを流動項目とし、１年を超えて入金または支払期限が到来するものを固定項目とする基準

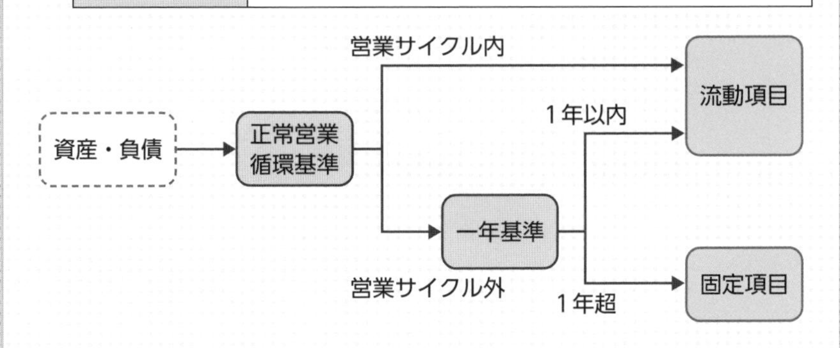

□ 貸借対照表の配列

現行制度では、原則として流動性配列法によって表示します。

流動性配列法	資産・負債の配列を「流動項目→固定項目」の順序で配列する方法
固定性配列法	資産・負債の配列を「固定項目→流動項目」の順序で配列する方法

□ 収益認識基準（貸借対照表の表示科目）

契約資産、契約負債、顧客との契約から生じた債権、返品資産、返金負債は、適切な科目で貸借対照表に表示します。

契約資産	契約資産、工事未収入金など
契約負債	契約負債、前受金など
顧客との契約から生じた債権	売掛金、営業債権など
返品資産	返品資産など
返金負債	返金負債など

CHAPTER 2

現金・預金

ここでは、現金・預金について学習します。ほとんどが日商簿記２級までに学習した論点となっていますが、当座借越について、異なる処理方法を学習します。違いに注意して学習しましょう。

Chapter 2

資産会計

現金・預金

>> 現金は通貨だけではありません。

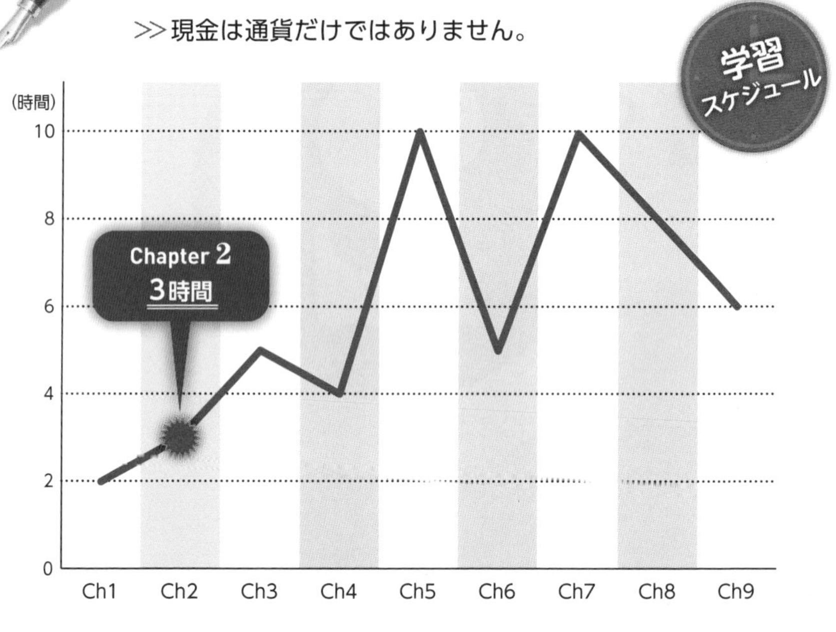

Check List

- □ 現金・預金の範囲（特に通貨代用証券）を把握しているか？
- □ 現金過不足の会計処理を理解しているか？
- □ 小口現金の会計処理を理解しているか？
- □ 当座預金の振込手数料の取扱いを理解しているか？
- □ 当座借越についての一勘定制と二勘定制の違いを理解しているか？
- □ 銀行勘定調整の不一致原因を把握しているか？
- □ 銀行勘定調整の会計処理・意味を理解しているか？

Link to 財務諸表論② Chapter2 現金及び預金

財務諸表論でも、現金・預金の学習内容はほぼ同じですが、貸借対照表上の表示科目や表示区分は、学習しておくと計算の理解も深まりますので関連づけて学習しましょう。

1：現　金

現金・預金の範囲

簿記上では、原則として、現金･預金は独立した勘定科目で処理を行います。

現金と預金をまとめて現金預金勘定で処理することもあります。

Point 現金・預金の種類と内容

現金・預金には次のものがあります。

種　類	内　容
現　金	現金（通貨および通貨代用証券）
小口現金	日常、頻繁に生じる小口経費の支払いのため、特に区分された現金
当座預金	当座取引契約に基づいて、資金の預入れ・引出しを行う預金口座
普通預金	普通預金契約に基づいて、資金の預入れ・引出しを行う預金口座
定期預金	一定期間払戻しの請求をすることができない期限付預金

通貨代用証券

通貨代用証券とは、金融機関などに要求すれば即時に通貨に引き換えることができる証券のことです。

Point 通貨代用証券の種類

通貨代用証券には次のものがあります。

・他人振出の当座小切手
・配当金領収証（取扱銀行受取）
・利払日が到来した公社債の利札
・送金小切手
・送金為替手形
・トラベラーズ・チェック

公社債の利札は、利払日を過ぎたものだけが通貨代用証券となります。利払日前だと、すぐに通貨と引き換えることができないので、通貨代用証券とはなりません。

現金とまちがえやすいもの

現金とまちがえやすいものとして、次のものがあります。

・自己振出の小切手→当座預金勘定で処理
・先日付小切手→受取手形勘定で処理
・収入印紙→使用分は租税公課、未使用分は貯蔵品で処理
・切手・ハガキ→使用分は通信費、未使用分は貯蔵品で処理

2：現金過不足

現金過不足

現金の帳簿残高と実際有高は、記帳漏れなどの原因により一致しないことがあります。この過不足額を**現金過不足**といい、その原因が判明するまで一時的に現金過不足勘定で処理します。

Point 現金過不足の会計処理の流れ

Step1 現金実査時：現金勘定残高を実際有高に修正し、その過不足額を現金過不足勘定へ振り替える。

↓

Step2 原因判明時：現金過不足勘定から適正な勘定へ振り替える。

↓

Step3 決　算　時：原因不明分を雑損失勘定または雑収入勘定へ振り替える。

決算時に現金過不足があることが判明した場合は、現金過不足勘定への振り替えは行わずに、現金勘定を直接修正するのが一般的です。

例題 現金過不足①

次の各取引の仕訳を示しなさい。

(1)　現金の帳簿残高は45,000円、実際有高は42,750円であった。

(2)　現金過不足額のうち1,200円は旅費交通費の記帳漏れであることが判明したが、その他の原因については不明である。

(3)　決算にあたって原因不明分を雑損失として処理する。

(1) **現金実査時**

(現 金 過 不 足)	2,250*	(現　　　金)	2,250

＊ 実際有高42,750円－帳簿残高45,000円＝△2,250円

(2) **原因判明時**

(旅 費 交 通 費)	1,200	(現 金 過 不 足)	1,200

(3) **決算時**

(雑　損　失)	1,050*	(現 金 過 不 足)	1,050

＊ 現金過不足2,250円－原因判明分1,200円＝1,050円

実際有高＜帳簿残高であるため、現金を減らします。

例題 **現金過不足②**

次の取引の仕訳を示しなさい。

決算にあたって金庫を調べたところ、現金の実際有高は18,000円であり、帳簿残高は15,000円であった。現金過不足額のうち2,000円は受取利息の記帳漏れであることが判明したが、その他の原因については不明である。

(現　　　金)	3,000*	(受 取 利 息)	2,000
		(雑　収　入)	1,000

＊ 実際有高18,000円－帳簿残高15,000円＝3,000円

決算時に現金過不足が判明したので、現金過不足勘定を用いずに現金勘定を直接修正します。なお、決算整理後残高試算表の現金の金額は実際有高18,000円となります。

3：小口現金

小口現金

通常、企業では少額の現金が小払資金として用意されます。この小払資金を**小口現金**といい、小口現金勘定で処理します。

日常的に発生する少額の経費の支払いは、現金を用意しておいたほうが便利なため、小口現金が用意されます。

定額資金前渡制度

定額資金前渡制度とは、あらかじめ、一定期間における小口現金の必要額を設定しておき、支払報告を受けた時にそれと同額だけ補給する方法です。

定額資金前渡制度を採用した場合、補給後の小口現金残高は、必ず小口現金の必要設定額となります。

Point 小口現金の会計処理の流れ

Step1
設　定　時：会計係が用度係に小切手を前渡ししたときは、小口現金の増加として処理する。

↓

Step2
支払報告時：用度係から支払いの報告を受けたときは、支払額を小口現金の減少として処理する。

↓

Step3
補　給　時：支払報告に基づいて、会計係が小口現金を補給したときは、小口現金の増加として処理する。

小口現金の補給時期

小口現金の補給方法には**即日補給**と**翌日補給**の２つがあります。

即日補給	支払報告を受けたその日に補給する方法
翌日補給	支払報告を受けた翌日（翌期間の初日）に補給する方法

即日補給では、翌期間に繰り越される小口現金勘定残高は、小口現金の必要設定額となります。一方、翌日補給では、翌期間に繰り越される小口現金勘定残高は、補給前の金額となります。

例題　小口現金

次の取引について、各問における⑴３月１日と⑵３月31日の仕訳を示しなさい。なお、事業年度は４月１日から３月31日の１年間である。

⑴　３月１日　当月より定額資金前渡制度を採用することとなり、用度係に対し小払資金として小切手45,000円を振り出した。

⑵　３月31日　用度係より次に示す小口現金支払報告を受け、のちに同額の小切手を振り出した。

通信費12,840円　消耗品費8,700円　雑費6,855円

問１　即日補給の場合

問２　翌日補給の場合

解答

問１　即日補給の場合

⑴　３月１日（設定時）

(小口現金)	45,000	(当座預金)	45,000

⑵　３月31日

①　支払報告時

(通信費)	12,840	(小口現金)	28,395
(消耗品費)	8,700		
(雑費)	6,855		

② 補給時

借方	金額	貸方	金額
(小 口 現 金)	28,395	(当 座 預 金)	28,395

問2 翌日補給の場合

(1) 3月1日（設定時）

借方	金額	貸方	金額
(小 口 現 金)	45,000	(当 座 預 金)	45,000

(2) 3月31日（支払報告時）

借方	金額	貸方	金額
(通 信 費)	12,840	(小 口 現 金)	28,395
(消 耗 品 費)	8,700		
(雑 費)	6,855		

問1 即日補給の場合

支払報告を受けた時点で補給を行うため、繰越試算表の小口現金の金額は必要設定額45,000円となります。

問2 翌日補給の場合

補給は翌期間の初日となるため、繰越試算表の小口現金の金額は補給前残高16,605円となります。

なお、次のような仕訳を行い、小口現金を補給します。

借方	金額	貸方	金額
(小 口 現 金)	28,395	(当 座 預 金)	28,395

補給のタイミングが異なるだけなので、即日補給でも翌日補給でも仕訳は同じです。

仮払金処理の場合

定額資金前渡制度を採用している場合は、小口現金の設定時および補給時においては、少額経費の詳細が未確定であるため、小口現金を仮払金勘定で処理する場合があります。この場合、例題の会計処理（翌日補給）は次のようになります。

⑴ 3月1日（設定時）

（仮　払　金）	45,000	（当 座 預 金）	45,000

⑵ 3月31日（支払報告時）

（通　信　費）	12,840	（仮　払　金）	45,000
（消 耗 品 費）	8,700		
（雑　　　費）	6,855		
（小 口 現 金）	16,605		

⑶ 4月1日（補給時）

（仮　払　金）	45,000	（小 口 現 金）	16,605
		（当 座 預 金）	28,395

問題 >>> 問題編の**問題1**に挑戦しましょう！

4：当座預金・当座借越

当座預金の意義

当座預金とは、商取引における簡便かつ迅速な決済を目的とした無利息の預金のことです。預入れには通貨および通貨代用証券を、引出しには小切手を使用します。

振込手数料の取扱い

債権または債務を当座預金により決済した場合、取引銀行に対して振込手数料が生じます。このとき、振込手数料を債権者と債務者のどちらが負担するかにより、会計処理が異なります。

Point 振込手数料の取扱い

(1) 債務者負担の場合

〈債務者側の処理〉

借方	金額	貸方	金額
買掛金	500	当座預金	550
支払手数料	50		

〈債権者側の処理〉

借方	金額	貸方	金額
当座預金	500	売掛金	500

(2) 債権者負担の場合

〈債務者側の処理〉

借方	金額	貸方	金額
買掛金	500	当座預金	500

〈債権者側の処理〉

借方	金額	貸方	金額
当座預金	450	売掛金	500
支払手数料	50		

振込手数料については、つねに問われるものではないので、問題の指示がある場合のみ考慮すればよいです。その際、当社が債務者なのか、それとも債権者なのかは慎重に判断しましょう。

当座借越の意義

当座預金残高が足りない場合でも、銀行と当座借越契約を結び、借越限度額を定めておけば、その限度額まで当座預金残高を超えて小切手を振り出すことができます。これを**当座借越**といいます。

当座借越は銀行からの短期的な借入金となります。なお、借越残高がある場合に預入れを行えば、自動的に当座借越の返済が行われます。

当座借越の会計処理

当座借越の会計処理には、**二勘定制**と**一勘定制**の２つの方法があります。

二勘定制	当座預金残高がプラスのときは当座預金勘定で、当座預金残高がマイナスのときは当座借越勘定で処理する方法
一勘定制	当座預金と当座借越をともに当座勘定で一括して処理する方法

Point 当座借越（一勘定制）

一勘定制の場合、当座勘定が借方残高なら当座預金(資産)を表し、当座勘定が貸方残高なら当座借越(負債)であることを表しています。

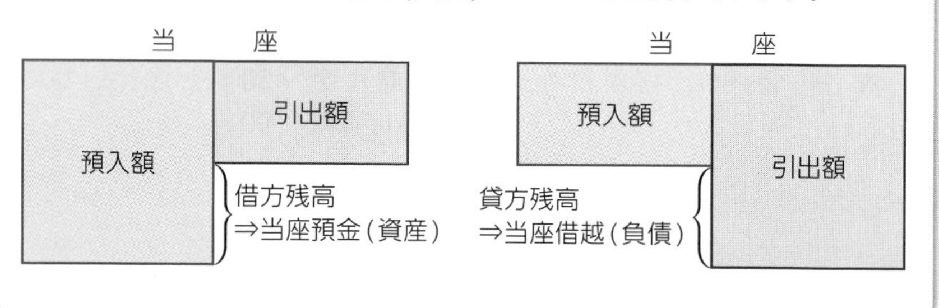

日商簿記では、簡便的に当座預金勘定のみで処理していましたが、税理士試験では、二勘定制や一勘定制といった方法での出題がなされます。

例題　当座借越

次の取引について、各問における仕訳を示しなさい。

(1)　小切手を振り出して買掛金900円を支払った。なお、預金残高は500円であるが、銀行との間で限度額1,500円の当座借越契約を締結している。

(2)　売掛金600円を現金で受け取り、ただちに当座預金とした。

問1　二勘定制の場合

問2　一勘定制の場合

解答

問1　二勘定制の場合

(1)　借越時

借方科目	金額	貸方科目	金額
(買掛金)	900	(当座預金)	500
		(当座借越)	400

(2)　返済時

借方科目	金額	貸方科目	金額
(当座借越)	400	(売掛金)	600
(当座預金)	200		

問2　一勘定制の場合

(1)　借越時

借方科目	金額	貸方科目	金額
(買掛金)	900	(当座)	900

(2)　返済時

借方科目	金額	貸方科目	金額
(当座)	600	(売掛金)	600

当座預金残高がマイナスの場合、貸借対照表において「短期借入金」と表示するため、問題の指示により短期借入金勘定で処理することもあります。

問題 >>> 問題編の**問題2**に挑戦しましょう！

5：定期預金

定期預金とは

定期預金とは、預金のうち、あらかじめ預入期間が定められており、その間は引出しができないものをいいます。

定期預金の会計処理

定期預金は一年基準により、貸借対照表上、流動資産と固定資産に分類され表示されます。

1年以内に預け入れ期間の満期を迎える定期預金は、現金及び預金として流動資産の部に表示されます。一方で満期日が1年を超えるものについては**長期性預金**として固定資産の部に表示されます。

また定期預金が満期を迎え利息を受け取った場合は受取利息勘定で処理します。

Point 定期預金の取扱い

決算日の翌日から満期日まで1年を超える →**固定資産**（長期性預金）
決算日の翌日から満期日まで1年以内 →**流動資産**（表示上「現金及び預金」となることが多い）

(1) 定期預金の流動固定分類

例題 **定期預金**

下記の資料に基づいて、当期の貸借対照表に計上される、現金及び預金の金額および、長期性預金の金額について答えなさい。

［資　料］

決算整理前残高試算表　（単位：円）

現金預金	150,000	

現金預金勘定の内訳は以下の定期預金である。なお、当期の決算日はX4年３月31日である。

① 30,000円（預入日X3年４月１日、満期日X5年３月31日）

② 120,000円（預入日X3年４月１日、満期日X7年３月31日）

解答

現金及び預金：30,000円

長期性預金：120,000円

定期預金のうち①は満期日が当期の決算日の翌日から起算して１年以内であるため、現金及び預金として流動資産に分類します。一方②は満期日が当期の決算日の翌日から起算して１年超であるため、長期性預金として固定資産に分類します。

なお、満期日まで１年以内になった定期預金については、長期性預金から現金及び預金に振り替えます。

(2) 定期預金の満期解約

例題 **定期預金の満期解約**

次の取引の仕訳を示しなさい。

当社が預け入れていた定期預金500,000円が満期を迎え、利息10,050円と合わせて普通預金に入金された。

解答

借方科目	金額	貸方科目	金額
(普通預金)	510,050	(定期預金)	500,000
		(受取利息)	10,050

定期預金が満期日を迎え、利息を受け取った場合には受取利息勘定で処理します。

問題 >>> 問題編の**問題3**に挑戦しましょう！

6：銀行勘定調整

銀行勘定調整

企業の当座預金勘定残高は、本来、銀行の預金残高と必ず一致します。しかし、実際には両者の残高はさまざまな原因により一致しないことがあります。

そこで、両者の金額が不一致となっている原因を確かめるために、銀行勘定調整表を作成し、必要に応じて当座預金勘定残高を修正します。これを**銀行勘定調整**といいます。

Point 不一致原因の例

代表的な不一致原因には、次のようなものがあります。なお、企業側で調整が必要なものについては、修正仕訳が必要になります。

原　因	内　　容	企業側	銀行側	銀行勘定調整表における調整
時間外預入（締後入金）	企業は銀行に現金を預け入れたが、銀行では閉店後であったため、翌日に入金処理を行った。	入　金	未入金	銀行側・加算
未取付小切手	企業では小切手を振り出して支払先に交付したが、銀行には未呈示のままとなっている。	出　金	未出金	銀行側・減算
未取立小切手	企業では小切手を銀行に呈示して預け入れたが、銀行では取立てが完了していない。	入　金	未入金	銀行側・加算
未渡小切手	企業では小切手を振り出して出金処理を行ったが、支払先には未渡しのままとなっている。	出　金	未出金	企業側・加算
振込未記帳	銀行で当座払込があったが、企業ではその通知を受けていないため入金処理を行っていない。	未入金	入　金	企業側・加算
引落未記帳	銀行で当座引落があったが、企業ではその通知を受けていないため出金処理を行っていない。	未出金	出　金	企業側・減算
誤記帳	企業で取引金額等を誤って入金処理または出金処理をした。	入出金（誤り）	入出金（適正）	企業側・加減算

銀行勘定調整表

銀行勘定調整表では、企業側と銀行側のそれぞれについて不一致原因を確認するとともに、適正な当座預金勘定残高を算定します。

Point 銀行勘定調整表のひな型

銀行勘定調整表には、次の３つがあります。

① 企業残高・銀行残高区分調整法

不一致の原因を企業残高と銀行残高のそれぞれについて分けて示すことにより、本来あるべき残高での一致を示す方法です。

銀 行 勘 定 調 整 表 (単位：円)

当座預金勘定残高		9,900	銀行証明書残高		9,600
加算	振込未記帳	600	加算	時間外預入	500
	未渡小切手	200			
減算	誤記帳	700	減算	未取付小切手	100
		10,000			10,000

適正金額で一致

② 企業残高基準法

企業残高を基準として、銀行残高に合わせる方法です。

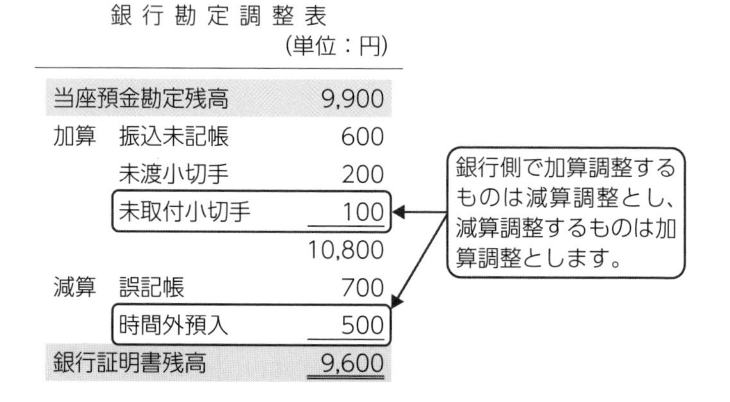

銀 行 勘 定 調 整 表 (単位：円)

当座預金勘定残高		9,900
加算	振込未記帳	600
	未渡小切手	200
	未取付小切手	100
		10,800
減算	誤記帳	700
	時間外預入	500
銀行証明書残高		9,600

③　銀行残高基準法

銀行残高を基準として、企業残高に合わせる方法です。

銀 行 勘 定 調 整 表

(単位：円)

銀行証明書残高		9,600
加算	時間外預入	500
	誤記帳	700
		10,800
減算	未取付小切手	100
	振込未記帳	600
	未渡小切手	200
当座預金勘定残高		9,900

企業側で加算調整するものは減算調整とし、減算調整するものは加算調整します。

まずは企業残高・銀行残高区分調整法をおさえましょう。企業残高基準法と銀行残高基準法は、企業残高・銀行残高区分調整法との相違点をおさえておけば十分です。

銀行勘定調整の会計処理

銀行勘定調整表により不一致原因が判明した場合、企業側の修正事項については修正仕訳を行い、当座預金勘定残高を適正な金額に修正します。

銀行側の修正事項については、修正仕訳は必要ない点に注意しましょう。

例題　**銀行勘定調整**

次の資料に基づいて、銀行勘定調整に係る修正仕訳を示しなさい。

[資　料]

決算日における当座預金勘定残高は523,800円であるが、銀行の残高証明書は663,300円であった。不一致原因を調査した結果、次の(1)〜(5)の事実が明らかとなった。

(1) 決算日に現金102,000円を預け入れたが、銀行が閉店したあとであったため、銀行では翌日の入金として処理されていた。

(2) 得意先に対する売掛金105,000円が当座決済されたが、この通知が当社に未達であった。

(3) 買掛金36,000円と営業費19,500円の支払いとして振り出した小切手が、未渡しであった。

(4) 営業費84,000円の支払いとして振り出した小切手が、銀行では未取付であった。

(5) 営業費1,500円を小切手を振り出して支払ったが、当社ではこの取引を貸借逆に記帳していたことが判明した。

(1) 時間外預入（→銀行側の修正事項）

仕 訳 な し

(2) 振込未記帳（→企業側の修正事項）

(当座預金)	105,000	(売掛金)	105,000

(3) 未渡小切手（→企業側の修正事項）

(当座預金)	55,500	(買掛金)	36,000
		(未払金)	19,500

(4) 未取付小切手（→銀行側の修正事項）

仕 訳 な し

(5) 誤記帳（→企業側の修正事項）

(営業費)	3,000	(当座預金)	3,000

(5) 誤記帳

誤記帳の修正仕訳は、正しい仕訳から、誤った仕訳を差し引いて求めます。

① 正しい仕訳

(営業費)	1,500	(当座預金)	1,500

② 誤った仕訳

(当座預金)	1,500	(営業費)	1,500

③ 修正仕訳
①－②＝解答

銀行勘定調整表を作成すると次のようになります。

銀行勘定調整表 (単位：円)

当座預金勘定残高			523,800	銀行証明書残高			663,300
加算	(2)	振込未記帳	105,000	加算	(1)	時間外預入	102,000
	(3)	未渡小切手	55,500				
減算	(5)	誤記帳	3,000	減算	(4)	未取付小切手	84,000
			681,300				681,300

適正金額で一致

費用の支払いに係る未渡小切手について

費用の支払いに係る未渡小切手で、費用勘定を使わずに未払金勘定を使うのはなぜなのですか？

通常、未渡小切手の存在がわかった時点で費用はすでに発生しているので、取り消すことはできません。なので、単に支払うべき代金が期末現在未払いになっていると考えて未払金勘定で処理します。

問題 >>> 問題編の**問題４**～**問題５**に挑戦しましょう！

Chapter 2 のまとめ

□ 現金・預金の範囲

種　類	内　容
現　　金	現金（通貨および通貨代用証券）
小口現金	日常、頻繁に生じる小口経費の支払いのため、特に区分された現金
当座預金	当座取引契約に基づいて、資金の預入れ・引出しを行う預金口座
普通預金	普通預金契約に基づいて、資金の預入れ・引出しを行う預金口座
定期預金	一定期間払戻しの請求をすることができない期限付預金

□ 通貨代用証券の種類

- 他人振出の当座小切手
- 配当金領収証（取扱銀行受取）
- 利払日が到来した公社債の利札
- 送金小切手
- 送金為替手形
- トラベラーズ・チェック

□ 現金過不足の会計処理の流れ

Step1 現金実査時：現金勘定残高を実際有高に修正し、その過不足額を現金過不足勘定へ振り替える。

↓

Step2 原因判明時：現金過不足勘定から適正な勘定へ振り替える。

↓

Step3 決　算　時：原因不明分を雑損失勘定または雑収入勘定へ振り替える。

□ 小口現金の会計処理の流れ

Step1 設　定　時：会計係が用度係に小切手を前渡ししたときは、小口現金の増加として処理する。

↓

Step2 支払報告時：用度係から支払いの報告を受けたときは、支払額を小口現金の減少として処理する。

↓

Step3 補　給　時：支払報告に基づいて、会計係が小口現金を補給したときは、小口現金の増加として処理する。

□ 小口現金の補給時期

即日補給	支払報告を受けたその日に補給する方法
翌日補給	支払報告を受けた翌日（翌期間の初日）に補給する方法

□ 当座借越の会計処理

二勘定制	当座預金残高がプラスのときは当座預金勘定で、当座預金残高がマイナスのときは当座借越勘定で処理する方法
一勘定制	当座預金と当座借越をともに当座勘定で一括して処理する方法

□ 銀行残高との不一致の原因

原　因	内　容	企業側	銀行側	銀行勘定調整表における調整
時間外預入（締後入金）	企業は銀行に現金を預け入れたが、銀行では閉店後であったため、翌日に入金処理を行った。	入　金	未入金	銀行側・加算
未取付小切手	企業では小切手を振り出して支払先に交付したが、銀行には未呈示のままとなっている。	出　金	未出金	銀行側・減算
未取立小切手	企業では小切手を銀行に呈示して預け入れたが、銀行では取立てが完了していない。	入　金	未入金	銀行側・加算
未渡小切手	企業では小切手を振り出して出金処理を行ったが、支払先には未渡しのままとなっている。	出　金	未出金	企業側・加算
振込未記帳	銀行で当座払込があったが、企業ではその通知を受けていないため入金処理を行っていない。	未入金	入　金	企業側・加算
引落未記帳	銀行で当座引落があったが、企業ではその通知を受けていないため出金処理を行っていない。	未出金	出　金	企業側・減算
誤記帳	企業で取引金額等を誤って入金処理または出金処理をした。	入出金（誤り）	入出金（適正）	企業側・加減算

CHAPTER 3

手形・債権

ここでは、手形やその他の債権について学習していきます。一口に手形といってもその使い方によりさまざまな種類があるため、手形取引の全体像がどうなっているのかを意識して読み進めましょう。

クレジット売掛金や電子記録債権は近年利用が広がっています。会計処理は簡単なので、例題を通してマスターしましょう。

Chapter 3

資産会計

手形・債権

>>手形の種類の把握がポイントです。

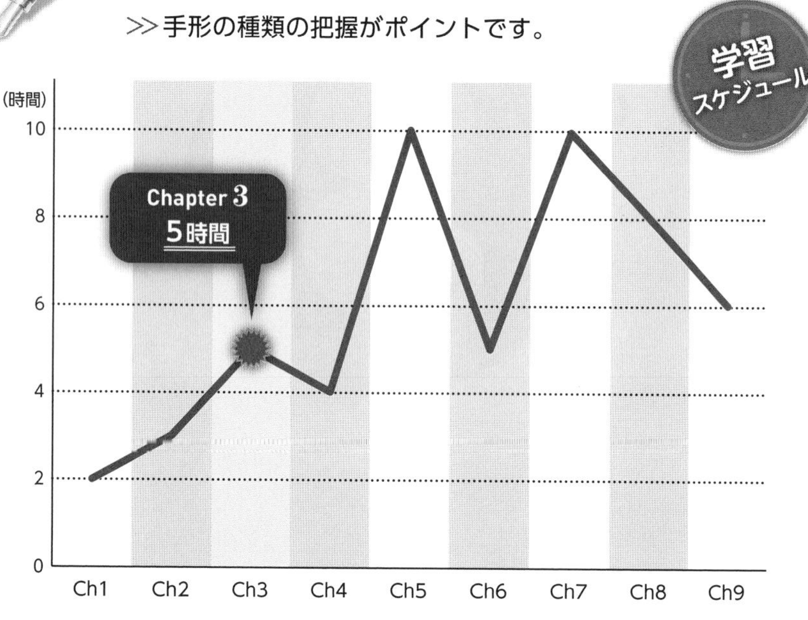

Check List

- □ 不渡手形の会計処理を理解しているか？
- □ 保証債務の会計処理を理解しているか？
- □ 為替手形の会計処理を理解しているか？
- □ 営業外手形や金融手形についての勘定科目を正確に把握しているか？
- □ クレジット売掛金・電子記録債権の会計処理を理解しているか？

Link to 財務諸表論② Chapter3 金融商品会計の概要／Chapter4 金銭債権

財務諸表論では、手形は金融商品会計および金銭債権と関連があります。金銭債権の評価や範囲などと関連づけながら学習しましょう。

1：不渡手形

手形の不渡り

手形は取引銀行に取立を依頼して決済されますが、手形債務者の当座預金残高が手形金額に満たない場合は、手形の決済ができなくなります。これを**手形の不渡り**といいます。

Point 手形の不渡り

手形が不渡りとなった場合、手形の譲受人はただちに手形代金が回収不能となるわけではなく、振出人または裏書譲渡人など、前の手形関係者に対して償還請求を行うことができます。

償還請求を行うことを遡求といいます。

不渡手形の会計処理

(1) 自己所有の手形が不渡りとなった場合

自己所有の手形が不渡りとなった場合は、通常の手形と区別するために、受取手形勘定から不渡手形勘定へ振り替えます。

例題　不渡手形―自己所有の場合

次の各取引の仕訳を示しなさい。

(1)　A社はB社に商品15,000円（売価）を売り上げ、代金としてB社振出の約束手形を受け取った。

(2)　上記(1)の約束手形が、支払期日に不渡りとなった。

解答

(1)　商品売上時

（受取手形）	15,000	（売　　上）	15,000

(2)　不渡時

（不渡手形）	15,000	（受取手形）	15,000

(2)　裏書譲渡した手形が不渡りとなった場合

裏書譲渡した手形が不渡りとなった場合、裏書譲渡人は手形を裏書きされた人（譲受人）から手形を買い戻したときに不渡手形勘定で処理します。

裏書譲渡した手形や割り引いた手形が不渡りになった場合、裏書譲渡人は譲受人からの遡求に応じて支払いをしなければなりませんが、同時に前の手形関係者に対して遡求権を行使することができます。

例題　不渡手形―裏書譲渡した場合

次の各取引の仕訳を示しなさい。

(1)　A社は、仕入先C社に対する買掛金15,000円の決済として、B社振出の約束手形15,000円を裏書譲渡した。

(2)　A社は、上記(1)の約束手形が支払期日に不渡りとなったため、当座決済により買い戻した。

解答

(1) 裏書譲渡時

(買　掛　金)	15,000	(受　取　手　形)	15,000

(2) 不渡時

(不　渡　手　形)	15,000	(当　座　預　金)	15,000

問題 >>> 問題編の**問題 1** に挑戦しましょう！

2：保証債務

保証債務

手形の裏書譲渡・割引を行った場合、手形債権が消滅して、新たに手形の遡求義務、つまり、二次的責任である**保証債務**が発生します。

この保証債務は、手形の裏書譲渡・割引を行った時点で時価により認識するとともに保証債務費用を計上し、手形が決済されたとき、または、不渡りとなったときに取崩処理を行い、保証債務取崩益を計上します。

保証債務の時価がゼロと算定された場合、保証債務は認識されません。したがって、保証債務の認識については、問題の指示に従うこととなります。

例題　保証債務

次の各取引の仕訳を示しなさい。

(1)　A社は、B社振出の約束手形40,000円を取引銀行で割り引き、割引料6,940円を差し引かれた残額33,060円を当座預金とした。なお、当該約束手形に係る保証債務は額面の1%とする。

(2)　上記(1)の約束手形が、支払期日に決済された。

(3)　上記(1)の約束手形が、支払期日に不渡りとなったため、当座決済により買い戻した。

解答

(1)　**割引時**

(当座預金)	33,060	(受取手形)	40,000
(手形売却損)	6,940		
(保証債務費用)	400*	(保証債務)	400

＊　額面40,000円×1%＝400円

(2) **決済時**

(保 証 債 務)	400	(保証債務取崩益)	400

(3) **不渡時**

(不 渡 手 形)	40,000	(当 座 預 金)	40,000
(保 証 債 務)	400	(保証債務取崩益)	400

保証債務費用を、手形売却損として処理することもあります。本試験では問題文の指示に従いましょう。

問題 >>> 問題編の**問題２**に挑戦しましょう！

3：為替手形

為替手形とは

手形には、約束手形のほかに**為替手形**があります。

為替手形とは、手形を振り出した人（振出人）が特定の人（名宛人）に対して、自分の代わりに別の人（指図人）に、期日までに代金を支払うことを依頼するための証券です。

約束手形が振出人と名宛人の２者間で行われる取引に用いられる手形であるのに対し、為替手形は３者間で行われる取引に用いられる手形です。

Point 為替手形の取引の全体像

たとえば、A社は、B社に対して買掛金が、C社に対して売掛金がある場合、通常はC社から売掛金を回収して、B社の買掛金を支払うという流れになります。

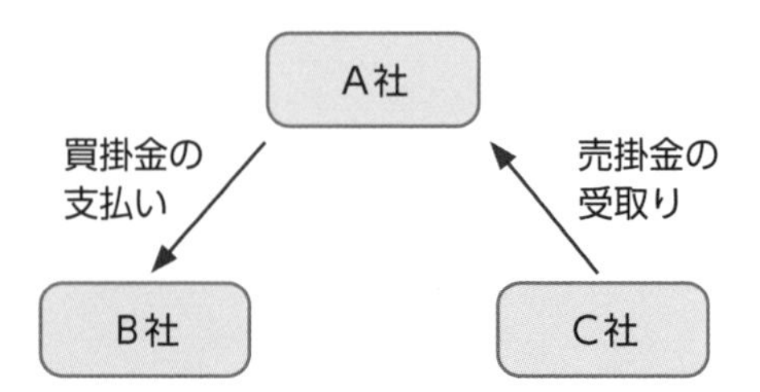

ここで、A社が自身で売掛金の回収と買掛金の支払いを行わず、C社にB社の買掛金を支払ってもらっても結果は同じになります。

そこで、A社は為替手形を振り出して、C社にB社への代金を支払ってもらいます。

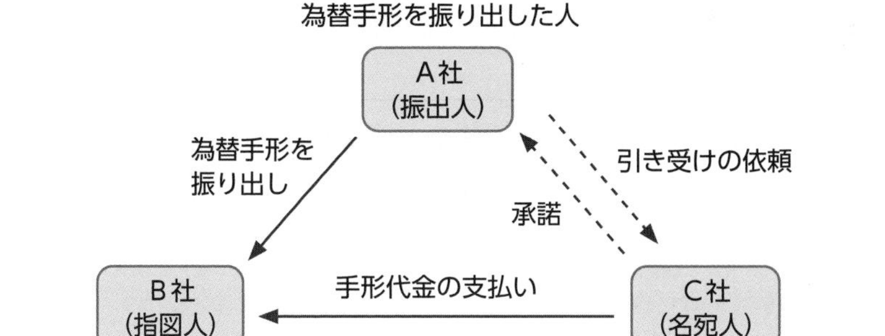

なお、為替手形を振り出すときは、名宛人が手形代金の支払いを承諾する（引き受ける）必要があります。

約束手形では受取人を名宛人といいましたが、為替手形では支払人のことを名宛人といいます。

振出人の処理

(1) 為替手形を振り出したとき

振出人が為替手形を振り出すと、指図人に対する買掛金を名宛人が支払ってくれるので、指図人に対する買掛金が減ります。

また、名宛人が代わりに買掛金を支払ってくれたので、名宛人に対する売掛金を減らします。

例題 **為替手形を振り出したとき（振出人の処理）**

次の取引の仕訳を示しなさい。

A社は、仕入先B社に対する買掛金15,000円の決済として、売掛金のあるC社を名宛人とする為替手形を振り出し、C社の引き受けを得て、B社に渡した。

解答

（買　掛　金）	15,000	（売　掛　金）	15,000

(2) 振り出した為替手形が決済されたとき

振出人には、受取手形も支払手形もないため、為替手形が決済されてもなんの仕訳もしません。

例題 **振り出した為替手形が決済されたとき（振出人の処理）**

次の取引の仕訳を示しなさい。

A社は、仕入先B社に対する買掛金15,000円の決済として、売掛金のあるC社を名宛人とする為替手形を振り出し、C社の引き受けを得て、B社に渡していたが、当該為替手形が決済された。

解答

仕訳なし

指図人（代金の受取人）の処理

(1) 為替手形を受け取ったとき（指図人の処理）

為替手形を受け取った場合、あとで代金を受け取れます。そこで、受取手形の増加として処理します。

例題 為替手形を受け取ったとき（指図人の処理）

次の取引の仕訳を示しなさい。

B社はA社に対する売掛金15,000円を、A社振出、C社を名宛人とする為替手形（C社の引き受けあり）で受け取った。

解答

（受取手形）	15,000	（売掛金）	15,000

為替手形における指図人の仕訳は、約束手形における名宛人の仕訳と同じです。

(2) 受け取った為替手形が決済されたとき

受け取った為替手形が決済された場合は、受取手形の減少として処理します。

例題 受け取った為替手形が決済されたとき（指図人の処理）

次の取引の仕訳を示しなさい。

B社はA社に対する売掛金15,000円を、A社振出、C社を名宛人とする為替手形（C社の引き受けあり）で受け取っていたが、当該為替手形が決済され、当座預金口座に入金を受けた。

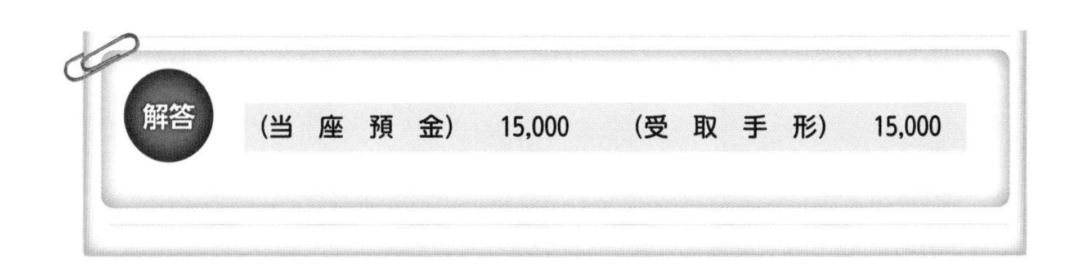

解答
(当 座 預 金) 15,000 (受 取 手 形) 15,000

名宛人（代金の支払人）の処理

⑴ 為替手形を引き受けたとき（名宛人の処理）

為替手形を引き受けた場合、手形代金をあとで支払う義務が生じます。そこで、支払手形の増加として処理します。

例題 為替手形を引き受けたとき（名宛人の処理）

次の取引の仕訳を示しなさい。

C社は買掛金のあるA社から、A社振出、B社を指図人とする為替手形15,000円の引き受けを求められたため、これを引き受けた。

解答

(買 掛 金)	15,000	(支 払 手 形)	15,000

為替手形における名宛人の仕訳は、約束手形における振出人の仕訳と同じです。

⑵ 引き受けた為替手形が決済されたとき

引き受けた為替手形が決済された場合は、支払手形の減少として処理します。

例題 **引き受けた為替手形が決済されたとき（名宛人の処理）**

次の取引の仕訳を示しなさい。

C社は買掛金のあるA社から、A社振出、B社を指図人とする為替手形15,000円の引き受けを求められたため、これを引き受けたが、当該為替手形が決済され、当座預金口座から支払われた。

解答

（支 払 手 形）	15,000	（当 座 預 金）	15,000

自己受為替手形と自己宛為替手形

為替手形は自己を手形代金の受取人（指図人）として振り出すこと（**自己受為替手形**）も、自己を手形代金の支払人（名宛人）として振り出すこと（**自己宛為替手形**）もできます。

⑴ **自己受為替手形**

自己受為替手形とは、振出人が指図人となるように振り出した為替手形のことをいいます。

Point 自己受為替手形

取引の相手方が約束手形を取り扱っていない場合で、支払期日までに確実に代金を回収したいときなどに用います。受取人の意思で振り出すことができる点にメリットがあります。

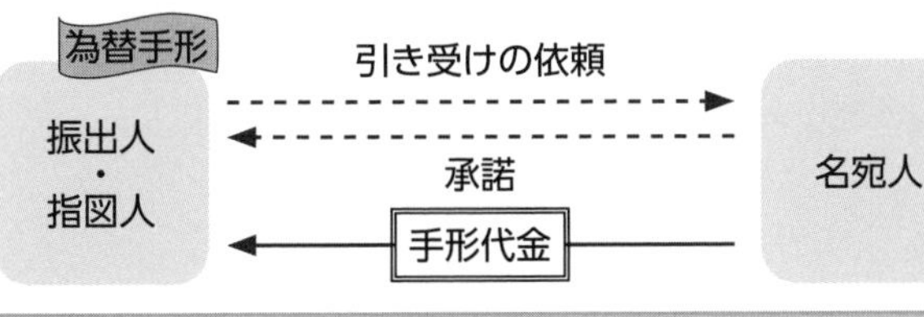

① 自己受為替手形を振り出した場合（振出人の処理）

自己受為替手形の振出人は指図人となります。そこで、受取手形で処理します。

例題　自己受為替手形（振り出し）

次の取引の仕訳を示しなさい。

A社は得意先C社に対する売掛金15,000円を回収するため、自己を指図人とする為替手形（C社の引き受けあり）を振り出した。

（受　取　手　形）	15,000	（売　　掛　　金）	15,000

自己受為替手形における振出人の仕訳は、為替手形における指図人の仕訳と同じです。

② 自己受為替手形を引き受けた場合（名宛人の処理）

自己受為替手形の名宛人には、引き受けにより、手形代金を支払う義務が生じます。そこで、支払手形で処理します。

例題　自己受為替手形（引き受け）

次の取引の仕訳を示しなさい。

C社は仕入先A社の買掛金について、A社を指図人とする為替手形15,000円の引き受けを求められたので、これを引き受けた。

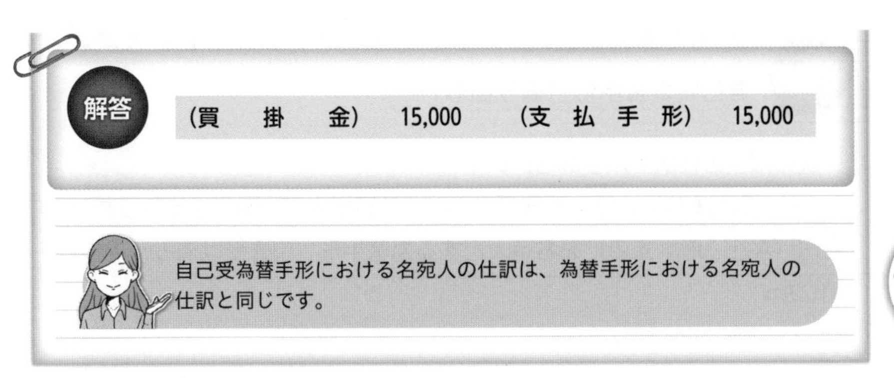

(2) 自己宛為替手形

自己宛為替手形とは、振出人が名宛人となるように振り出した為替手形のことをいいます。

Point 自己宛為替手形

自己宛為替手形は、たとえば本店が支店の仕入先から仕入れた場合の買掛金を支店に支払ってもらいたいときなどに用いられます。

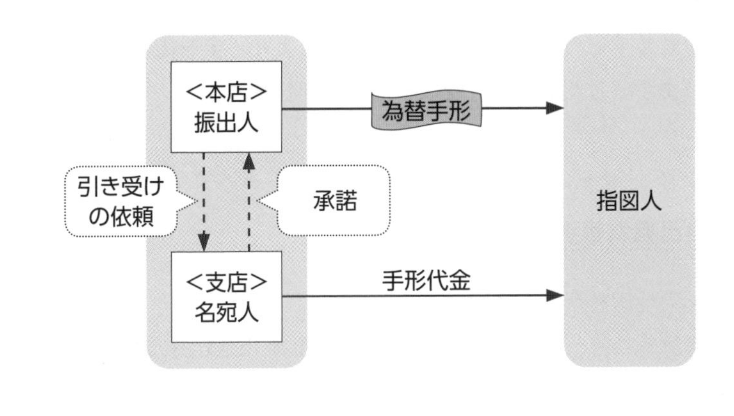

① 自己宛為替手形を振り出した場合（振出人の処理）

自己宛為替手形の振出人は名宛人となります。そこで、支払手形で処理します。

例題 **自己宛為替手形（振り出し）**

次の取引の仕訳を示しなさい。

Ａ社（福岡本店）は仕入先Ｂ商店に対する買掛金15,000円を支払うため、自己（Ａ社・熊本支店）を名宛人とする為替手形（引き受け済み）を振り出した。

（買　掛　金）	15,000	（支 払 手 形）	15,000

自己宛為替手形における振出人の仕訳は、為替手形における名宛人の仕訳と同じです。

②　自己宛為替手形を受け取った場合（指図人の処理）

自己宛為替手形の指図人には、受け取りにより、手形代金を受け取る権利が生じます。したがって、受取手形で処理します。

例題 **自己宛為替手形（受け取り）**

次の取引の仕訳を示しなさい。

Ｂ社は得意先Ａ社（福岡本店）に対する売掛金15,000円の回収として、Ａ社の熊本支店を名宛人とする為替手形（引き受け済み）を受け取った。

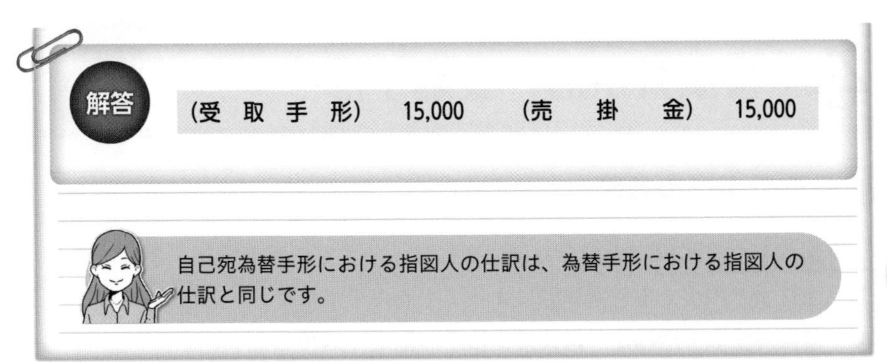

解答

(受取手形) 15,000 (売掛金) 15,000

自己宛為替手形における指図人の仕訳は、為替手形における指図人の仕訳と同じです。

問題 >>> 問題編の**問題3**に挑戦しましょう！

4：営業外手形・金融手形

営業外手形の意義

有価証券や有形固定資産などの売買によって生じた手形債権・手形債務は、商品売買などの主たる営業取引によって生じた手形債権・手形債務とは区別して、**営業外受取手形勘定・営業外支払手形勘定**で処理します。

営業外受取手形勘定と営業外支払手形勘定は、固定資産売却受取手形勘定・固定資産購入支払手形勘定などの具体的な名称を付した勘定により処理することもあります。本試験では問題文の指示に従って解答しましょう。

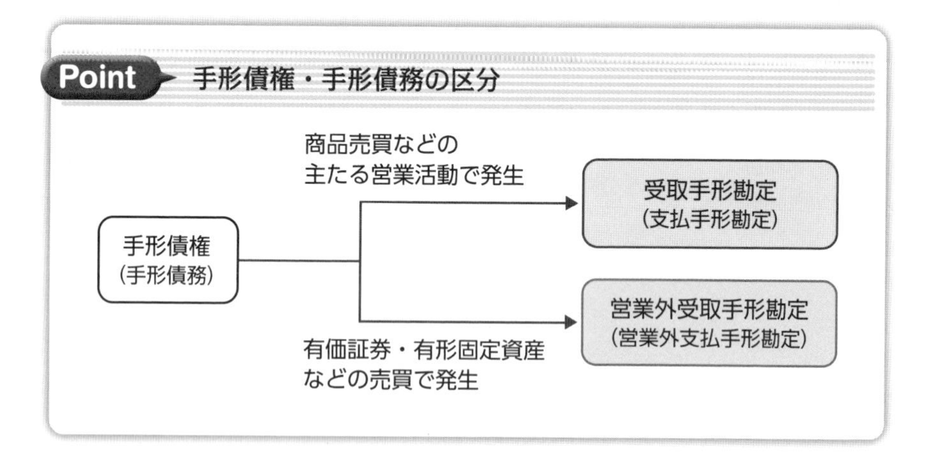

例題 **営業外手形**

次の取引におけるＡ社およびＢ社の仕訳を示しなさい。

Ａ社はＢ社に土地（帳簿価額20,000円）を売却し、代金60,000円はＢ社振出の約束手形で受け取った。

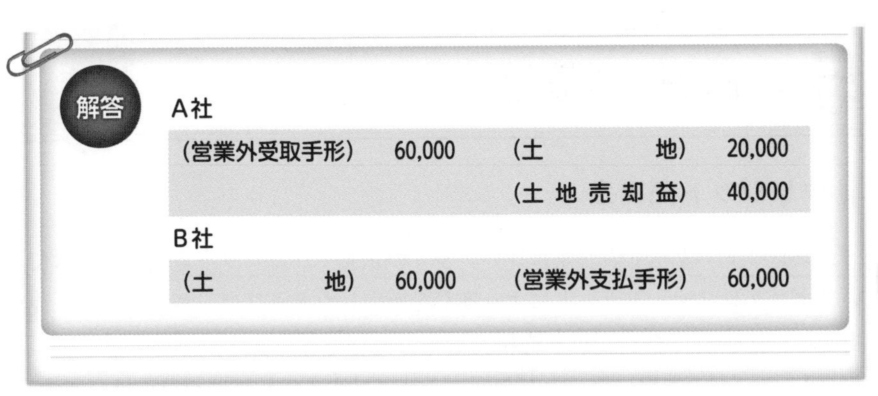

解答

A社

(営業外受取手形)	60,000	(土　　　　地)	20,000
		(土 地 売 却 益)	40,000

B社

(土　　　　地)	60,000	(営業外支払手形)	60,000

金融手形の意義

取引先等に対して金銭の貸付けを行う場合、借用証書の代わりに担保として手形を受け取ることがあります。このような手形を金融手形といい、**手形貸付金勘定**・**手形借入金勘定**で処理します。

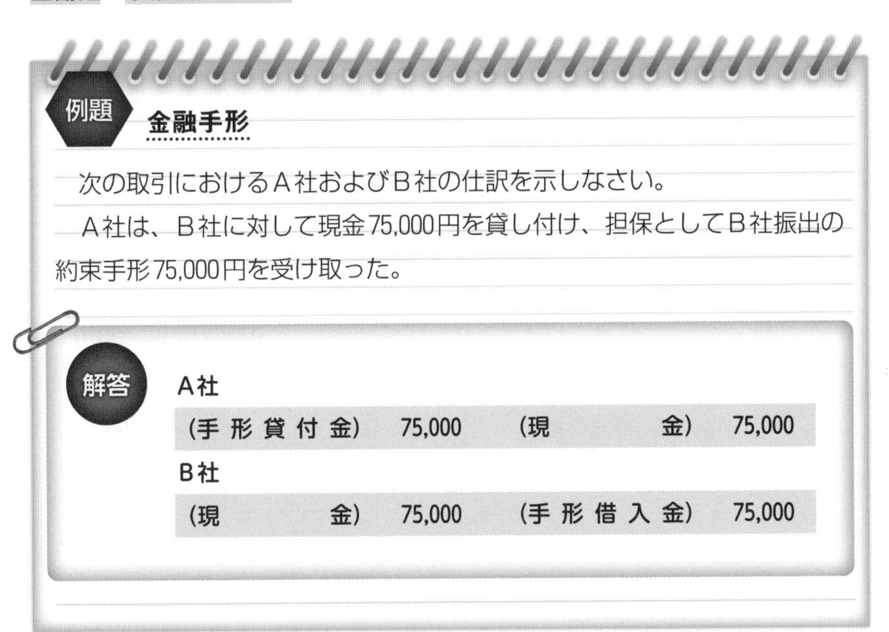

例題　**金融手形**

次の取引におけるA社およびB社の仕訳を示しなさい。

A社は、B社に対して現金75,000円を貸し付け、担保としてB社振出の約束手形75,000円を受け取った。

解答

A社

(手 形 貸 付 金)	75,000	(現　　　　金)	75,000

B社

(現　　　　金)	75,000	(手 形 借 入 金)	75,000

問題 >>> 問題編の**問題4**～**問題5**に挑戦しましょう！

5：その他の債権

クレジット売掛金

クレジット・カードの普及に伴い、多くの企業でクレジット取引が行われています。クレジット・カードにより商品を販売したときには、原則として、売掛金とは区別して**クレジット売掛金**勘定で処理を行います。このとき、クレジット・カードの利用に伴うクレジット会社に対する手数料については、通常、商品の販売時に**支払手数料**勘定に計上します。したがって、クレジット売掛金の計上額は販売代金から支払手数料を控除した手取額となります。

例題 クレジット売掛金

次の各取引の仕訳を示しなさい。

(1) 商品900千円をクレジット・カードにより販売した。なお、クレジット会社への手数料は、販売代金の1％であり、販売時に計上している。

(2) (1)で生じた債権の代金が、クレジット会社より当社の当座預金口座に振り込まれた。

解答

(仕訳の単位：千円)

(1)

借方	金額	貸方	金額
(クレジット売掛金)	891	(売　　上)	900
(支 払 手 数 料)	9*		

＊ 900千円×1％＝9千円

(2)

借方	金額	貸方	金額
(当　座　預　金)	891	(クレジット売掛金)	891

電子記録債権

電子記録債権とは、電子債権記録機関が作成する記録原簿に電子記録することを要件とする金銭債権です。売掛金について電子記録債権の発生を記録したときは、債権者は売掛金勘定から**電子記録債権勘定**に振り替えます。なお、電子記録債権発生時の記録請求は、債権者側、債務者側、いずれからでも可能ですが、債権者側が発生記録を請求する時は債務者の承諾が必要です。

また、電子記録債権は、支払期日前に譲渡記録を行うことができ、現金化または買掛金等の決済手段として第三者に譲渡することができます。そのため、電子記録債権の譲渡は受取手形の裏書・割引と同様に処理します。

電子記録債権は手形債権の代替として機能するもので、紛失・盗難のリスクがないことや債権の分割が可能であることなど、その利便性が評価されています。

例題　電子記録債権

次の各取引の仕訳を示しなさい。

(1)　A社は、得意先B社に対する売掛金2,700千円について、同社の承諾を得て、電子記録債権の発生記録を行った。

(2)　A社は、仕入先C社に対する買掛金900千円を決済するために、(1)で発生した電子記録債権のうち900千円の譲渡記録を行った。

(3)　A社は、(1)で発生した電子記録債権のうち900千円をD社に売却し、譲渡記録を行った。なお、売却代金810千円は現金で受け取った。

(4)　(1)で発生した電子記録債権のうち900千円の支払期日が到来し、当座預金口座に入金された。

解答

（仕訳の単位：千円）

⑴

(電子記録債権)	2,700	(売　掛　金)	2,700

⑵

(買　掛　金)	900	(電子記録債権)	900

⑶

(現　　金)	810	(電子記録債権)	900
(電子記録債権売却損)	90*		

＊　貸借差額

⑷

(当 座 預 金)	900	(電子記録債権)	900

6：売掛金の売却（ファクタリング）

Rank B

売掛金の売却（ファクタリング）とは

ファクタリングとは、他人が保有する債権を買い取る金融サービスのことをいいます。売掛金はファクタリング会社（債権買取業者）に買い取ってもらうことにより、決済日を待たずに早期に現金化することができます。

売掛金の売却（ファクタリング）の会計処理

売掛金をファクタリング会社に売却することで生じた債権は主たる営業取引にはあたらないため、契約時に売掛金勘定から**未収金勘定**に振り替えます。

なお、売掛金はファクタリング業者が買い取るため、もし売掛金が貸倒れたとしても、譲渡側には支払い義務は生じません（ノンリコース）。

またファクタリング会社に支払う手数料は、**売上債権売却損勘定**または**売上債権譲渡損勘定**で処理します。

例題 **売掛金の売却（ファクタリング）**

次の(1)(2)の取引の仕訳を示しなさい。

(1) A社は、売掛金1,500円を早期に回収するため、ファクタリング会社と償還請求権なし（ノンリコース）の条件で売上債権譲渡契約を締結した。

(2) ファクタリング会社より手数料8%を控除した手取り額1,380円が当座預金口座に入金された。

解答

(1)

(未　収　金)	1,500	(売　掛　金)	1,500

(2)

(当座預金)	1,380	(未収金)	1,500
(売上債権売却損)	120*		

＊　手数料：1,500円×8％＝120円

(1)　売掛金をファクタリング会社に売却することで生じる債権（売却の対価）は主たる営業取引にはあたらないので未収金勘定に振り替えます。

(2)　ファクタリング会社に支払う手数料は売上債権売却損勘定または売上債権譲渡損勘定で処理します。ここでは売上債権売却損勘定を使って処理していますが、試験では問題文の指示等に従ってください。

ノンリコースの条件が付されているときは売掛金が貸倒れたとしても、譲渡側には支払い義務は生じません。よって、受取手形の割引のように保証債務が発生することもありません。

問題 >>> 問題編の**問題6**に挑戦しましょう！

参考　手形の更改

手形の更改とは

手形支払人は、資金繰り等の理由で支払期日を延期してもらうため、手形所持人と相談のうえ、古い手形を新しい手形に書き換えることがあります。これを**手形の更改**（手形の書換え）といいます。

手形の更改は、実務上、不渡手形の発生を回避する目的で利用されます。

利息の取扱い

通常、手形の更改が行われると、支払期日の延期分に相当する利息の受渡しが行われますが、この利息の受渡しについては、金銭で直接授受する場合と新手形の額面金額に含める場合があります。

金銭で直接授受する場合	手形更改と支払期日の延期分に相当する利息の受渡しを、別々に会計処理する。
新手形の額面金額に含める場合	手形更改で新たに書き換える手形の取得価額に、利息相当額を含めて会計処理する。

例題 **手形の更改**

次の各取引におけるA社およびB社の仕訳を示しなさい。

(1) A社は、振り出した約束手形150,000円について、手形の所持人である仕入先B社に対し支払期日の延期を申し立て了承を得た。なお、支払延期分の利息3,000円は小切手を振り出して支払った。

(2) 上記(1)において、利息3,000円を新手形の額面金額に含めて処理した場合。

解答 **(1) 利息を金銭で直接授受する場合**

A社

(支払手形)	150,000	(支払手形)	150,000
(支払利息)	3,000	(当座預金)	3,000

B社

(受取手形)	150,000	(受取手形)	150,000
(現金)	3,000	(受取利息)	3,000

(2) 利息を新手形の額面金額に含める場合

A社

(支払手形)	150,000	(支払手形)	153,000
(支払利息)	3,000		

B社

(受取手形)	153,000	(受取手形)	150,000
		(受取利息)	3,000

参考　未着品売買における荷為替手形

未着品売買における荷為替手形の取組み

商品を遠隔地へ発送する場合、商品代金を早期に回収するために売主は買主を名宛人、売主の取引銀行を指図人とする為替手形を振り出し、貨物代表証券を担保にして、売主の取引銀行に買い取って（割り引いて）もらうことがあります。

これを荷為替の取組みといい、この為替手形のことを**荷為替手形**といいます。

Point 未着品売買における荷為替の取組み

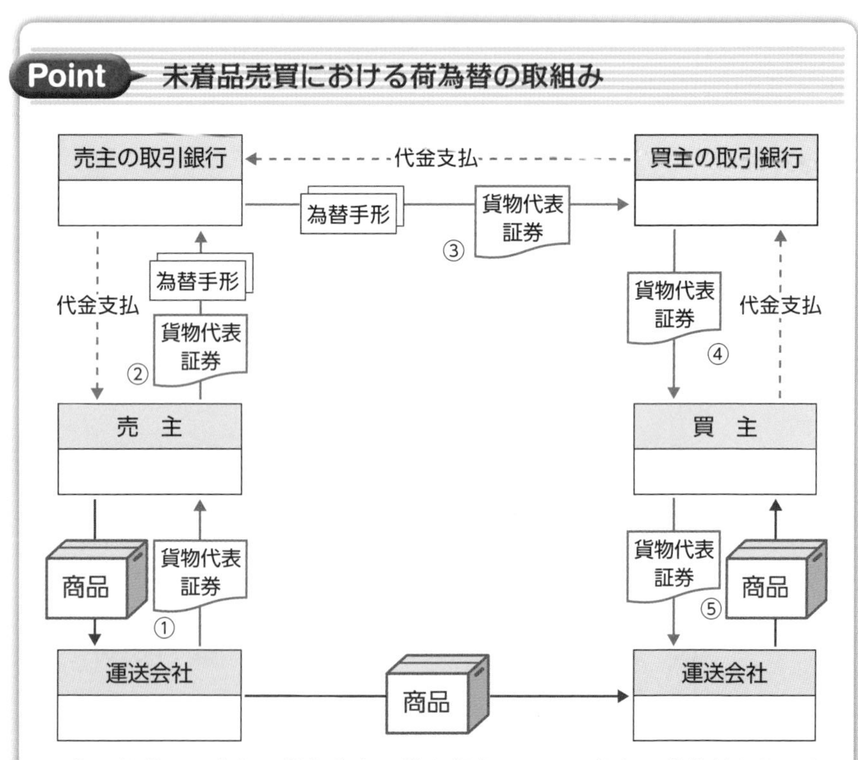

②の段階で、売主は貨物代表証券を担保として、銀行と荷為替を取り組みます。そして、銀行から割引代金を受け取ります。

③の段階で、売主の取引銀行は、買主の取引銀行に為替手形と貨物代表

証券を渡し、取立てを依頼します。
　④の段階で、買主は、取引銀行から荷為替の引受けの要請を引き受けるとともに、貨物代表証券を受け取ります。

荷為替手形の金額については、商品価額の全額にする場合と一部にする場合があるため、問題文の指示に従ってください。また、荷為替手形の金額を商品価額の一部とした場合には、残額は売掛金とします。

例題　未着品売買―荷為替手形

　次の各問における、荷為替手形の取組みに係る仕訳を示しなさい。

問１　商品価額の全額につき荷為替手形を取り組んだ場合

⑴　Ａ社はＢ社に対して商品30,000円を発送するとともに、荷為替30,000円を取り組み、割引料200円を差し引かれた手取金は当座預金とした。

⑵　Ｂ社は上記の荷為替手形を引き受け、貨物代表証券を受け取った。

⑶　Ｂ社は貨物代表証券と引換えに商品を受け取った。

問２　商品価額の70%につき荷為替手形を取り組んだ場合

⑴　Ａ社はＢ社に対して商品30,000円を発送するとともに、荷為替21,000円を取り組み、割引料140円を差し引かれた手取金は当座預金とした。

⑵　Ｂ社は上記の荷為替手形を引き受け、貨物代表証券を受け取った。

⑶　Ｂ社は貨物代表証券と引換えに商品を受け取った。

問１　商品価額の全額につき荷為替手形を取り組んだ場合

⑴　A社（売主）の手形割引時

(当座預金)	29,800	(売上)	30,000
(手形売却損)	200		

⑵　B社（買主）の貨物代表証券受取時

(未着品)	30,000	(支払手形)	30,000

⑶　B社（買主）の現品引取時

(仕入)	30,000	(未着品)	30,000

問２　商品価額の70%につき荷為替手形を取り組んだ場合

⑴　A社（売主）の手形割引時

(当座預金)	20,860	(売上)	30,000
(手形売却損)	140		
(売掛金)	9,000*		

＊　30,000円×（１－70%）＝9,000円

⑵　B社（買主）の貨物代表証券受取時

(未着品)	30,000	(支払手形)	21,000
		(買掛金)	9,000

⑶　B社（買主）の現品引取時

(仕入)	30,000	(未着品)	30,000

売主側は、手形の割引の会計処理をします。買主側は、為替手形を引き受けているので、支払手形勘定で処理します。

参考 委託販売における荷為替手形

委託販売における荷為替手形の取組み

委託販売では、委託者が商品代金を早期に回収するため、商品積送時に荷為替を取り組むことがあります。

荷為替取組額については、積送品が未販売であるのに代金を先に受け取っていることから、**前受金勘定**または、**委託販売勘定**で処理します。

荷為替の取組みの流れは、基本的に未着品売買の場合と同じです。

委託販売に係る債権・債務の会計処理

委託販売に係る債権・債務の会計処理については、積送売掛金勘定および前受金勘定で処理する方法と、委託販売勘定で処理する方法があります。

積送売掛金勘定および前受金勘定で処理する方法	受託者に対する債権は積送売掛金勘定で処理し、荷為替の取組みによる債務は前受金勘定で処理する方法
委託販売勘定で処理する方法	受託者に対する債権・債務を委託販売勘定のみで処理する方法

委託販売勘定について

委託販売勘定の貸方残高は前受金を意味しており、借方残高は積送売掛金を意味しています。したがって、借方残高の場合は、積送売掛金として貸倒引当金の設定対象債権となります。

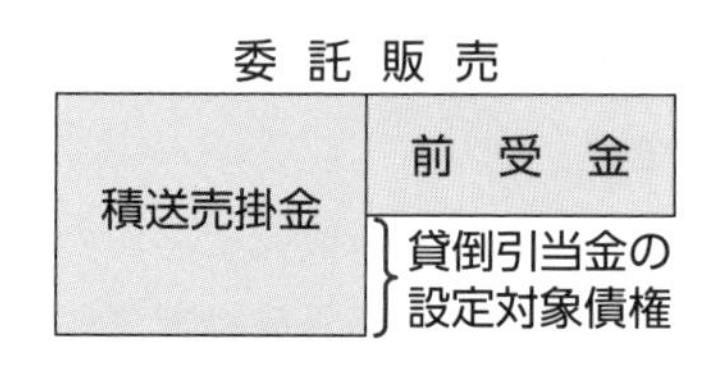

例題　委託販売―荷為替手形

次の各取引の各問における仕訳を示しなさい。

(1)　委託販売のためＡ社に商品6,000円を積送した。

(2)　上記(1)の商品に対して荷為替5,250円を取り組み、割引料300円を差し引かれた残額を当座預金とした。

(3)　Ａ社が商品を販売し、その内容は次の売上計算書のとおりであった。なお、委託販売については受託者の売上高を売上として計上し、期末一括法により会計処理を行っている。

売上計算書		(単位：円)
Ⅰ 売上高		8,250
Ⅱ 諸掛		
雑費	150	
手数料	825	975
Ⅲ 差引		7,275
Ⅳ 荷為替引受額		5,250
Ⅴ 差引手取額		2,025

問１　受託者に対する債権・債務を積送売掛金勘定および前受金勘定で処理する方法

問２　受託者に対する債権・債務を委託販売勘定で処理する方法

解答

問1　積送売掛金勘定および前受金勘定で処理する方法

(1)　積送時

(積　送　品)	6,000	(仕　入)	6,000

(2)　荷為替取組時

(当 座 預 金)	4,950	(前　受　金)	5,250
(手 形 売 却 損)	300		

(3)　販売時

(前　受　金)	5,250	(積 送 品 売 上)	8,250
(積 送 売 掛 金)	2,025		
(積 送 諸 掛 費)	975		

問2　委託販売勘定で処理する方法

(1)　積送時

(積　送　品)	6,000	(仕　入)	6,000

(2)　荷為替取組時

(当 座 預 金)	4,950	(委 託 販 売)	5,250
(手 形 売 却 損)	300		

(3)　販売時

(委 託 販 売)	7,275	(積 送 品 売 上)	8,250
(積 送 諸 掛 費)	975		

Chapter 3 のまとめ

□ 不渡手形の会計処理

自己所有の手形が不渡りとなった場合	自己所有の手形が不渡りとなった場合は、通常の手形と区別するために、受取手形勘定から不渡手形勘定へ振り替える。
裏書譲渡した手形が不渡りとなった場合	裏書譲渡した手形が不渡りとなった場合、裏書譲渡人は手形を裏書きされた人（譲受人）から手形を買い戻したときに不渡手形勘定で処理する。

□ 保証債務

手形の裏書譲渡・割引を行った時点で時価により認識するとともに、保証債務費用を計上し、手形が決済されたとき、または、不渡りとなったときに取崩処理を行い、保証債務取崩益を計上します。

□ 為替手形の登場人物

振出人	為替手形を振り出した人
指図人	為替手形の代金を受け取る人
名宛人	為替手形の代金を支払う人

□ 手形債権・手形債務の区分

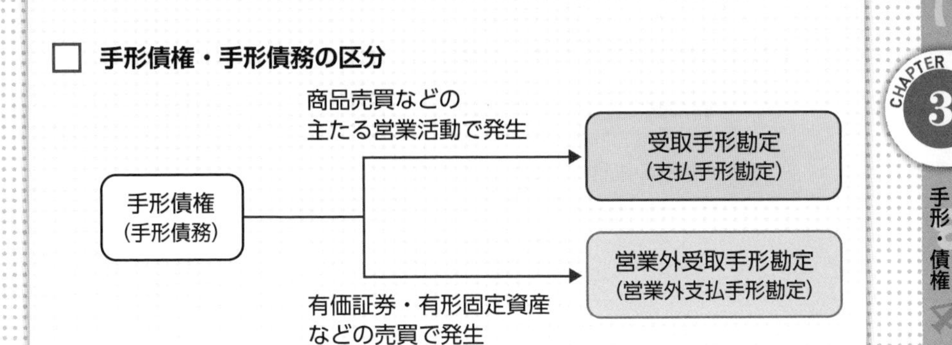

□ クレジット売掛金

通常、販売時にクレジット会社への手数料を計上します。

クレジット売掛金	手取額（販売代金－支払手数料）
支払手数料	問題文の指示に従って計上する。

□ 電子記録債権

取得時	電子記録債権を計上する。
代金回収時・譲渡時	電子記録債権を取り崩す。債権を期日前に売却し、売却額と債権の帳簿価額が異なるときは、差額を電子記録債権売却損（益）として処理する。

□ **売掛金の売却（ファクタリング）**

売却時	売掛金勘定から未収金勘定に振り替える。
支払手数料の処理	売上債権売却損勘定または売上債権譲渡損勘定で処理する。

CHAPTER 4

金銭債権の評価

ここでは、貸倒引当金について学習していきます。対象となる債権の性質によって会計処理方法が異なるので、その性質に注意して読み進めましょう。

また、新たに貨幣の時間価値という概念が登場します。貨幣の時間価値は非常に重要な論点なので、暗記に走らず、しっかりと理解しましょう。

Chapter 4

資産会計

金銭債権の評価

>>危険度合いによって会計処理が異なります。

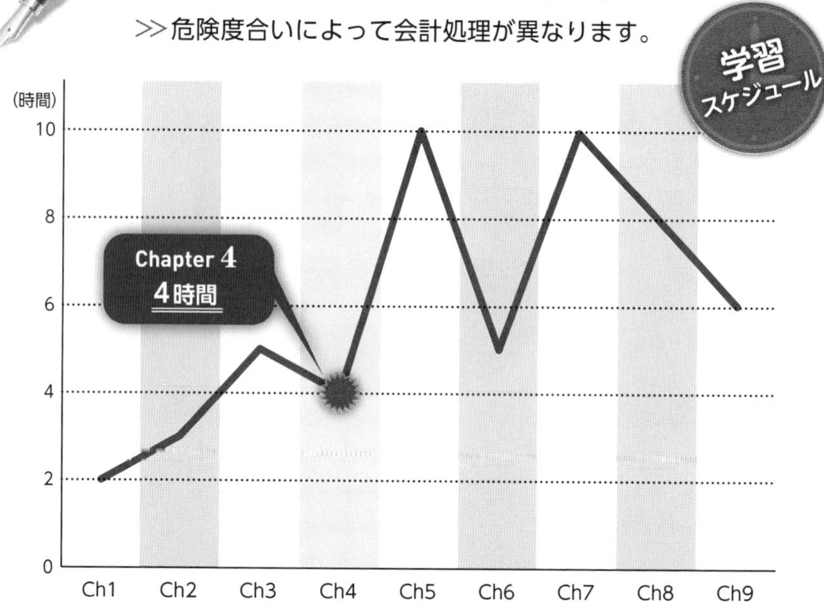

Check List

- □ 貨幣の時間価値を理解しているか？
- □ 債権の区分を理解しているか？
- □ 貸倒引当金の設定方法を理解しているか？
- □ 貸倒実績率法の会計処理を理解しているか？
- □ 財務内容評価法の会計処理を理解しているか？
- □ 貸倒処理を理解しているか？
- □ キャッシュ・フロー見積法の会計処理を理解しているか？

Link to 財務諸表論② Chapter4 金銭債権

財務諸表論でも、貸倒引当金の学習内容は、ほぼ同じです。ただし、貸借対照表上の表示科目や表示区分は、学習しておくと計算の理解も深まりますので関連づけて学習しましょう。

1：貨幣の時間価値

貨幣の時間価値

貨幣の時間価値とは、時間が経過することによって貨幣の価値が高くなることです。

貨幣の時間価値は、**4：キャッシュ・フロー見積法**で使用します。

Point 貨幣の時間価値

例）現金100円を年利３％で銀行に預け入れた場合の貨幣の時間価値は次のようになります。

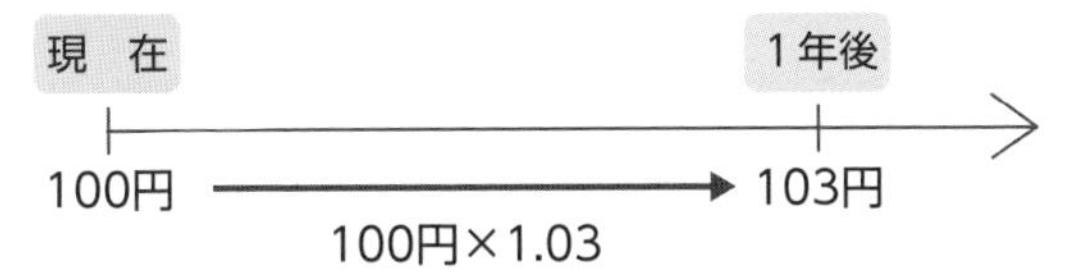

現時点で100円を銀行に預ければ１年後には利息３円がついて103円（100円×1.03）となります。

現時点の100円と１年後の100円では時間価値に相当する金額だけ価値が異なってきます。

現在価値と将来価値

貨幣の現時点の価値を**現在価値**、一定期間後の将来の価値を**将来価値**といいます。

Point 現在価値と将来価値

さきほどの例でいうと、100円が現在価値、103円が将来価値となります。

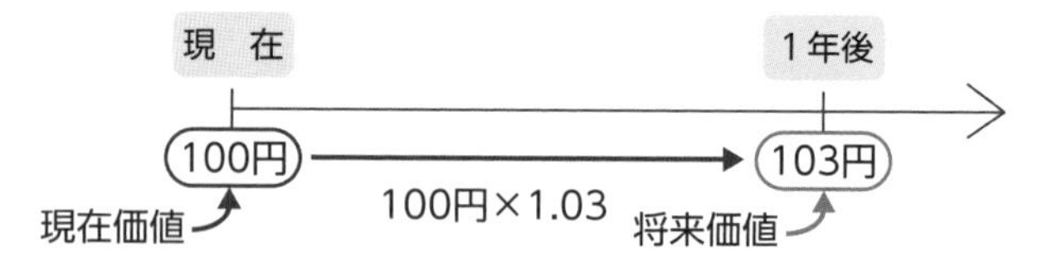

割引現在価値

割引現在価値とは、将来価値を現在価値に直した金額のことです。

Point 割引現在価値

例）年利３％で、１年後に100円となる場合の割引現在価値は次のようになります。

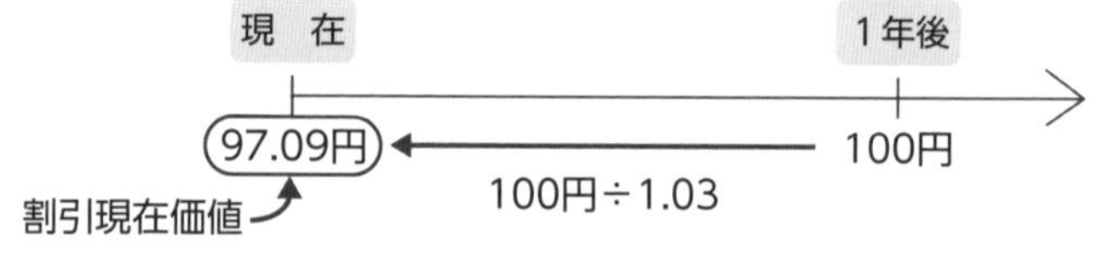

利子率ｒにおけるｎ年後の将来価値の現在価値（割引現在価値）は次の計算式で求めることができます。

$$現在価値 = 将来価値 \div (1 + r)^n = 将来価値 \times \frac{1}{(1 + r)^n}$$

現価係数と年金現価係数

現価係数とは、将来価値から現在価値を求めるときに使う係数です。

年金現価係数とは、毎年同じ金額の収支があるときに、将来価値から現在価値の合計を求めるときに使う係数です。

Point 現価係数と年金現価係数の関係

例）年利が３％のときの１年から３年までの現価係数および年金現価係数は、次のようになります。

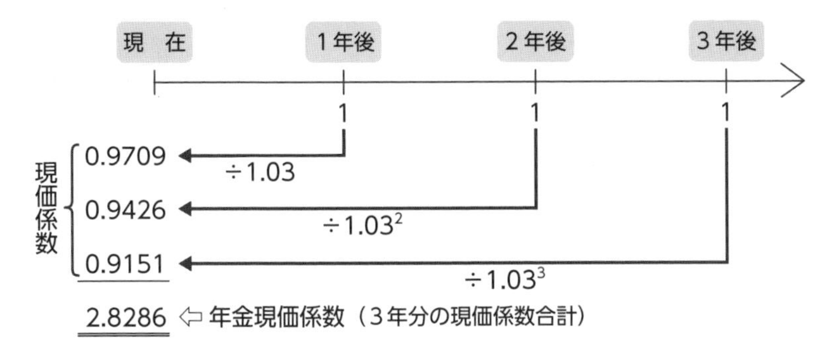

要するに、年金現価係数は現価係数を年数分合計したものです。

現価係数と年金現価係数を用いた割引現在価値の算定方法 

⑴　現価係数を用いた方法

現価係数が判明している場合には、将来価値に現価係数を掛けることで現在価値を求めることができます。

現在価値＝将来価値×現価係数

⑵　年金現価係数を用いた方法

年金現価係数が判明している場合には、一定の支払額（受取額）に年金現価係数を掛けることで現在価値合計を求めることができます。

現在価値合計＝一定の支払額（受取額）×年金現価係数

Point 現価係数と年金現価係数を用いた算定方法

例）１年ごとに100円ずつ２年間支払う予定であるときの、年利３％の場合の割引現在価値は、次のようになります。

① 年利３％による現価係数を使用した場合

	1年	2年
現 価 係 数	0.9709	0.9426

100円×0.9709＋100円×0.9426＝191.35円（割引現在価値）

② 年利３％による年金現価係数を使用した場合

	1年	2年
年金現価係数	0.9709	1.9135

100円×1.9135＝191.35円（割引現在価値）

現価係数と年金現価係数が、問題文の資料で与えられている場合には、割引率を使わずに現価係数または年金現価係数を使って計算しましょう。

2：貸倒引当金の設定手続

金銭債権の評価

金銭債権は、取得価額から貸倒見積高に基づいて算定された貸倒引当金を控除した金額を貸借対照表価額とします。

ただし、債権を債権金額より低い価額または高い価額で取得した場合で、取得価額と債権金額との差額の性格が金利の調整と認められるときは、償却原価法に基づいて算定された価額（償却原価）から貸倒引当金を控除した金額を貸借対照表価額とします。

Point 金銭債権の評価

取得の形態		貸借対照表価額
取得価額＝債権金額		取得価額－貸倒引当金
取得価額≠債権金額	差額が金利の調整と認められない場合	取得価額－貸倒引当金
	差額が金利の調整と認められる場合	償却原価－貸倒引当金

償却原価法については、Chapter5 有価証券で詳しく学習します。ここでは、金銭債権の貸借対照表価額の算定方法をおさえておきましょう。

債権の区分

貸倒見積高の算定にあたっては、債権を、債務者の財政状態および経営成績などに応じて次のように区分します。

Point 債権の区分

債権の区分	定　義
一　般　債　権	経営状態に重大な問題が生じていない債務者に対する債権
貸倒懸念債権	経営破綻の状態には至っていないが、債務の弁済に重大な問題が生じているか、または生じる可能性の高い債務者に対する債権
破産更生債権等	経営破綻または実質的に経営破綻に陥っている債務者に対する債権

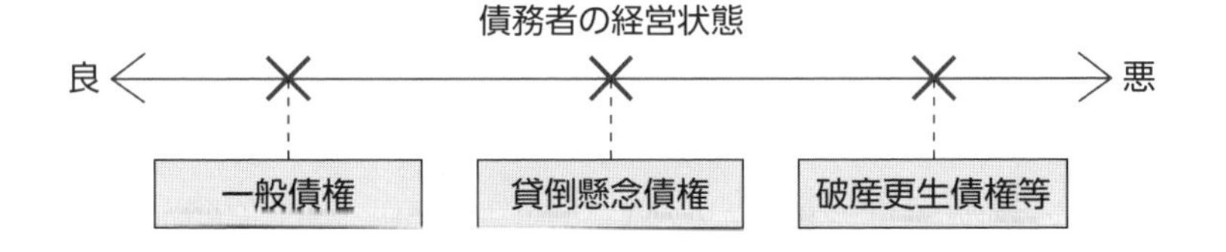

破産更生債権等に区分された債権は、売掛金勘定などから破産更生債権等勘定に振り替える必要があります。なお、破産更生債権等勘定以外に、更生債権勘定や再生債権勘定を用いる場合もあります。

Study 不渡手形の区分と振替処理

不渡手形は正常な債権とはいえないですよね。ということは貸倒懸念債権か破産更生債権等に区分することになると思うのですが、どちらに区分すればよいのですか？

その点についての規定は特にないので、どちらの区分になるかは問題文の指示に従うことになります。それから、勘定科目についても、何も指示がなければ不渡手形勘定のまま処理しますが、破産更生債権等への振替指示があれば、破産更生債権等勘定への振替処理を行う必要があるので注意しましょう。

貸倒引当金の設定方法

貸倒引当金の設定は、各区分の債権とそれに対応する貸倒引当金ごとに行い、**差額補充法**または**洗替法**により処理します。

差額補充法	貸倒見積高と決算整理前の貸倒引当金残高との差額を計上する方法
洗　替　法	決算整理前の貸倒引当金残高を全額収益に戻し入れたあとに、新たに貸倒引当金を計上する方法

Point 貸倒引当金の設定方法

例）貸倒見積高30円、決算整理前の貸倒引当金残高20円の場合の各方法の仕訳

(1)　差額補充法の場合

(貸倒引当金繰入額)	10	(貸　倒　引　当　金)	10

(2)　洗替法の場合

(貸　倒　引　当　金)	20	(貸倒引当金戻入益)	20
(貸倒引当金繰入額)	30	(貸　倒　引　当　金)	30

貸倒見積高の算定単位

貸倒見積高の算定単位には、債権をまとめて算定する**総括引当法**と個々の債権ごとに算定する**個別引当法**の2つがあります。

Point 貸倒見積高の算定単位

総括引当法と個別引当法は次のように貸倒見積高を設定します。

① 総括引当法

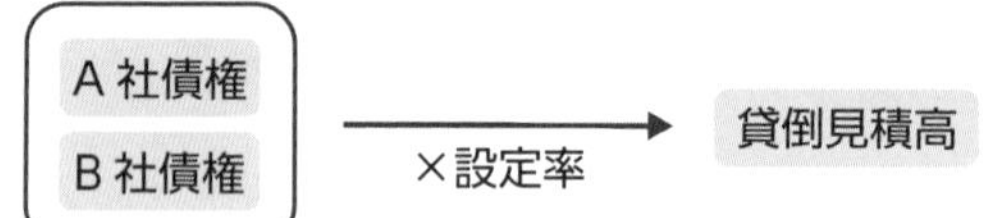

② 個別引当法

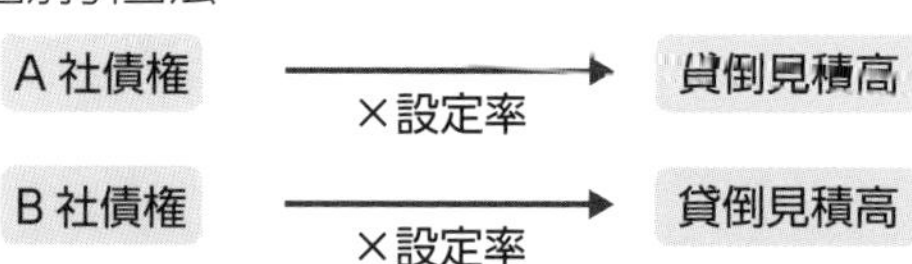

債権の区分と貸倒見積高の算定単位の対応関係は次のようになります。

債権の区分	貸倒見積高の算定単位
一般債権	総括引当法
貸倒懸念債権	個別引当法
破産更生債権等	個別引当法

貸倒見積高の算定方法

貸倒見積高の算定方法には、貸倒実績率法、財務内容評価法およびキャッシュ・フロー見積法の３つがあります。

Point 貸倒見積高の算定方法

債権の区分と貸倒見積高の算定方法の対応関係は、次のようになります。

債権の区分	貸倒見積高の算定方法
一般債権	貸倒実績率法
貸倒懸念債権	財務内容評価法 または キャッシュ・フロー見積法
破産更生債権等	財務内容評価法

貸倒引当金の会計処理は、各区分の債権とそれに対応する貸倒引当金ごとに行います。なお、キャッシュ・フロー見積法については、**4：キャッシュ・フロー見積法**で学習します。

(1) 貸倒実績率法

貸倒実績率法とは、一般債権に対する貸倒見積高の算定方法で、債権の全体または同種・同類の債権ごとに過去の貸倒実績率などを掛けて貸倒見積高を算定する方法です。

貸倒見積高＝債権金額×貸倒実績率

貸倒実績率の算定方法にはさまざまな方法がありますので、本試験では問題文の指示に従いましょう。

例題 **貸倒実績率法**

次の資料に基づいて、決算時の仕訳を示しなさい。

[資　料]

決算整理前残高試算表　　　　(単位：円)

売　掛　金	15,000	貸倒引当金	144
貸　付　金	12,000		

1．決算整理前残高試算表における売掛金および貸付金は、いずれも一般債権に区分されるものである。また、貸倒引当金もすべて一般債権に係るものである。

2．一般債権の平均回収期間は3カ月である。貸倒実績率は、期末債権残高に対する、翌期1年間（算定期間）の貸倒損失発生の割合とし、当期に適用する貸倒実績率は、過去3算定年度に係る貸倒実績率の平均値とする（単位：円）。

	前々々期	前々期	前　期	当　期
債権の期末残高 (貸倒損失発生額)	12,000	0 (288)		
債権の期末残高 (貸倒損失発生額)		14,000	0 (308)	
債権の期末残高 (貸倒損失発生額)			16,000	0 (224)

3．貸倒引当金については、差額補充法により会計処理を行う。

解答

(貸倒引当金繰入額)	396	(貸倒引当金)	396

(1)　貸倒実績率の算定

当期の貸倒実績率は、過去3算定年度に係る貸倒実績率の平均値となるため、まずは過去3算定年度に係る貸倒実績率を求める必要があります。

貸倒損失		債権の期末残高		貸倒実績率
288円（前々期）	÷	12,000円（前々々期）	＝	0.024（前々々期）
308円（前　期）	÷	14,000円（前々期）	＝	0.022（前々期）
224円（当　期）	÷	16,000円（前　期）	＝	0.014（前　期）
				0.06（6％）

0.06 ÷ 3 算定年度＝0.02（2％）

(2) 貸倒見積高の算定

(売掛金15,000円＋貸付金12,000円)× 2％＝540円

(3) 貸倒引当金繰入額の算定

540円－144円＝396円

一般債権を対象とするため、貸倒実績率法で貸倒見積高を算定します。なお、期末の債権が実際に貸し倒れるのは翌期以降であるため、各期の債権の期末残高に対応する貸倒損失は翌期に発生した金額である点に注意しましょう。

なお、仮に洗替法により会計処理を行う場合には、次のようになります。

(貸倒引当金)	144	(貸倒引当金戻入益)	144
(貸倒引当金繰入額)	540	(貸倒引当金)	540

(2) 財務内容評価法

財務内容評価法とは、債権金額から担保の処分見込額および保証による回収見込額を減額し、その残額について債務者の財政状態および経営成績を考慮して貸倒見積高を算定する方法です。

① 貸倒懸念債権の場合

債権額から担保等で保全されている額を控除した残額のうち、一定額（たとえば50％など）を貸倒見積高とします。

貸倒見積高
＝(債権金額－担保処分・保証回収見込額)×貸倒設定率

貸倒設定率は、本試験では問題文の資料として与えられます。

Point 貸倒見積高の算定方法—貸倒懸念債権

債権金額	担保処分・保証回収見込額
	（残額）× 貸倒設定率
	貸倒見積高

② 破産更生債権等の場合

原則として、債権額から担保等で保全されている額を控除した残額の全額を貸倒見積高とします。

貸倒見積高＝債権金額－担保処分・保証回収見込額

破産更生債権等はほぼ回収が見込めないので、貸倒設定率を100%と考えます。

Point 貸倒見積高の算定方法—破産更生債権等

債権金額	担保処分・保証回収見込額
	貸倒見積高

例題 財務内容評価法

次の資料に基づいて、決算時の仕訳を示しなさい。

[資　料]

決算整理前残高試算表　（単位：円）

借方科目	金額	貸方科目	金額
売　掛　金	5,000	預り保証金	1,000
貸　付　金	5,000		

1．当期末における債権の状況および貸倒見積高の算定方法は、次のとおりである。なお、貸倒引当金については、差額補充法により会計処理を行う。

区　　分	債務者	勘定科目	帳簿価額	備考
貸倒懸念債権	A社	売掛金	5,000円	2、3
破産更生債権等	B社	貸付金	5,000円	2、3、4

2．A社およびB社から担保として提供を受けているものは、次のとおりである。

①　A社：営業保証金1,000円　②　B社：土地4,000円

3．A社およびB社の支払能力を評価した結果、債権金額から上記2を控除した残額について、次の割合をもって貸倒引当金を設定する。

①　A社：30%　②　B社：100%

4．B社に対する貸付金については、決算にあたり破産更生債権等への振替処理を行う。

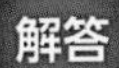

解答

貸倒懸念債権（A社債権）

借方	金額	貸方	金額
（貸倒引当金繰入額）	1,200	（貸　倒　引　当　金）	1,200

破産更生債権等（B社債権）

借方	金額	貸方	金額
（破産更生債権等）	5,000	（貸　付　金）	5,000
（貸倒引当金繰入額）	1,000	（貸　倒　引　当　金）	1,000

〈貸倒懸念債権（A社債権）〉

貸倒見積高：（A社5,000円－回収可能額1,000円）×30%＝1,200円

〈破産更生債権等（B社債権）〉

貸倒見積高：（B社5,000円－回収可能額4,000円）× 100%＝1,000円

債権額から担保等で保全されている額を控除した残額のうち、貸倒懸念債権は一定額が、破産更生債権等は全額が貸倒見積高となる点に注意しましょう。

問題 >>> 問題編の**問題1**～**問題2**に挑戦しましょう！

3：貸倒処理

前期末債権の貸倒処理

債権の回収可能性がほとんどないと判断された時点で債権から貸倒額を直接減額し、同時に貸倒引当金を取り崩します。

なお、貸倒引当金の取崩処理は、各債権区分とそれに対応する貸倒引当金ごとに行いますが、貸倒引当金が債権の貸倒額より不足する場合には、その不足額を貸倒損失勘定で処理します。

当期発生債権の貸倒処理

当期に発生した債権は、前期末における貸倒引当金の設定対象債権ではないため、貸倒引当金を取り崩すことはできません。

したがって、債権の回収可能性がほとんどないと判断された時点で債権から貸倒額を直接減額し、同時にその貸倒額を貸倒損失勘定で処理します。

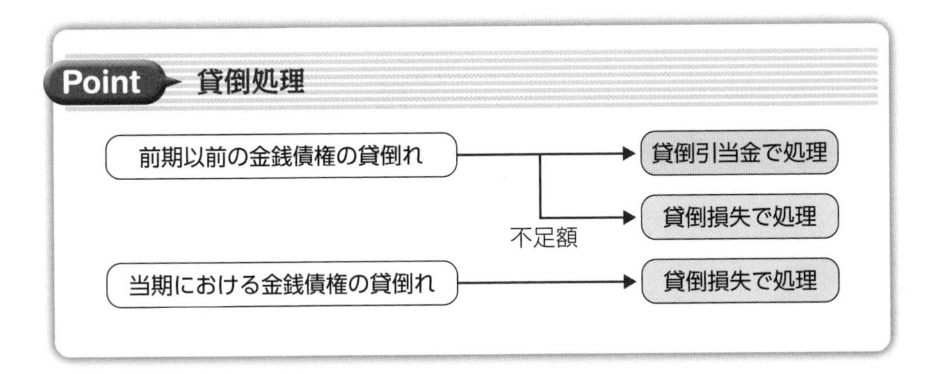

例題　**貸倒処理**

次の資料に基づいて、(1)〜(4)の取引の仕訳を示しなさい。

[資　料]

期首残高試算表　(単位：円)

売掛金	180,000	貸倒引当金	18,600
貸付金	120,000	預り保証金	6,000
破産更生債権等	30,000		

(1)　前期末における債権のうち、売掛金6,000円（一般債権に区分）が当期に回収不能となった。なお、前期末に一般債権に対して設定した貸倒引当金は5,400円である。

(2)　前期末における債権のうち、A社に対する売掛金30,000円（貸倒懸念債権に区分）が当期に回収不能となった。当社はA社から営業保証金6,000円を担保として受け入れ、預り保証金勘定で処理している。なお、前期末に当該債権に対して設定した貸倒引当金は7,200円である。

(3)　前期末における債権のうち、B社に対する貸付金30,000円（破産更生債権等に区分）が当期に回収不能となった。当社はB社から土地24,000円を担保として受け入れており、その処分により現金24,000円を受け入れた。なお、前期末において破産更生債権等への振替処理を行っており、当該債権に対して設定した貸倒引当金は6,000円である。

(4)　当期に発生した売掛金30,000円が当期に回収不能となった。

解答

(1)　**一般債権の貸倒れ**

(貸倒引当金)	5,400*	(売掛金)	6,000
(貸倒損失)	600		

＊　総括引当であるため、一般債権に対して設定された貸倒引当金をすべて取り崩します。

(2)　**貸倒懸念債権の貸倒れ**

(預り保証金)	6,000*1	(売掛金)	30,000
(貸倒引当金)	7,200*2		
(貸倒損失)	16,800		

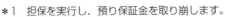

＊1　担保を実行し、預り保証金を取り崩します。
＊2　個別引当であるため、当該債権に対して設定された貸倒引当金を取り崩します。

⑶　**破産更生債権等の貸倒れ**

(現　　　　金)	24,000	(破産更生債権等)	30,000
(貸 倒 引 当 金)	6,000		

⑷　**当期発生債権の貸倒れ**

(貸　倒　損　失)	30,000	(売　　掛　　金)	30,000

償却債権取立益

前期以前に債権の貸倒処理を行ったが、何らかの理由により、当期にその全部または一部が回収された場合、回収額は**償却債権取立益勘定**で処理します。

なお、当期に発生し、当期に貸倒処理を行った債権については、貸倒損失の減額処理を行うことになります。

例題　**償却債権取立益**

次の取引の仕訳を示しなさい。

A社に対する売掛金150,000円について、前期以前に貸倒処理を行ったが、そのうち30,000円については、A社の秘密資産を処分したことにより、当期に現金で回収することができた。

解答

(現　　　　金)	30,000	(償却債権取立益)	30,000

問題　>>> 問題編の**問題3**～**問題4**に挑戦しましょう！

4：キャッシュ・フロー見積法

キャッシュ・フロー見積法

キャッシュ・フロー見積法とは、債権のキャッシュ・フローを当初の約定利子率で割り引いて現在価値を算定し、債権価値が減少した金額について貸倒引当金を設定する方法です。

キャッシュ・フロー見積法は、元本の回収および利息の受取りに係るキャッシュ・フローを合理的に見積もることができる債権に適用します。

貸倒引当金設定時

債権の帳簿価額（債権金額）と将来キャッシュ・フローの割引現在価値との差額を貸倒引当金として設定します。なお、割引計算には当初の約定利子率を用います。

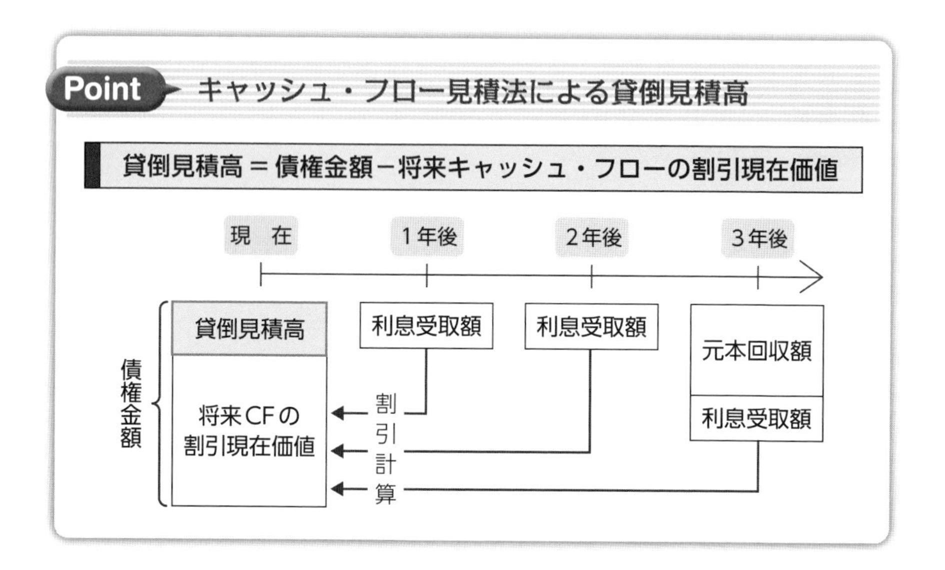

元本の回収額だけでなく、利息の受取額も債権の将来キャッシュ・フローとなる点を、しっかりおさえておきましょう。

当初の約定利子率で現在価値を算定する理由

当初の約定利子率で現在価値を算定するのは、当初の契約条件で、債権の実質的減損額を算定するためです。

たとえば貸付金10,000千円について、利子率を年4%から年2%に減免したあとに、年2%で割引計算を行うと、その現在価値は10,000千円となり条件緩和前の債権額と一致してしまいます。

つまり、弁済条件緩和後の契約条件で現在価値を算定すると、契約条件が違うため、比較対象となる現在価値は得られませんし、そもそも債権の実質的減損額自体算定できません。

したがって、当初の約定利子率で現在価値を算定します。

貸倒引当金取崩時

キャッシュ・フロー見積法では、債権の帳簿価額と将来キャッシュ・フローの割引現在価値との差額を貸倒引当金として計上するため、時の経過にともなう現在価値の増加分について、貸倒引当金の取崩処理を行います。

この取崩額は、原則として受取利息勘定で処理しますが、貸倒引当金戻入額勘定で処理することもできます。

どちらの勘定科目を用いるかは、本試験では問題の指示に従いましょう。

貸倒引当金の取崩処理について

キャッシュ・フロー見積法では、債権が貸し倒れていないのに、なぜ貸倒引当金の取崩処理を行うのですか？

貸倒引当金は、債権の実質的減損額を表す評価勘定だからです。債権の現在価値から、時の経過にともなって利息が発生し、債権の回収見込額が増加することで、その分、実質的減損額が減少します。なので、貸倒引当金の取崩処理を行う必要があるのです。

例題　キャッシュ・フロー見積法①

次の資料に基づいて、各問の仕訳を示しなさい。なお、計算上、千円未満の端数が生じた場合は、四捨五入すること。

［資　料］

1．当社の会計期間は３月31日を決算日とする１年間である。

2．X1年４月１日に業務提携中のＴ社に対して、次の条件で貸付けを行った。

①　貸付額：5,000千円

②　利子率：年５％

③　利払日：毎年３月31日

④　返済期日：X4年３月31日に一括返済

3．X1年度末に、Ｔ社の業績悪化を原因とする弁済条件の大幅な緩和を行い、翌期からの利息を全額免除することとした。よって、決算にあたりＴ社に対する貸付金を貸倒懸念債権に分類するとともに、キャッシュ・フロー見積法により貸倒引当金を設定する。

問１　X2年３月31日（利息受取時、決算時）

問２　X3年３月31日（決算時）

解答

(仕訳の単位：千円)

問1　X2年3月31日（利息受取時、決算時）

①　利息の受取り

(現金預金)	250	(受取利息)	250

②　貸倒引当金の設定

(貸倒引当金繰入額)	465	(貸倒引当金)	465

問2　X3年3月31日（決算時）

(貸倒引当金)	227	(受取利息)	227

問1　X2年3月31日（利息受取時、決算時）

(1)　利息の受取り

貸付金5,000千円×利子率 5％＝250千円

(2)　現在価値の算定

貸倒見積額を算定するにあたって、条件緩和後の将来キャッシュ・フローの割引現在価値を求めます（単位：千円）。

(3)　貸倒引当金の設定

債権の帳簿価額と現在価値との差額を貸倒引当金として計上します。

貸付金5,000千円－現在価値4,535千円＝465千円

X1年度に受け取る利息は条件緩和前の期間に発生したものなので、条件緩和前の利率に基づいて計算します。

問2　X3年3月31日（決算時）

〈貸倒引当金の取崩し〉

（貸付金5,000千円－貸引465千円）×当初利子率 5％＝227千円（千円未満四捨五入）

または

5,000千円÷1.05＝現在価値4,762千円（千円未満四捨五入）

貸引465千円－（貸付金5,000千円－現在価値4,762千円）＝227千円

例題　キャッシュ・フロー見積法②

次の資料に基づいて、各問の仕訳を示しなさい。なお、計算上、千円未満の端数が生じた場合は、四捨五入すること。

[資　料]

1．当社の会計期間は3月31日を決算日とする1年間である。

2．X1年4月1日に業務提携中のT社に対して、次の条件で貸付けを行った。

① 貸付額：5,000千円　　② 利子率：年5％

③ 利払日：毎年3月31日

④ 返済期日：X4年3月31日に一括返済

3．X1年度末に、T社の業績悪化を原因とする弁済条件の大幅な緩和を行い、翌期からの適用利子率を年2％に減免することとした。よって、決算にあたりT社に対する貸付金を貸倒懸念債権に分類するとともに、キャッシュ・フロー見積法により貸倒引当金を設定する。

問1　X2年3月31日（利息受取時、決算時）

問2　X3年3月31日（利息受取時、決算時）

解答

（仕訳の単位：千円）

問1　X2年3月31日（利息受取時、決算時）

① 利息の受取り

（現金預金）	250	（受取利息）	250

② 貸倒引当金の設定

（貸倒引当金繰入額）	279	（貸倒引当金）	279

問2　X3年3月31日（利息受取時、決算時）

（現金預金）	100	（受取利息）	236
（貸倒引当金）	136		

問１　X2年３月31日（利息受取時、決算時）

⑴　利息の受取り

貸付金5,000千円×利子率 5％＝250千円

⑵　現在価値の算定

貸倒見積額を算定するにあたって、条件緩和後の将来キャッシュ・フローの割引現在価値を求めます（単位：千円）。

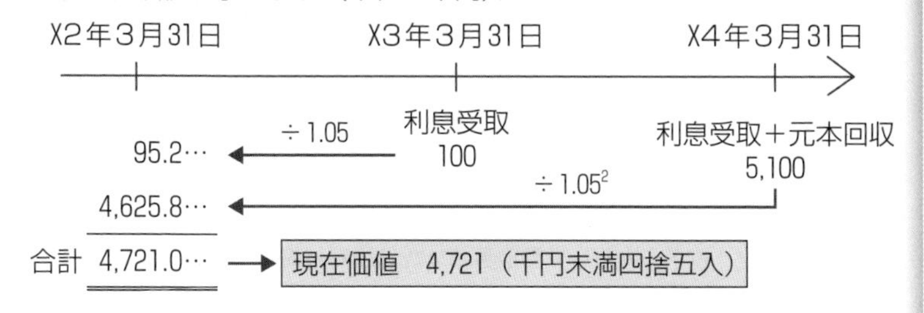

⑶　貸倒引当金の設定

債権の帳簿価額と現在価値との差額を貸倒引当金として計上します。

貸付金5,000千円－現在価値4,721千円＝279千円

X2年度以降に受け取る利息は、条件緩和後の利率に基づいて計算します。

問２　X3年３月31日（利息受取時、決算時）

⑴　利息の受取り

貸付金5,000千円×利子率 2％＝100千円

⑵　貸倒引当金の取崩し

5,100千円÷1.05＝現在価値4,857千円（千円未満四捨五入）

貸引279千円－(貸付金5,000千円－現在価値4,857千円)＝136千円

貸倒引当金の取崩処理のタイミング

キャッシュ・フロー見積法で貸倒引当金の取崩処理を行うのは、営業手続（期中処理）ですか？　それとも決算手続（決算整理）ですか？

確かに、受取利息の計上を考えると営業手続といえるし、貸倒引当金の取崩処理を考えると決算手続ともいえますね。
この点についての規定は特にないので、問題文の指示に従って処理します。ただ、前の例題のように利息の受取処理と貸倒引当金の取崩処理を同時に行う場合は、それぞれを別々に処理しないで、必ず一体として営業手続または決算手続として処理する点に注意してくださいね。

問題 >>> 問題編の**問題５**～**問題６**に挑戦しましょう！

Chapter 4 のまとめ

□ 金銭債権の評価

<table>
<tr><th colspan="2">取得の形態</th><th>貸借対照表価額</th></tr>
<tr><td colspan="2">取得価額＝債権金額</td><td rowspan="2">取得価額－貸倒引当金</td></tr>
<tr><td rowspan="2">取得価額≠債権金額</td><td>差額が金利の調整と認められない場合</td></tr>
<tr><td>差額が金利の調整と認められる場合</td><td>償却原価－貸倒引当金</td></tr>
</table>

□ 債権の区分

債権の区分	定　　義
一　般　債　権	経営状態に重大な問題が生じていない債務者に対する債権
貸倒懸念債権	経営破綻の状態には至っていないが、債務の弁済に重大な問題が生じているか、または生じる可能性の高い債務者に対する債権
破産更生債権等	経営破綻または実質的に経営破綻に陥っている債務者に対する債権

□ 貸倒見積高の算定単位

① 総括引当法

② 個別引当法

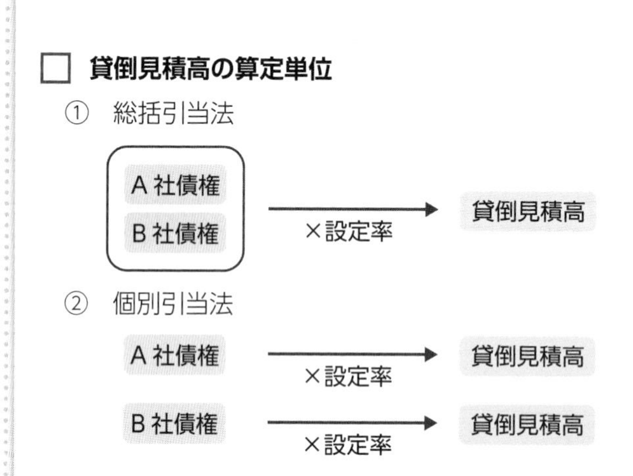

〈債権の区分と貸倒見積高の算定単位の対応関係〉

債権の区分	貸倒見積高の算定単位
一般債権	総括引当法
貸倒懸念債権	個別引当法
破産更生債権等	個別引当法

□ 債権の区分と貸倒見積高の算定方法の関係

債権の区分	貸倒見積高の算定方法
一般債権	貸倒実績率法
貸倒懸念債権	財務内容評価法 または キャッシュ・フロー見積法
破産更生債権等	財務内容評価法

□ **貸倒実績率法の計算方法**

貸倒見積高＝債権金額×貸倒実績率

□ **財務内容評価法の計算方法**

(1) **貸倒懸念債権の場合**

貸倒見積高
＝(債権金額－担保処分・保証回収見込額)×貸倒設定率

(2) **破産更生債権等の場合**

貸倒見積高＝債権金額－担保処分・保証回収見込額

□ **貸倒処理**

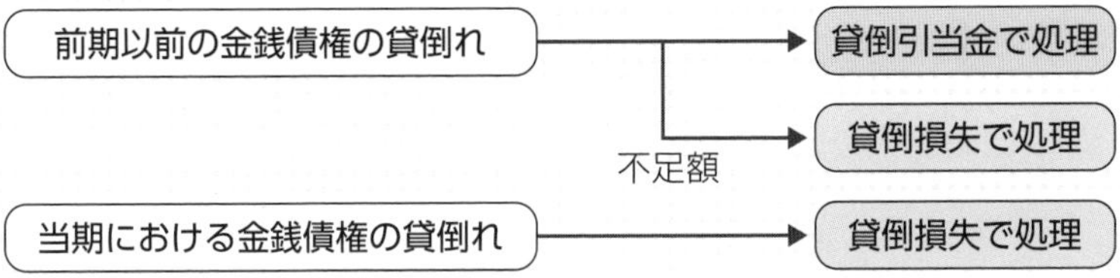

- 前期以前の金銭債権の貸倒れ → 貸倒引当金で処理
  - 不足額 → 貸倒損失で処理
- 当期における金銭債権の貸倒れ → 貸倒損失で処理

□ キャッシュ・フロー見積法による貸倒見積高の計算方法

CHAPTER 5

ここでは、有価証券について学習します。有価証券の保有目的別の処理については日商簿記２級までで学習しましたが、今回初めて学ぶ論点も多くあります。特に償却原価法（利息法）と有価証券の減損処理は重要です。

Chapter 5

資産会計

有価証券

>>保有目的ごとの処理の違いをおさえよう。

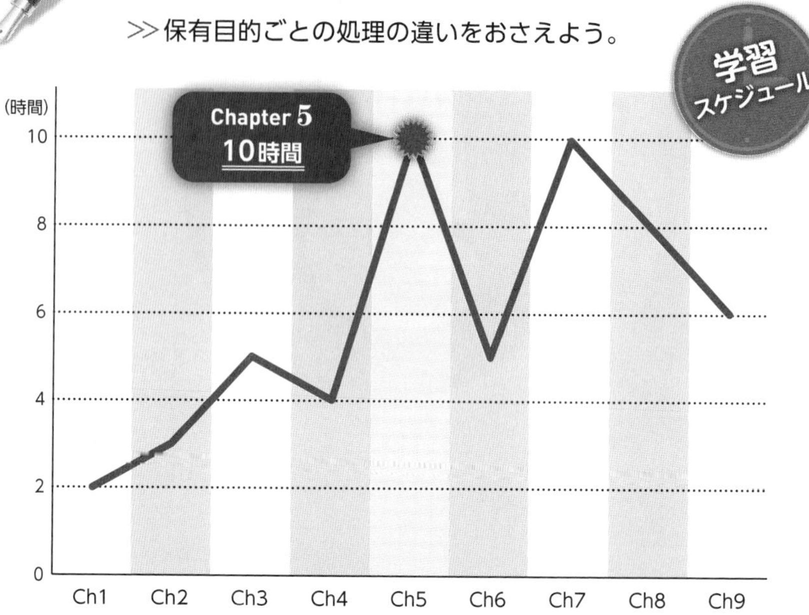

Check List

- □ 有価証券の分類および期末評価を理解しているか？
- □ 保有目的ごとの会計処理を理解しているか？
- □ 有価証券の減損処理の会計処理を理解しているか？
- □ 配当金の会計処理を理解しているか？
- □ 有価証券の保有目的区分の変更の会計処理を理解しているか？
- □ 有価証券の売買契約の認識の会計処理を理解しているか？
- □ ゴルフ会員権の評価に関する会計処理を理解しているか？

Link to 財務諸表論② **Chapter5 有価証券／Chapter3 金融商品会計の概要**

財務諸表論では、有価証券の会計処理について理論的な根拠を学習します。理論的な根拠をおさえることで計算の理解も深まりますので、関連づけて学習しましょう。また、財務諸表論の**Chapter3**金融商品会計の概要もあわせて学習するとより理解が深まります。

1：有価証券の期末評価

有価証券の区分・表示科目・期末評価

有価証券は、保有する目的ごとに区分され、その区分によって会計処理が異なります。

Point 保有目的による分類

有価証券の保有目的ごとの表示科目や期末評価は次のようになります。

保有目的	表示科目	市場価格	貸借対照表価額	評価差額等の処理
売買目的有価証券	有価証券	あり	時　価	当期の損益 (洗替または切放方式)
満期保有目的の債券	投資有価証券*	あり	①取得原価 ②償却原価	※償却額は 有価証券利息
		なし		
子会社株式 関連会社株式	関係会社株式	あり	取得原価	—
		なし		
その他有価証券	投資有価証券*	あり	時　価	①全部純資産直入法 ②部分純資産直入法 (洗替方式)
		なし	①取得原価 ②償却原価	※償却額は 有価証券利息

＊　満期日が１年以内に到来する債券の表示科目は、「有価証券」となります。

それぞれの有価証券の会計処理の詳しい解説は**2：売買目的有価証券**以降で行います。なお、上記の表は、最終的には頭の中に思い浮かべられるようにしましょう。

2：売買目的有価証券

売買目的有価証券の意義

売買目的有価証券とは、時価の変動により利益を得ることを目的として保有する有価証券のことです。

売買目的有価証券の期末評価

売買目的有価証券は、時価をもって貸借対照表価額とし、評価差額は「有価証券評価損益」として当期の損益に計上します。

有価証券売却損益、受取配当金、有価証券利息および有価証券評価損益は、有価証券運用損益勘定で処理することもあります。

売買目的有価証券の会計処理

売買目的有価証券の時価評価にあたっては、**洗替方式**と**切放方式**が認められています。

洗替方式	当期末において時価評価した場合でも、翌期首には取得原価に戻して処理する方法
切放方式	当期末において時価評価をした場合、翌期はその時価を帳簿価額として処理する方法

洗替方式では、翌期末の時価と比較する帳簿価額は取得原価となり、切放方式では、翌期末の時価と比較する帳簿価額は当期末の時価となります。

例題　売買目的有価証券

次の資料に基づいて、各問における決算時および翌期首の仕訳を示しなさい。

[資　料]

1．期中においてA社株式（取得原価960千円）とB社株式（取得原価840千円）を売買目的で取得した。

2．期末時価は、A社株式が1,200千円、B社株式が720千円である。

問1　洗替法を採用する場合

問2　切放法を採用する場合

解答

（仕訳の単位：千円）

問1　洗替法を採用する場合

①　決算時

(有　価　証　券)	120	(有価証券運用損益)	120*

＊　期末時価(A社1,200千円＋B社720千円)－取得原価(A社960千円＋B社840千円)＝120千円（評価益）

②　翌期首（振戻処理）

(有価証券運用損益)	120	(有　価　証　券)	120

問2　切放法を採用する場合

①　決算時

(有　価　証　券)	120	(有価証券運用損益)	120

②　翌期首

仕　訳　な　し

〈翌期首の振戻処理後の試算表〉

問1　洗替法を採用する場合

試算表（振戻処理後）　（単位：千円）

有　価　証　券	1,800	←取得原価
有価証券運用損益	120	

問2　切放法を採用する場合

試算表（振戻処理後）　（単位：千円）

有　価　証　券	1,920	←前期末時価

問題 >>> 問題編の**問題1**に挑戦しましょう！

3：満期保有目的の債券

満期保有目的の債券の意義

満期保有目的の債券とは、満期まで所有する意図をもって保有する社債その他の債券のことです。

期末評価

満期保有目的の債券は、取得原価をもって貸借対照表価額とします。ただし、債券を債券金額より低い価額または高い価額で取得した場合において、取得価額と債券金額との差額（以下「取得差額」といいます）が金利調整差額であると認められる場合には、償却原価法に基づく償却原価をもって貸借対照表価額としなければなりません。

Point 満期保有目的の債券の期末評価

<table>
<tr><th colspan="2">分　　類</th><th>期末評価</th></tr>
<tr><td colspan="2">取得価額＝債券金額</td><td rowspan="2">取得原価</td></tr>
<tr><td rowspan="2">取得価額≠債券金額</td><td>差額が金利の調整と
認められない場合</td></tr>
<tr><td>差額が金利の調整と
認められる場合</td><td>償却原価</td></tr>
</table>

満期保有目的の債券は、満期までの約定利息および元本の受取りを目的として保有するため、価格変動のリスクを考慮する必要はありません。したがって、時価評価はしません。

償却原価法の意義

償却原価法とは、取得差額が金利の調整であると認められる場合に、当該取得差額に相当する金額を償還期に至るまで毎期一定の方法で貸借対照表価額に加減する方法のことです。

加減額（償却額）については、有価証券利息に含めて処理します。

償却方法

金利調整差額の償却方法には、利息法（原則）と定額法の２つがあります。

(1) **利息法**

利息法とは、債券の帳簿価額に実効利子率を掛けた金額を、各期の利息配分額として計上し、これとクーポン利息受取額との差額を金利調整差額の償却額として債券の帳簿価額に加減する方法です。

Point 利息法の計算の手順

① 利 息 配 分 額 の 算 定：帳簿価額×実効利子率
② クーポン利息受取額の算定：債券金額×クーポン利子率
③ 金利調整差額償却額の算定：①－②

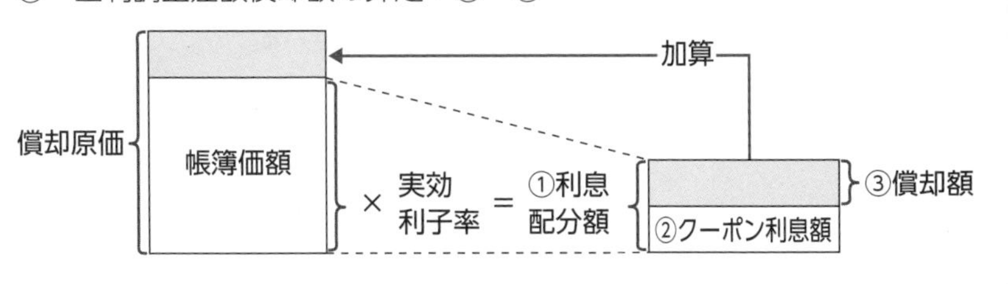

実効利子率とは、市場における一般的な利子率のことです。

(2) 定額法

定額法とは、金利調整差額を毎期均等償却し、これを帳簿価額に加減する方法です。したがって、各期に計上される利息配分額は、金利調整差額の償却額とクーポン利息受取額との合計額となります。

$$償却額＝\underbrace{（債券金額－取得価額）}_{金利調整差額}\times\frac{当期月数}{取得日から償還日までの月数}$$

償却額の計上は、利息法では利払日に期中仕訳として行われ、定額法では決算時に決算整理仕訳として行われます。会計処理を行う時点が違う点に注意しましょう。

Study 取得差額（取得価額と債券金額の差額）

取得価額と債券金額との差額が金利の調整と認められる場合とは、どのような場合があるのですか？

市場利子率と債券のクーポン利子率が異なる場合ですね。この場合、取得差額は時間の経過に応じて各期間に配分します。
ちなみに、発行会社の信用力の低下などの要因によっても取得価額と債券金額に差が生じる場合があるけど、この場合は金利の調整とは認められないので気をつけてくださいね。

例題 **満期保有目的の債券**

当社（決算日は3月末日の年1回）は、X1年4月1日にA社社債を「満期保有目的の債券」として取得した。次の資料に基づいて、各問におけるX2年3月31日およびX3年3月31日の仕訳を示しなさい。なお、計算上、千円未満の端数が生じた場合は四捨五入すること。

［資　料］

1．債券金額：15,000千円

2．取得価額：13,380千円

3．償 還 日：X6年3月31日

4．実効利子率：年3.6%

5．クーポン利子率：年1.2%

6．利 払 日：毎年3月31日

7．債券金額と取得価額の差額は、金利調整差額と認められる。

問1　利息法の場合

問2　定額法の場合

解答

（仕訳の単位：千円）

問1　利息法の場合

⑴　**X2年3月31日（利息受取時）**

（現金預金）	180	（有価証券利息）	482
（投資有価証券）	302		

⑵　**X3年3月31日（利息受取時）**

（現金預金）	180	（有価証券利息）	493
（投資有価証券）	313		

問2　定額法の場合

⑴　**X2年3月31日**

①　**クーポン利息の受取り（利息受取時）**

（現金預金）	180	（有価証券利息）	180

② 金利調整差額の償却（決算時）

(投資有価証券)	324	(有価証券利息)	324

(2) X3年3月31日

① クーポン利息の受取り（利息受取時）

(現 金 預 金)	180	(有価証券利息)	180

② 金利調整差額の償却（決算時）

(投資有価証券)	324	(有価証券利息)	324

問1 利息法の場合

(1) X2年3月31日

① 利息配分額

帳簿価額13,380千円×実効利子率3.6%＝482千円（千円未満四捨五入）

② クーポン利息受取額

債券金額15,000千円×クーポン利子率1.2%＝180千円

③ 金利調整差額償却額

482千円－180千円＝302千円

(2) X3年3月31日

① 利息配分額

帳簿価額（13,380千円＋302千円）×実効利子率3.6%＝493千円

（千円未満四捨五入）

② クーポン利息受取額

債券金額15,000千円×クーポン利子率1.2%＝180千円

③ 金利調整差額償却額

493千円－180千円＝313千円

〈各利払日における利息および帳簿価額の計算表（単位：千円）〉

×実効利子率3.6%

	利　息 配分額	クーポン利息 受取額	金利調整差額 償却額	帳簿価額 （償却原価）
X1年4月1日	—	—	—	13,380
X2年3月31日	482	180	302	13,682
X3年3月31日	493	180	313	13,995
X4年3月31日	504	180	324	14,319
X5年3月31日	515	180	335	14,654
X6年3月31日	526*2	180	346*1	15,000
合　計	2,520	900	1,620	—

*1　15,000千円－14,654千円＝346千円
*2　346千円＋180千円＝526千円

最終年度は帳簿価額が15,000千円になるように償却額を計算します。

問2　定額法の場合

(1)　X2年3月31日

①　クーポン利息受取額

債券金額15,000千円×クーポン利子率1.2%＝180千円

②　金利調整差額償却額

$$（債券金額15,000千円－取得価額13,380千円）\times \frac{12カ月}{60カ月} ＝ 324千円$$

(2)　X3年3月31日

①　クーポン利息受取額

債券金額15,000千円×クーポン利子率1.2%＝180千円

②　金利調整差額償却額

$$（債券金額15,000千円－帳簿価額13,704千円）\times \frac{12カ月}{48カ月} ＝ 324千円$$

〈各利払日における利息および帳簿価額の計算表（単位：千円）〉

	利　息 配分額	クーポン利息 受取額	金利調整差額 償却額	帳簿価額 (償却原価)
X1年4月1日	—	—	—	13,380
X2年3月31日	504	180	324	13,704
X3年3月31日	504	180	324	14,028
X4年3月31日	504	180	324	14,352
X5年3月31日	504	180	324	14,676
X6年3月31日	504	180	324	15,000
合　計	2,520	900	1,620	—

問題 >>> 問題編の**問題2**～**問題4**に挑戦しましょう！

4：子会社株式および関連会社株式 Rank B

子会社株式の意義

子会社株式とは、親会社が他の会社の意思決定機関を支配している場合における、当該他の会社の株式のことです。

関連会社株式の意義

関連会社株式とは、親会社および子会社が出資、人事、資金、技術、取引等の関係を通じて、子会社以外の他の会社の財務および営業または事業の方針の決定に対して重要な影響を与えることができる場合における、当該他の会社の株式をいいます。

子会社株式は、当社が株式を50%超保有している会社の株式、関連会社株式は、当社が株式を20%以上50%以下保有している会社の株式とおさえておけば十分です。

期末評価

子会社株式および関連会社株式は、取得原価をもって貸借対照表価額とするため、会計処理は不要です。

子会社株式および関連会社株式は、時価の値上がりを期待して保有しているわけではないからです。

例題 子会社株式および関連会社株式

次の取引について、決算時の仕訳を示しなさい。

当社は関連会社株式（取得原価2,100千円）を保有している。この関連

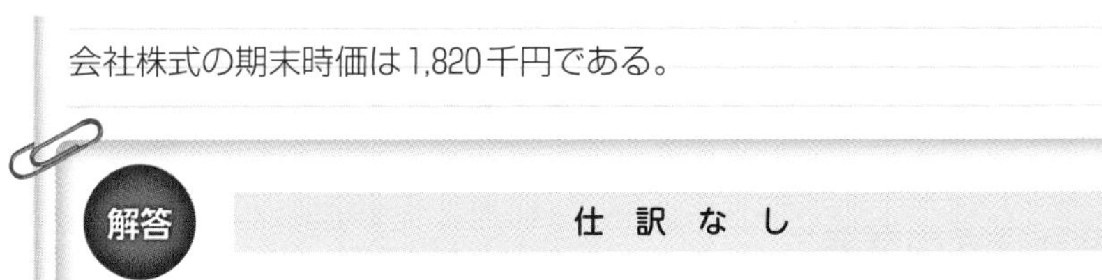

会社株式の期末時価は1,820千円である。

解答　仕　訳　な　し

子会社となるケース

次に示すB社も当社の子会社に該当します。

〈パターン①〉

当社の子会社が株式を50%超保有している会社も、当社にとって子会社となります。

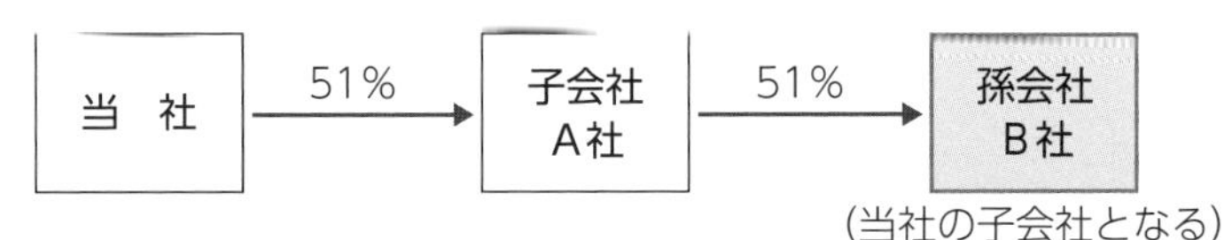

(当社の子会社となる)

〈パターン②〉

当社の子会社が保有している株式40%と当社が保有している株式20%を合わせて60%となり、結果として50%超となる会社も当社にとって子会社となります。

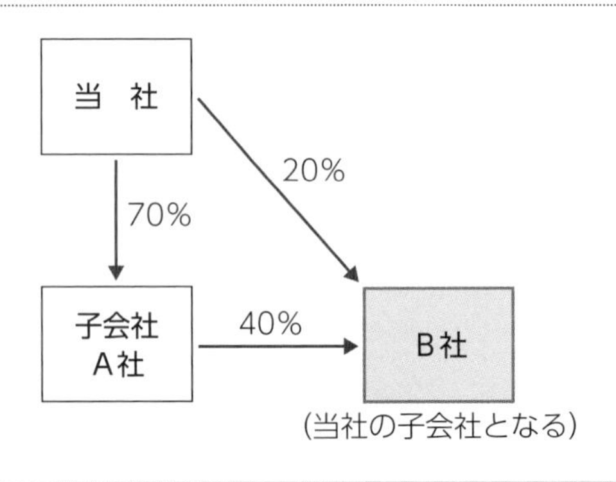

(当社の子会社となる)

問題 >>> 問題編の**問題5**に挑戦しましょう！

5：その他有価証券

その他有価証券とは

その他有価証券とは、売買目的有価証券、満期保有目的の債券、子会社株式および関連会社株式以外の有価証券のことです。

その他有価証券には、長期的な時価の変動によって利益を得ることを目的として保有する有価証券や、持合株式のように業務提携の目的で保有する有価証券などがあります。

市場価格のあるその他有価証券の期末評価 

その他有価証券のうち市場価格のあるものについては、時価をもって貸借対照表価額とし、評価差額は原則として純資産直入します。

純資産直入とは、損益計算書を通さず、直接、貸借対照表の純資産の部に計上することをいいます。

評価差額の会計処理

時価評価にあたっては、**洗替方式**に基づく**全部純資産直入法**または**部分純資産直入法**の選択適用が認められています。

全部純資産直入法	評価差額の合計額を純資産の部に「その他有価証券評価差額金」として計上する方法
部分純資産直入法	評価差益は純資産の部に「その他有価証券評価差額金」として計上し、評価差損は「投資有価証券評価損益」として当期の損失に計上する方法

Point 評価差額の会計処理

処理方法	時価＜帳簿価額	時価＞帳簿価額
全部純資産直入法	純資産の部「その他有価証券評価差額金」	
部分純資産直入法	当期の損失 「投資有価証券評価損益」	純資産の部 「その他有価証券評価差額金」

税効果会計の適用

その他有価証券は、税務上、取得原価または定額法による償却原価により評価されるため、会計上、時価により評価した場合には、一時差異が生じることとなります。したがって、会計処理にあたって税効果会計を適用します。

評価差額が評価差益の場合は将来加算一時差異（繰延税金負債）が、評価差損の場合は将来減算一時差異（繰延税金資産）が生じます。

(1) 全部純資産直入法の場合

全部純資産直入法の場合、期末の評価差額が純資産直入されるため、税効果会計を適用しても法人税等調整額は計上せず、その他有価証券評価差額金を計上します。

Point 全部純資産直入法の場合

例）評価差益100円が生じている場合の仕訳（法定実効税率30%）

① その他有価証券の時価評価

（投資有価証券）	100	（その他有価証券評価差額金）	100

② 税効果会計

（その他有価証券評価差額金）	30	（繰延税金負債）	30*

＊ 100円×30%＝30円

例）評価差損100円が生じている場合の仕訳（法定実効税率30％）

① その他有価証券の時価評価

(その他有価証券評価差額金)	100	(投資有価証券)	100

② 税効果会計

(繰延税金資産)	30*	(その他有価証券評価差額金)	30

＊ 100円×30％＝30円

実際には、①と②を一つの仕訳として行います。また、計算過程も評価差額に法定実効税率を掛けて税効果の金額を求め、残額をその他有価証券評価差額金とします。

例題 全部純資産直入法

次の資料に基づいて、⑴決算時と⑵翌期首の仕訳を示しなさい。

［資　料］

決算整理前残高試算表　（単位：千円）

投資有価証券	6,000	

1．期末に保有する有価証券は、すべて「その他有価証券」として取得したものであり、全部純資産直入法により時価評価を行う。

銘　柄	市場価格	期末簿価	期末時価
A社株式	有	2,400千円	2,760千円
B社株式	有	3,600千円	3,480千円

2．法人税等の法定実効税率は30％である。

解答

（仕訳の単位：千円）

⑴ 決算時

① A社株式

(投資有価証券)	360*1	(繰延税金負債)	108*2
		(その他有価証券評価差額金)	252*3

＊1 期末時価2,760千円－期末簿価2,400千円＝360千円（評価差益）
＊2 評価差益360千円×30%＝108千円
＊3 貸借差額

② B社株式

(繰延税金資産)	36*2	(投資有価証券)	120*1
(その他有価証券評価差額金)	84*3		

＊1 期末時価3,480千円－期末簿価3,600千円＝△120千円（評価差損）
＊2 評価差損120千円×30%＝36千円
＊3 貸借差額

「仕訳に収益や費用が出てこないので法人税等調整額は使えない」と、覚えておきましょう。

⑵ 翌期首（振戻処理）

① A社株式

(繰延税金負債)	108	(投資有価証券)	360
(その他有価証券評価差額金)	252		

② B社株式

(投資有価証券)	120	(繰延税金資産)	36
		(その他有価証券評価差額金)	84

評価差額の振戻処理を行う際には、繰延税金資産・繰延税金負債の振り戻しも同時に行います。

⑵ 部分純資産直入法の場合

部分純資産直入法の場合、評価差益のときは全部純資産直入法の会計処理と同じですが、評価差損の場合は費用が計上されるため、税効果会計を適用するにあたり、法人税等調整額を計上します。

Point 部分純資産直入法の場合

例）評価差益100円が生じている場合の仕訳（法定実効税率30%）

① その他有価証券の時価評価

(投資有価証券)	100	(その他有価証券評価差額金)	100

② 税効果会計

(その他有価証券評価差額金)	30	(繰延税金負債)	30*

* 100円×30%＝30円

例）評価差損100円が生じている場合の仕訳（法定実効税率30%）

① その他有価証券の時価評価

(投資有価証券評価損益)	100	(投資有価証券)	100

② 税効果会計

(繰延税金資産)	30*	(法人税等調整額)	30

* 100円×30%＝30円

例題 部分純資産直入法

次の資料に基づいて、⑴決算時と⑵翌期首の仕訳を示しなさい。

[資　料]

決算整理前残高試算表　（単位：千円）

投資有価証券	6,000	

1．期末に保有する有価証券は、すべて「その他有価証券」として取得したものであり、部分純資産直入法により時価評価を行う。

銘　柄	市場価格	期末簿価	期末時価
A社株式	有	2,400千円	2,760千円
B社株式	有	3,600千円	3,480千円

2．法人税等の法定実効税率は30%である。

解答

（仕訳の単位：千円）

⑴ 決算時

① A社株式

（投資有価証券）	360*1	（繰延税金負債）	108*2
		（その他有価証券評価差額金）	252*3

＊1 期末時価2,760千円－期末簿価2,400千円＝360千円（評価差益）
＊2 評価差益360千円×30%＝108千円
＊3 貸借差額

② B社株式

（投資有価証券評価損益）	120	（投資有価証券）	120*1
（繰延税金資産）	36*2	（法人税等調整額）	36

＊1 期末時価3,480千円－期末簿価3,600千円＝△120千円（評価差損）
＊2 評価差損120千円×30%＝36千円

⑵ 翌期首（振戻処理）

① A社株式

（繰延税金負債）	108	（投資有価証券）	360
（その他有価証券評価差額金）	252		

② B社株式

（投資有価証券）	120	（投資有価証券評価損益）	120

部分純資産直入法で評価差損が生じている場合、繰延税金資産の振戻時期については、問題文の指示に従って判断します。必ずしも、評価差額の振戻処理と同時になるとは限らない点に注意しましょう。

税効果会計に係る貸借対照表の表示

繰延税金資産と繰延税金負債って、貸借対照表上では、どうやって表示すればよいのですか？

繰延税金資産は、投資その他の資産の区分に、繰延税金負債は、固定負債の区分に表示します。そして、貸借対照表に表示される繰延税金資産と繰延税金負債は相殺して、純額で表示する必要があります。

債券の場合の期末評価

市場価格のあるその他有価証券のうち、取得差額が金利調整差額と認められる債券については、償却原価法を適用し、償却原価と時価との差額を評価差額として処理します。

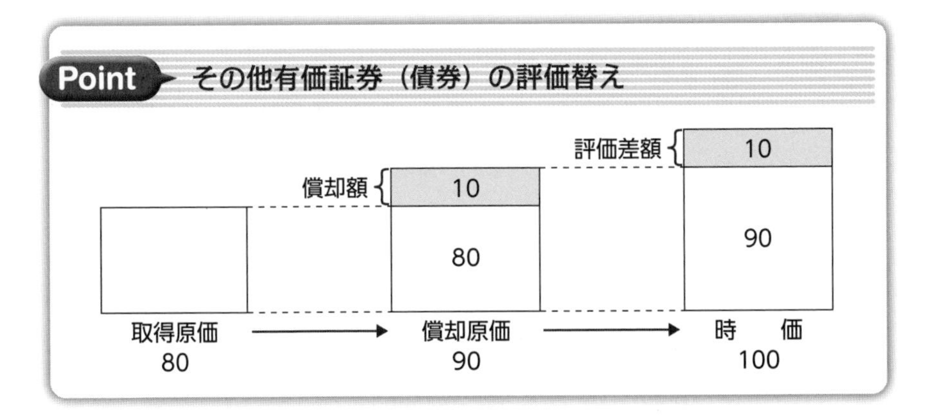

例題　市場価格のある債券

次の資料に基づいて、(1)決算時と(2)翌期首の仕訳を示しなさい。

[資　料]

決算整理前残高試算表　（単位：千円）

投資有価証券	5,640	

1．投資有価証券は、当期首にC社社債（償還期間３年）を発行と同時に「その他有価証券」として取得したものである。

銘　柄	市場価格	債券金額	取得価額	期末時価
C社社債	有	6,000千円	5,640千円	5,940千円

2．債券金額と取得価額との差額は金利調整差額と認められるため、定額法による償却原価法を適用し、期末時価との評価差額については全部純資産直入法により処理を行う。

3．法人税等の法定実効税率は30%である。

4．クーポン利息はないものとする。

解答

（仕訳の単位：千円）

(1) 決算時

① 金利調整差額の償却

(投資有価証券)	120	(有価証券利息)	120*

＊（債券金額6,000千円－取得価額5,640千円）× $\frac{12カ月}{36カ月}$ ＝120千円

② 時価評価

(投資有価証券)	180*1	(繰延税金負債)	54*2
		(その他有価証券評価差額金)	126*3

＊1　期末時価5,940千円－償却原価（5,640千円＋120千円）＝180千円（評価差益）

＊2　評価差益180千円×30%＝54千円

＊3　貸借差額

(2) 翌期首（振戻処理）

(繰延税金負債)	54	(投資有価証券)	180
(その他有価証券評価差額金)	126		

償却原価法による償却額は振り戻しません。そのため、振戻処理後であっても投資有価証券の帳簿価額は償却原価となります。

市場価格のない株式等

市場価格のない株式等は、取得原価をもって貸借対照表価額とします。

市場価格のない株式等とは、市場において取引されていない株式等であり、「等」とは持分の請求権を生じさせる出資金などを指します。

(参考) 時価の算定に関する会計基準の影響

「時価」とは、算定日において市場参加者間で秩序ある取引が行われると想定した場合の、当該取引における資産の売却によって受け取る価格または負債の移転のために支払う価格をいいます。

時価の算定には「インプット」という仮定（時価の算定材料のこと）を用いますが、インプットはレベル１からレベル３まで分類できます。(レベル１) 調整不要な市場価格など、(レベル２) 直接または間接的に観察可能なインプットでレベル１以外のもの、(レベル３) 観察できないもの、とされており１～３の順に優先的に使用します。なお､「観察可能なインプット」とは「公開されている市場データ」等を指し、例示すると、(レベル１) 上場企業の株価、(レベル２) 活発でない市場における相場価格、類似企業の株価など、(レベル３) 当社が独自に算定した割引現在価値などです。

以上により、算定される時価もレベル１からレベル３に分類されることになりました。また、たとえ観察可能なインプットを入手できない場合でも、入手できる最良の情報に基づく観察できないインプットを用いて時価を算定します。このような考え方により、これまでの「時価を把握することが極めて困難と認められる有価証券」という区分は想定されなくなったため廃止となり、代わって「市場価格のない株式等」という区分が新設されました。

問題 >>> 問題編の**問題６**～**問題８**に挑戦しましょう！

6：有価証券の減損処理

有価証券の減損処理

有価証券の減損処理は、売買目的有価証券を除くすべての有価証券に適用される処理であり、**強制評価減**と**実価法**の２つの方法があります。

強制評価減

売買目的有価証券以外の有価証券のうち市場価格のあるものについては、時価が著しく下落した場合、回復する見込みがあると認められる場合を除き、時価をもって貸借対照表価額とし、評価差額を当期の損失として処理します。

「時価が著しく下落した」とは、一般的に時価が取得原価に比べて50%程度またはそれ以上下落した場合をいいます。

実価法

市場価格のない株式等については、発行会社の財政状態の悪化により実質価額が著しく低下した場合に、取得原価を実質価額まで減額し、評価差額を当期の損失として処理します。

実質価額とは、財務諸表等に基づいて算定された１株あたりの純資産額をいいます。「実質価額が著しく低下した」とは、少なくとも株式の実質価額が取得原価に比べて50%程度以上低下した場合をいいます。

Point 減損処理の種類

	対　象	適用要件	期末評価	評価差額
強制評価減	市場価格のある有価証券で、売買目的有価証券以外のもの	①　時価の著しい下落 かつ ②　回復見込みなしまたは不明	時　価	当期の損失
実　価　法	市場価格のない株式等	実質価額の著しい低下	実質価額	当期の損失

市場価格のある有価証券（売買目的有価証券以外の有価証券に限る）については、たとえ「実質価額が著しく低下した」場合でも、実価法による減損処理は行いません。

評価差額の処理

減損処理を適用した場合に生じた評価差損には、切放方式が適用されます。したがって、減損処理をした有価証券については、評価切下後の帳簿価額を翌期首における取得原価とし、次期以後は評価切下後の帳簿価額を用いて保有目的に応じた評価を行います。

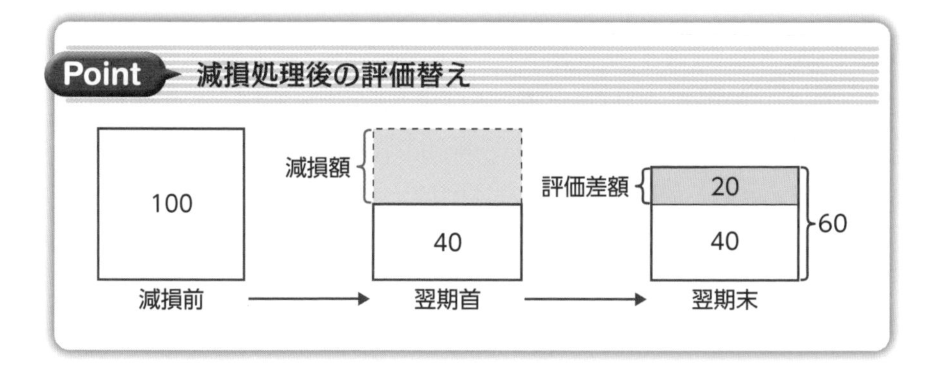

例題

減損処理

次の資料に基づいて、①A社株式と②B社株式の決算時の仕訳を示しなさい。

［資　料］

決算整理前残高試算表　（単位：千円）

投資有価証券	21,000	
関係会社株式	11,250	

1．投資有価証券は、A社株式を「その他有価証券」として取得したものである。A社株式の期末時価は9,800千円と著しく低下しており、取得原価までの回復の見込みはないと認められる。

2．関係会社株式は、市場価格のないB社株式100株である。B社株式は、B社の財政状態の悪化により実質価額が著しく低下しており、その1株あたりの実質価額は54千円である。

解答

（仕訳の単位：千円）

① A社株式

（投資有価証券評価損）	11,200*	（投資有価証券）	11,200

＊ 期末時価9,800千円－取得原価21,000千円＝△11,200千円（減損処理）

② B社株式

（関係会社株式評価損）	5,850*	（関係会社株式）	5,850

＊ 実質価額@54千円×100株－取得原価11,250千円＝△5,850千円（減損処理）

評価差額については、切放方式で処理をするので、翌期首に振戻処理は行いません。

問題 >>> 問題編の**問題9**に挑戦しましょう！

7：配当金の処理

配当金の処理

剰余金の処分による配当を受けた場合には、配当の原資によってその会計処理が異なります。

その他利益剰余金の処分による配当

保有する有価証券について、その他利益剰余金（留保利益）の処分による配当を受け取った場合には、有価証券の保有目的にかかわらず、受取配当金（収益）として処理します。

その他資本剰余金の処分による配当

保有する有価証券について、その他資本剰余金（払込資本）の処分による配当を受け取った場合には、原則として、当該有価証券の帳簿価額を減額する処理を行います。なお、売買目的有価証券として保有する有価証券については、受取配当金（収益）として処理します。

Point 配当金を受けた場合の処理

配当の原資		会計処理
その他利益剰余金		受取配当金（収益）
その他資本剰余金	売買目的有価証券	受取配当金（収益）
	上記以外	帳簿価額から減額

配当原資が不明な場合には、受取配当金として処理し、その後、その他資本剰余金の処分による配当であることが判明した場合には、その時点で修正する会計処理を行います。

剰余金処分による配当の会計処理の根拠

その他資本剰余金は株主からの払込資本であり、その他資本剰余金の処分による配当は基本的に投資の払戻しの性格を有します。そのため、配当の対象である有価証券の帳簿価額から減額します。なお、売買目的有価証券として保有する有価証券の場合には、その他資本剰余金からの配当にともなう価値の低下が期末時価に反映され、評価差額が損益として計上されることになること等を理由として、配当の原資にかかわらず受取配当金として処理することが適切とされています。

例題　配当金の処理

次の取引について、各問に答えなさい。

当社は、A社株式を保有しており26,000円の配当金領収証を受け取った。なお、その内訳は、その他資本剰余金の処分による配当6,500円、その他利益剰余金の処分による配当19,500円である。

問１　その他有価証券として保有している場合の配当時の仕訳

問２　売買目的有価証券として保有している場合の配当時の仕訳

解答

問１　その他有価証券として保有している場合

借方	金額	貸方	金額
(現　金　預　金)	26,000	(投資有価証券)	6,500＊1
		(受　取　配　当　金)	19,500＊2

＊１　その他資本剰余金の処分による配当額
＊２　その他利益剰余金の処分による配当額

問２　売買目的有価証券として保有している場合

借方	金額	貸方	金額
(現　金　預　金)	26,000	(受　取　配　当　金)	26,000

売買目的有価証券は、配当原資に関係なく受取配当金で処理します。

問題 >>> 問題編の**問題10**に挑戦しましょう！

8：保有目的区分の変更

保有目的区分の変更

有価証券の保有目的区分は、正当な理由なく変更することはできません。しかし、次のような場合は正当な理由があるものとして、保有目的区分を変更することが認められています。

Point 正当な理由の例示

・資金運用方針等の変更の場合
・株式の追加取得または売却により持分比率等が変動した場合
・法令または基準等が改正された場合

正当な理由の例示は、軽く確認する程度で十分です。

保有目的区分変更時の振替価額

⑴ **原則**

変更時の振替価額は、原則として変更前の保有目的区分の評価基準に従います。

⑵ **例外**

その他有価証券から子会社株式または関連会社株式への振替えの場合のみ、変更後の保有目的区分（子会社株式または関連会社株式）の評価基準に従います。さらに、部分純資産直入法を採用し、前期末に評価差損を計上している場合には、前期末の時価で振り替えます。

振替時の評価差額

振替時の評価差額は、原則として変更前の保有目的区分から生じたものとして処理します。

売買目的有価証券からの変更

売買目的有価証券から子会社株式または関連会社株式、もしくはその他有価証券への変更を行った場合には、振替時の時価をもって振り替え、振替時の評価差額は損益として計上します。

例題 **保有目的区分の変更①**

次の取引について、保有目的区分の変更時の仕訳を示しなさい。

当社は、A社株式10,000株（1株あたりの簿価1,920円）を売買目的有価証券として保有していたが、関連会社株式への保有目的区分の変更を行う。なお、変更時におけるA社株式の1株あたりの時価は2,280円である。

解答

（仕訳の単位：千円）

（関係会社株式）	22,800*1	（有価証券）	19,200*2
		（有価証券運用損益）	3,600

＊1　@2,280円×10,000株＝22,800千円（振替時の時価）
＊2　@1,920円×10,000株＝19,200千円（帳簿価額）

満期保有目的の債券からの変更

満期保有目的の債券から売買目的有価証券またはその他有価証券への変更を行った場合には、振替時の償却原価をもって振り替えます。

例題　**保有目的区分の変更②**

次の取引について、保有目的区分の変更時の仕訳を示しなさい。

当社は、B社社債（期首帳簿価額11,640千円）を満期保有目的の債券として割引発行により取得し、定額法による償却原価法を適用してきたが、売買目的有価証券への保有目的区分の変更を行う。なお、期首から変更時までの金利調整差額の償却額は60千円であり、変更時におけるB社社債の時価は11,760千円である。

解答

（仕訳の単位：千円）

（有価証券）	11,700*	（投資有価証券）	11,640
		（有価証券利息）	60

＊　期首帳簿価額11,640千円＋償却額60千円＝11,700千円
（変更時の償却原価）

子会社株式または関連会社株式からの変更

子会社株式または関連会社株式から売買目的有価証券またはその他有価証券への変更を行った場合には、帳簿価額をもって振り替えます。

例題　**保有目的区分の変更③**

次の取引について、保有目的区分の変更時の仕訳を示しなさい。

当社は、C社株式10,000株（1株あたりの簿価2,280円）を関連会社株式として保有していたが、その他有価証券への保有目的区分の変更を行う。なお、変更時におけるC社株式の1株あたりの時価は2,520円である。

解答

(仕訳の単位：千円)

(投資有価証券)	22,800*	(関係会社株式)	22,800

＊　@2,280円×10,000株＝22,800千円（帳簿価額）

その他有価証券からの変更

(1) 売買目的有価証券への変更

その他有価証券から売買目的有価証券への変更を行った場合には、振替時の時価をもって振り替え、振替時の評価差額は、その他有価証券の評価差額について採用していた会計処理方法にかかわらず、損益として計上します。

例題　**保有目的区分の変更④**

次の取引について、保有目的区分の変更時の仕訳を示しなさい。

当社は、Ｄ社株式10,000株（１株あたりの簿価2,280円）をその他有価証券として保有していたが、売買目的有価証券への保有目的区分の変更を行う。なお、変更時におけるＤ社株式の１株あたりの時価は2,400円である。

解答

(仕訳の単位：千円)

(有価証券)	24,000*1	(投資有価証券)	22,800*2
		(投資有価証券評価損益)	1,200

＊１　@2,400円×10,000株＝24,000千円（振替時の時価）
＊２　@2,280円×10,000株＝22,800千円（帳簿価額）

(2) 子会社株式または関連会社株式への変更

①　全部純資産直入法を採用している場合

その他有価証券から子会社株式または関連会社株式への変更を行った場合で全部純資産直入法を採用している場合には、帳簿価額をもって振り替えます。

② 部分純資産直入法を採用している場合

部分純資産直入法を採用している場合で、前期末に評価差益を計上している場合には、帳簿価額をもって振り替えます。ただし、前期末に評価損を計上している場合には、前期末の時価をもって振り替えます。

例題 **保有目的区分の変更⑤**

次の各取引について、保有目的区分の変更時の仕訳を示しなさい。

(1) 当社は、E社株式10,000株（1株あたりの簿価1,920円）をその他有価証券として保有していたが、関連会社株式への保有目的区分の変更を行う。なお、評価差額の処理方法については、全部純資産直入法を採用している。また、変更時におけるE社株式の1株あたりの時価は2,160円である。

(2) 当社は、F社株式10,000株（1株あたりの簿価1,920円）をその他有価証券として保有していたが、関連会社株式への保有目的区分の変更を行う。なお、評価差額の処理方法については、部分純資産直入法を採用している。また、当該株式の前期末における取得原価は19,200千円、時価は18,200千円であった。

解答

（仕訳の単位：千円）

(1) **全部純資産直入法の場合**

借方	金額	貸方	金額
(関係会社株式)	19,200*	(投資有価証券)	19,200

* @1,920円×10,000株＝19,200千円（帳簿価額）

(2) **部分純資産直入法の場合**

借方	金額	貸方	金額
(関係会社株式)	18,200*1	(投資有価証券)	19,200*2
(投資有価証券評価損益)	1,000		

*1 前期末時価

*2 前期末取得原価

保有目的区分変更時の処理のまとめ

保有目的区分変更時の処理をまとめると、次のようになります。

Point 保有目的区分変更時の会計処理

<table>
<tr><th>変更前
の区分</th><th>変更後
の区分</th><th colspan="3">変更時の振替価額</th><th>振替時の
評価差額</th></tr>
<tr><td rowspan="2">売買目的</td><td>関係会社</td><td colspan="3" rowspan="2">変更時の時価</td><td rowspan="2">損益計上</td></tr>
<tr><td>その他</td></tr>
<tr><td rowspan="2">満期保有目的
の債券</td><td>売買目的</td><td colspan="3" rowspan="2">変更時の償却原価</td><td rowspan="2">—</td></tr>
<tr><td>その他</td></tr>
<tr><td rowspan="2">関係会社</td><td>売買目的</td><td colspan="3" rowspan="2">帳簿価額</td><td rowspan="2">—</td></tr>
<tr><td>その他</td></tr>
<tr><td rowspan="4">その他</td><td>売買目的</td><td colspan="3">変更時の時価</td><td>損益計上</td></tr>
<tr><td rowspan="3">関係会社</td><td>全部</td><td colspan="2">帳簿価額</td><td rowspan="3">—</td></tr>
<tr><td rowspan="2">部分</td><td>評価益</td><td>帳簿価額</td></tr>
<tr><td>評価損</td><td>前期末時価</td></tr>
</table>

満期保有目的の債券は、取得した当初から、満期まで保有する意図が必要となります。そのため、基本的に満期保有目的の債券への変更は認められません。

特殊なケースは後回しにして、まずは基本的なケースからおさえていきましょう。

問題 >>> 問題編の**問題11**に挑戦しましょう！

9：売買契約の認識

売買契約の認識

有価証券の売買契約は、通常、約定日基準によって認識します。**約定日基準**とは、約定日において買手は有価証券の発生を認識し、売手は有価証券の消滅を認識する基準です。

Point 売買契約の認識時点

有価証券の売買契約について、有価証券の支配権は実質的に約定日に売手から買手に移転し、その後は、買手が市場変動リスクを負うこととなります。

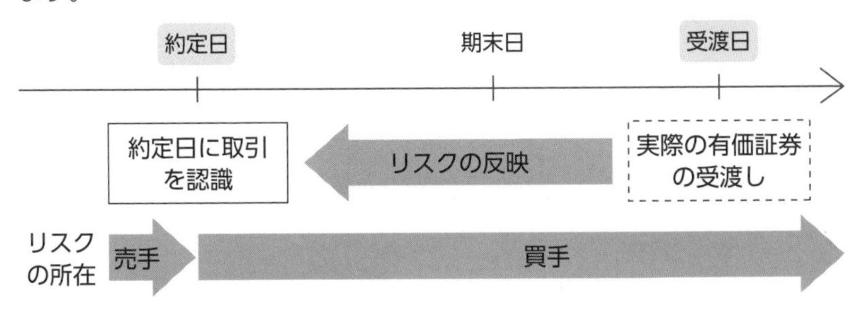

通常、本試験では約定と受渡しが同時に行われると仮定しています。したがって、問題文に指示がある場合のみ上記の論点を考慮しましょう。

例題 **売買契約の認識**

次の資料に基づいて、各問に答えなさい。

[資　料]

当社はA社株式（売買目的有価証券）の売買契約を締結した。その詳細は次のとおりである。なお、当社は洗替法を採用している。

(1)　約定日（X1年3月30日）　売買価額：15,000千円
　　　　　　　　　　　　　　売却側帳簿価額：12,000千円

(2)　決算日（X1年3月31日）　時価：15,015千円

(3)　翌期首（X1年4月1日）

(4)　受渡日（X1年4月2日）

問1　買手側の各時点の仕訳

問2　売手側の各時点の仕訳

解答

（仕訳の単位：千円）

問1　買手側

(1)　**約定日**

（有価証券）	15,000	（未払金）	15,000

(2)　**決算日**

（有価証券）	15	（有価証券評価損益）	15

(3)　**翌期首**

（有価証券評価損益）	15	（有価証券）	15

(4)　**受渡日**

（未払金）	15,000	（現金預金）	15,000

問2　売手側

(1)　**約定日**

（未収金）	15,000	（有価証券）	12,000
		（有価証券売却損益）	3,000

(2)　**決算日**

仕　訳　な　し

(3) 翌期首

仕 訳 な し

(4) 受渡日

(現 金 預 金)	15,000	(未 収 金)	15,000

問題 >>> 問題編の**問題12**に挑戦しましょう！

10：ゴルフ会員権

ゴルフ会員権の種類

ゴルフ会員権とは、ゴルフ場施設を利用する権利をいい、金融資産に該当することから、金融商品に関する会計基準に基づいて処理を行います。

Point ゴルフ会員権の種類

形　態	内　容
株主会員制	ゴルフ会員権の所有者は、プレー権に加えて株主として経営参画権、残余財産分配請求権等の権利も有する。
預託金制 (預託金方式)	預託保証金および入会金を払い込むことによってプレー権を取得する。
社団法人制	ゴルフ会員権の所有者は、社団法人の構成員である社員としての地位を有する。

本書では、預託金制（預託金方式）の場合の会計処理および表示について学習していきましょう。

ゴルフ会員権の会計処理

預託金制（預託金方式）のゴルフ会員権は、預託保証金が金銭債権としての性格を有することから、原則として金銭債権に準じて会計処理を行います。

したがって、預託金制のゴルフ会員権は取得原価をもって貸借対照表価額とします。

また、市場価格の著しい下落等、預託保証金の回収可能性に疑義が生じた場合、次の処理を行います。

(1) 市場価格がある場合

預託金制のゴルフ会員権について、市場価格が著しく下落し、かつ、回復の可能性が合理的に立証できない場合は、市場価格の下落が預託保証金を上回る部分については評価損を計上し、預託保証金の範囲内の部分については預託保証金に対する貸倒引当金を設定します。

Point ゴルフ会員権の市場価格がある場合

預託保証金は最終的に預託者に返還しなければならないので、この預託保証金の不足額に対して貸倒引当金を設定します。

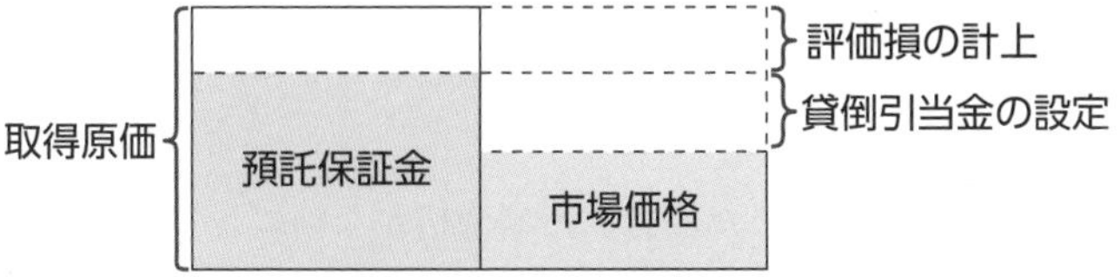

(2) 市場価格がない場合

預託金制のゴルフ会員権について、預託保証金の回収可能性に疑義が生じた場合には、貸倒引当金を設定します。

Point ゴルフ会員権の市場価格がない場合

預託保証金は最終的に預託者に返還しなければならないので、この預託保証金の不足額に対して貸倒引当金を設定します。

ゴルフ会員権の表示

ゴルフ会員権については、**ゴルフ会員権勘定**で投資その他の資産に表示します。

なお、預託保証金の回収可能性に疑義が生じた場合、ゴルフ会員権の貸借対照表に表示する金額は、次のようになります。

⑴ **市場価格がある場合**

回収可能性に疑義が生じた場合、市場価格があるゴルフ会員権については預託保証金部分まで帳簿価額を減額することとなるため、ゴルフ会員権につき貸借対照表に表示する金額は預託保証金となります。

⑵ **市場価格がない場合**

回収可能性に疑義が生じた場合、市場価格がないゴルフ会員権については貸倒引当金の設定のみを行い、帳簿価額を減額しないため、ゴルフ会員権につき貸借対照表に表示する金額は取得原価とします。

ただし、貸倒引当金を直接控除注記法により表示する場合のゴルフ会員権につき貸借対照表に表示する金額は、預託保証金または取得原価から当該ゴルフ会員権に係る貸倒引当金を控除した金額となります。

例題 ゴルフ会員権

決算整理前残高試算表上のゴルフ会員権28,000千円の内訳は、次のとおりである。決算において必要な仕訳を示しなさい。

〈ゴルフ会員権の内訳（すべて預託保証金制によるものである）〉

(1) Aカントリークラブ

取得原価：16,000千円（うち預託保証金部分：6,000千円）

市場価格：4,000千円

市場価格が著しく下落し、回復の可能性が合理的に立証できない。

(2) Bカントリークラブ

取得原価：12,000千円（うち預託保証金部分：10,000千円）

預託保証金の回収に疑義が生じたため、7,000千円の貸倒引当金を計上する。

解答

（仕訳の単位：千円）

(1) Aカントリークラブ

(ゴルフ会員権評価損)	10,000*1	(ゴルフ会員権)	10,000
(貸倒引当金繰入額)	2,000*2	(貸倒引当金)	2,000

＊1 16,000千円（取得原価）－6,000千円（預託保証金）＝10,000千円

＊2 6,000千円（預託保証金）－4,000千円（市場価格）＝2,000千円

(2) Bカントリークラブ

(貸倒引当金繰入額)	7,000*	(貸倒引当金)	7,000

＊ 回収不能見込額

(1) 預託保証金部分（6,000千円）まで帳簿価額を減額することとなるため、ゴルフ会員権につき貸借対照表に表示する金額は預託保証金（6,000千円）となります。

(2) 貸倒引当金の設定のみを行い、帳簿価額を減額しないため、ゴルフ会員権につき貸借対照表に表示する金額は取得原価（12,000千円）となります。

〈表示（単位：千円）〉

損益計算書	
特別損失	
ゴルフ会員権評価損	10,000
貸倒引当金繰入額	9,000

貸借対照表	
固定資産	
投資その他の資産	
ゴルフ会員権	18,000
貸倒引当金	△9,000

参考 税率の変更（その他有価証券の場合）

税率が変更された場合

税効果会計では、繰延税金資産または繰延税金負債の金額は、回収または支払いが行われると見込まれる期の税率に基づいて計算します。

ここで、決算日までに税率の変更があった場合、過年度に計上した繰延税金資産および繰延税金負債を新たな税率に基づいて再計算します。

簿記論1 Chapter12 税効果会計の参考「税率の変更」で学習した内容です。

評価・換算差額が生じる場合の修正差額の取り扱い

その他有価証券などの評価替えにより生じた評価差額が損益計算書を経由せずに純資産の部に計上される場合、変更後の税率に基づいて、繰延税金資産または繰延税金負債を計上し、貸借差額をその他有価証券評価差額金とします。

評価差額が損益計算書を経由せずに純資産の部に計上される場合とは、全部純資産直入法を採用している場合か、部分純資産直入法を採用している場合で評価差益が生じている場合が該当します。

Point 税率が変更された場合

例）X1年度末、X2年度末ともにその他有価証券の評価差額は100円（評価差益）であった。ただし、法定実効税率はX1年度においては40%であったが、X2年度において30%に変更されている。

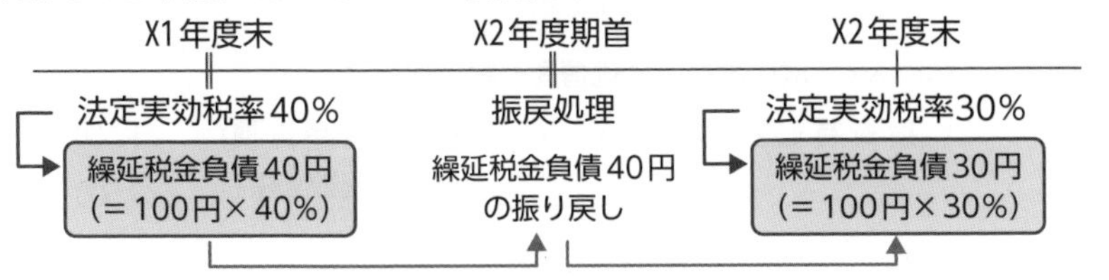

X2年度期首に、振戻処理をしているため、X2年度末には変更後の税率に基づいて改めて繰延税金負債を計上します。

（借）投資有価証券100（貸）繰延税金負債30
（貸）その他有価証券評価差額金70

例題 税効果会計―税率の変更

次の資料に基づいて、X2年度の税効果会計に関する仕訳を示しなさい。

なお、法人税等の法定実効税率はX1年度は40%、X2年度は税率の変更が行われ30%になった。

［資　料］一時差異の内容

（単位：円）

	X1年度	X2年度
〈将来加算一時差異〉 その他有価証券評価差額金	3,000	5,000

解答

（仕訳の単位：円）

⑴ X2年度期首における振戻処理

（繰延税金負債）	1,200	（投資有価証券）	3,000
（その他有価証券評価差額金）	1,800		

⑵ X2年度における評価替えと税効果会計

（投資有価証券）	5,000	（繰延税金負債）	1,500
		（その他有価証券評価差額金）	3,500

X1年度から通して見ていくと、以下のようになります。

⑴ X1年度

（投資有価証券）	3,000	（繰延税金負債）	1,200*1
		（その他有価証券評価差額金）	1,800*2

＊1　X1年度の将来加算一時差異3,000円×変更前実効税率40%＝1,200円
＊2　貸借差額

⑵ X2年度

① X2年度期首における振戻処理

（繰延税金負債）	1,200*1	（投資有価証券）	3,000
（その他有価証券評価差額金）	1,800*2		

＊1　X1年度の将来加算一時差異3,000円×変更前実効税率40%＝1,200円
＊2　貸借差額

② X2年度における評価替えと税効果会計

（投資有価証券）	5,000	（繰延税金負債）	1,500*1
		（その他有価証券評価差額金）	3,500*2

＊1　X2年度の将来加算一時差異5,000円×変更後実効税率30%＝1,500円
＊2　貸借差額

参考 修正受渡日基準

修正受渡日基準

有価証券の売買契約は、原則として約定日基準により認識しますが、容認処理として修正受渡日基準により認識することもできます。

修正受渡日基準とは、買手は保有目的区分ごとに約定日から受渡日までの時価の変動のみを認識し、売手は売却損益のみを約定日に認識する基準です。

Point 修正受渡日基準

下記の灰色は「受渡日を基準とした」処理、赤色はその損益を約定日基準と同じになるように「修正」する処理です。

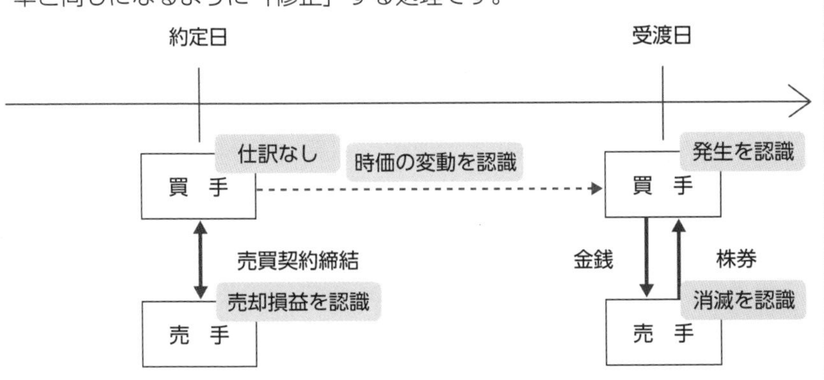

例題 修正受渡日基準

X社（買手）とY社（売手）の有価証券の売買に係る取引は以下のとおりである。

そこで、⑴約定日基準を採用している場合、⑵修正受渡日基準を採用している場合、それぞれにおけるX社およびY社の仕訳を答えなさい。

なお、X社およびY社は当該有価証券を売買目的で保有しており、評価差額については切放方式を採用している。

① X1年3月30日にX社は、Y社が保有しているZ社株式（簿価2,290円）について2,400円で売買契約を締結した。
② X1年3月31日（決算日）における時価は2,430円である。
③ X1年4月1日に受け渡しが行われた。

解答 (1) 約定日基準を採用している場合（原則）

X社（買手）

① X1年3月30日（約定日）

（有価証券）	2,400	（未払金）	2,400

② X1年3月31日（決算整理）

（有価証券）	30	（有価証券評価損益）	30*

＊ 時価2,430円－取得原価2,400円＝30円

③ X1年4月1日（受渡日）

（未払金）	2,400	（現金預金）	2,400

Y社（売手）

① X1年3月30日（約定日）

（未収金）	2,400	（有価証券）	2,290
		（有価証券売却損益）	110*

＊ 売却価額2,400円－簿価2,290円＝110円

② X1年3月31日（決算整理）

仕訳なし

③ X1年4月1日（受渡日）

（現金預金）	2,400	（未収金）	2,400

⑵ 修正受渡日基準を採用している場合（容認）

X社（買手）

① X1年3月30日（約定日）

仕 訳 な し

② X1年3月31日（決算整理）

（有 価 証 券）	30	（有価証券評価損益）	30*

＊ 時価2,430円－取得原価2,400円＝30円

（注）有価証券自体の発生は認識せず、約定日から決算日までの時価の変動のみ認識します。

③ X1年4月1日（受渡日）

（有 価 証 券）	2,400	（現 金 預 金）	2,400

Y社（売手）

① X1年3月30日（約定日）

（有 価 証 券）	110	（有価証券売却損益）	110*

＊ 売却価額2,400円－簿価2,290円＝110円

（注）有価証券自体の消滅は認識せず、売却損益のみを認識します。

② X1年3月31日（決算整理）

仕 訳 な し

③ X1年4月1日（受渡日）

（現 金 預 金）	2,400	（有 価 証 券）	2,400

損益に与える影響は、どちらの方法でも同じになることを確認しましょう。

参考 単価の付替（移動平均法）

移動平均法の会計処理

同一銘柄の有価証券を数回に分けて購入した場合、通常、購入の都度、単価が異なります。そして、当該有価証券を売却した場合の払出単価は、移動平均法、総平均法等により算定します。また、有価証券については、通常、**移動平均法**によることが多いので、問題で特に指示がない場合には移動平均法で算定します。

例題 **移動平均法**

以下の取引(1)～(4)について、仕訳を行いなさい。

3月決算である当社が保有するA社株式（売買目的有価証券）の前期繰越高は、50円/株で40株である。当期の(1)5月1日に60円/株で60株を買い増し、(2)7月1日に54円/株で20株を売却、(3)11月1日に65円/株で40株を買い増し、(4)2月1日に70円/株で20株を売却した。

解答

(1) **5月1日（購入）**

借方	金額	貸方	金額
（有価証券）	3,600*	（現金預金）	3,600

＊　@60円×60株＝3,600円

(2) **7月1日（売却）**

借方	金額	貸方	金額
（現金預金）	1,080*1	（有価証券）	1,120*2
（有価証券売却損）	40*3		

＊1　@54円×20株＝1,080円

＊2　$\frac{\text{前期繰越高 @50円×40株＋@60円×60株}}{\text{40株＋60株}}$（＝@56円）×20株＝1,120円

＊3　貸借差額

⑶　11月1日（購入）

（有価証券）	2,600*	（現金預金）	2,600

＊　@65円×40株＝2,600円

⑷　2月1日（売却）

（現金預金）	1,400*1	（有価証券）	1,180*2
		（有価証券売却益）	220*4

＊1　@70円×20株＝1,400円

＊2　$\frac{@56円×80株(＊3)＋@65円×40株}{80株(＊3)＋40株}$(＝@59円)×20株

＝1,180円

＊3　40株＋60株－20株＝80株

＊4　貸借差額

問題文で特に指示がないため、移動平均法で算定しましょう。

Chapter 5 のまとめ

□ 保有目的による分類

<table>
<tr><th>保有目的</th><th>表示科目</th><th>市場価格</th><th>貸借対照表価額</th><th>評価差額等の処理</th></tr>
<tr><td>売買目的有価証券</td><td>有価証券</td><td>あり</td><td>時　価</td><td>当期の損益
（洗替または切放方式）</td></tr>
<tr><td rowspan="2">満期保有目的の債券</td><td rowspan="2">投資有価証券*</td><td>あり</td><td rowspan="2">①取得原価
②償却原価</td><td rowspan="2">※償却額は
有価証券利息</td></tr>
<tr><td>なし</td></tr>
<tr><td rowspan="2">子会社株式
関連会社株式</td><td rowspan="2">関係会社株式</td><td>あり</td><td rowspan="2">取得原価</td><td rowspan="2">—</td></tr>
<tr><td>なし</td></tr>
<tr><td rowspan="2">その他有価証券</td><td rowspan="2">投資有価証券*</td><td>あり</td><td>時　価</td><td>①全部純資産直入法
②部分純資産直入法
（洗替方式）</td></tr>
<tr><td>なし</td><td>①取得原価
②償却原価</td><td>※償却額は
有価証券利息</td></tr>
</table>

＊　満期日が１年以内に到来する債券の表示科目は、「有価証券」となります。

□ 満期保有目的の債券の期末評価

<table>
<tr><th colspan="2">分　類</th><th>期末評価</th></tr>
<tr><td colspan="2">取得価額＝債券金額</td><td rowspan="2">取得原価</td></tr>
<tr><td rowspan="2">取得価額≠債券金額</td><td>差額が金利の調整と
認められない場合</td></tr>
<tr><td>差額が金利の調整と
認められる場合</td><td>償却原価</td></tr>
</table>

□ 償却方法

(1) 利息法

① 利息配分額の算定：帳簿価額×実効利子率

② クーポン利息受取額の算定：債券金額×クーポン利子率

③ 金利調整差額償却額の算定：①－②

(2) 定額法

$$償却額 = \underbrace{(債券金額 - 取得価額)}_{金利調整差額} \times \frac{当期月数}{取得日から償還日までの月数}$$

□ 評価差額の会計処理（その他有価証券）

(1) 意義

全部純資産直入法	評価差額の合計額を純資産の部に「その他有価証券評価差額金」として計上する方法
部分純資産直入法	評価差益は純資産の部に「その他有価証券評価差額金」として計上し、評価差損は「投資有価証券評価損益」として当期の損失に計上する方法

(2) 会計処理

処理方法	時価<帳簿価額	時価>帳簿価額
全部純資産直入法	純資産の部「その他有価証券評価差額金」	
部分純資産直入法	当期の損失 「投資有価証券評価損益」	純資産の部 「その他有価証券評価差額金」

□ 減損処理の種類

	対象	適用要件	期末評価	評価差額
強制評価減	市場価格のある有価証券で、売買目的有価証券以外のもの	① 時価の著しい下落 かつ ② 回復見込みなしまたは不明	時価	当期の損失
実価法	市場価格のない株式等	実質価額の著しい低下	実質価額	当期の損失

□ 配当金を受けた場合の処理

配当の原資		会計処理
その他利益剰余金		受取配当金（収益）
その他資本剰余金	売買目的有価証券	受取配当金（収益）
	上記以外	帳簿価額から減額

□ 保有目的区分変更時の会計処理

<table>
<tr><th>変更前
の区分</th><th>変更後
の区分</th><th colspan="3">変更時の振替価額</th><th>振替時の
評価差額</th></tr>
<tr><td rowspan="2">売買目的</td><td>関係会社</td><td colspan="3" rowspan="2">変更時の時価</td><td rowspan="2">損益計上</td></tr>
<tr><td>その他</td></tr>
<tr><td rowspan="2">満期保有目的
の債券</td><td>売買目的</td><td colspan="3" rowspan="2">変更時の償却原価</td><td rowspan="2">—</td></tr>
<tr><td>その他</td></tr>
<tr><td rowspan="2">関係会社</td><td>売買目的</td><td colspan="3" rowspan="2">帳簿価額</td><td rowspan="2">—</td></tr>
<tr><td>その他</td></tr>
<tr><td rowspan="4">その他</td><td>売買目的</td><td colspan="3">変更時の時価</td><td>損益計上</td></tr>
<tr><td rowspan="3">関係会社</td><td>全部</td><td colspan="2">帳簿価額</td><td rowspan="3">—</td></tr>
<tr><td rowspan="2">部分</td><td>評価益</td><td>帳簿価額</td></tr>
<tr><td>評価損</td><td>前期末時価</td></tr>
</table>

□ 売買契約の認識時点

約定日基準	約定日において買手は有価証券の発生を認識し、売手は有価証券の消滅を認識する基準

□ ゴルフ会員権（預託金制）の評価

原則として取得原価をもって貸借対照表価額としますが、時価が著しく下落した場合、回復の可能性があると認められる場合を除いて、減損処理を行います。

市場価格がある場合	預託保証金を上回る部分：評価損を計上 預託保証金の範囲内：貸倒引当金を計上
市場価格がない場合	預託保証金の不足額について貸倒引当金を計上

CHAPTER 6

デリバティブ取引

ここでは、デリバティブ取引について学習します。新しく学ぶ論点ばかりなので、気を抜かずに学習してください。特に、ヘッジ会計については見慣れない論点だと思いますが、あとで学習する外貨建取引にも関連する重要な論点となります。

Chapter 6

資産会計

デリバティブ取引

>> 正味の債権・債務によって評価されます！

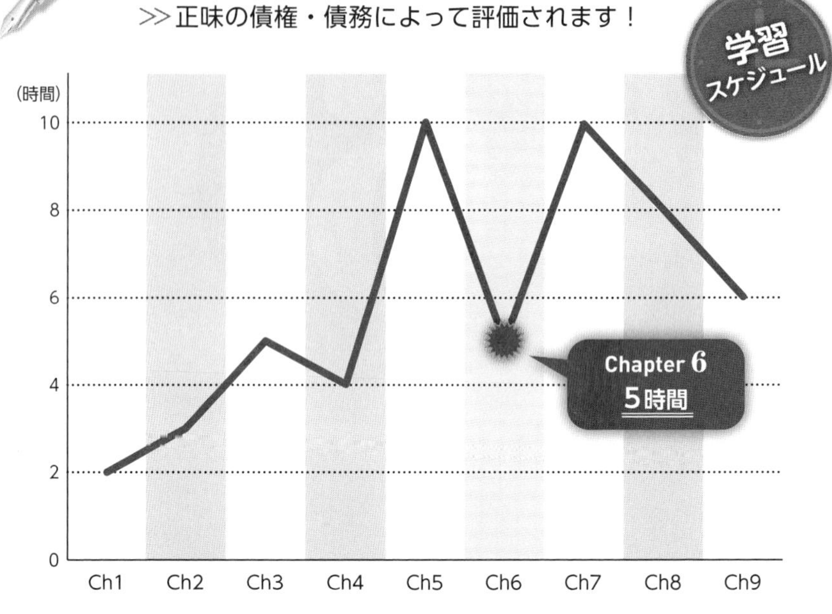

Check List

- □ デリバティブ取引の種類を理解しているか？
- □ 先物取引の会計処理を理解しているか？
- □ スワップ取引の会計処理を理解しているか？
- □ 繰延ヘッジの会計処理を理解しているか？
- □ 時価ヘッジの会計処理を理解しているか？

Link to 財務諸表論② Chapter3 金融商品会計の概要／Chapter6 デリバティブ取引

財務諸表論でも、デリバティブ取引の学習内容はほぼ同じです。ただし、ヘッジ会計の要件などは、学習しておくと計算の理解も深まりますので関連づけて学習しましょう。

1：デリバティブ取引とは

デリバティブ取引の意義

デリバティブ取引とは、デリバティブを取り扱う取引のことです。

デリバティブは、派生金融商品ともよばれ、従来から存在する金融商品（株式、債券、預金、貸付金など）から派生した新しい金融商品のことをいいます。

Point デリバティブの目的

デリバティブは、従来から存在する金融商品に関する相場変動などに依存して価格が変動します。そのため、デリバティブは、現物取引（株式や債券自体を売買する取引）から相場変動などにより生じる損失のリスクを回避する目的で、現物取引と組み合わせて用いられます（リスクヘッジ目的）。

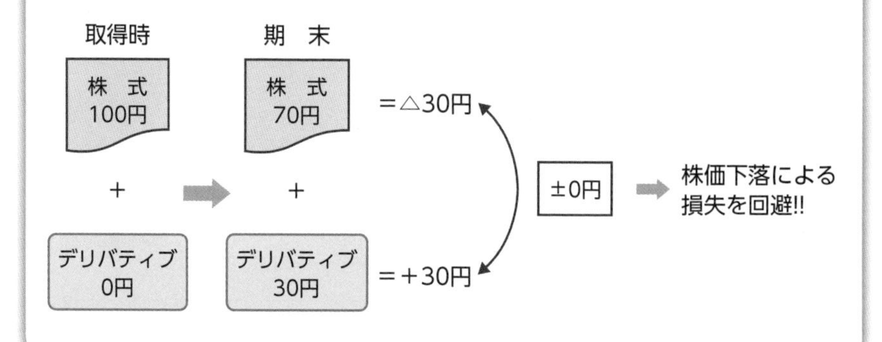

上記のほかに、リスクを背負って、少ない元手で多額の利益獲得を目的としてデリバティブが用いられることもあります（投機目的）。

デリバティブ取引の種類

デリバティブ取引は、主に**先物取引**、**スワップ取引**、**オプション取引**の３つに分類されます。

先　物　取　引	売手と買手が、将来の一定の時期に一定の商品を、現在の時点で約束した価格（先物価格）で受け渡すことを約束する取引
スワップ取引	将来生じるキャッシュ・フローを交換することを約束する取引
オプション取引	将来の一定の時点に、一定の価格で一定の商品を売買する権利を売買する取引

本書では、重要性の高い先物取引とスワップ取引を取り扱います。

デリバティブ取引の認識

デリバティブ取引は契約締結時に認識されます。契約締結以降、市場価格等の変動により、デリバティブ取引から生じる差益・差損が、デリバティブ取引による正味の債権または債務になります。

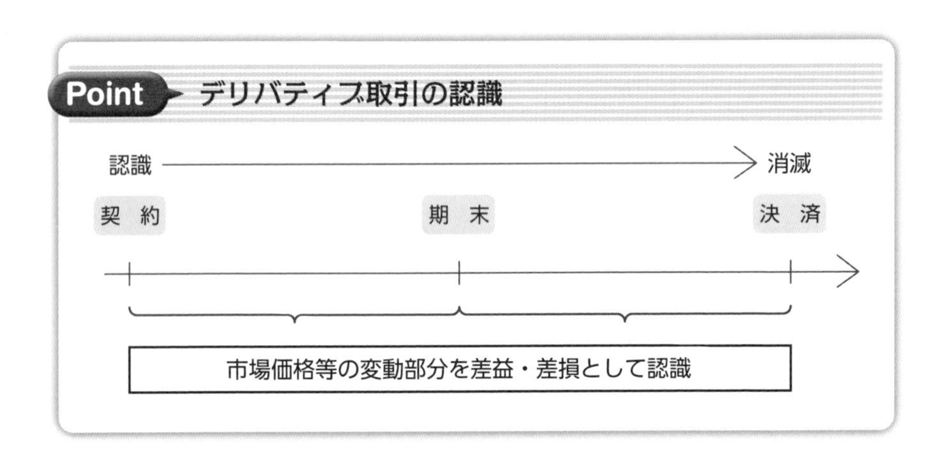

先物取引やスワップ取引の場合は、契約締結時においてデリバティブ取引から生じる債権および債務は等価であるため、契約締結時におけるデリバティブの価値はゼロになります。

デリバティブ取引の評価

デリバティブ取引により生じる正味の債権および債務は、時価をもって貸借対照表価額とし、評価差額は原則として、当期の損益として処理します。

デリバティブ取引の評価および評価差額の取扱い

(1) 時価で評価する理由

デリバティブ取引は、通常、差金決済により取引が行われるため、投資者および企業の両者にとって有意義な価値はデリバティブ取引から生じる正味の債権および債務の時価であると考えられるからです。

(2) 当期の損益とする理由

デリバティブ取引により生じる正味の債権および債務の時価の変動は、企業にとって財務活動の成果であると考えられるためです。

差金決済とは、商品の実際の受渡しを省略し、反対売買（買建契約なら売却、売建契約なら買戻し）によって売りと買いの差額の受渡しで決済が行われることをいいます。

2：先物取引

先物取引の意義

先物取引とは、売手と買手が、将来の一定の時期に、一定の商品を、現在の時点で約束した価格（先物価格）で受け渡すことを約束する取引のことです。

先物取引の会計処理

(1) 契約時

先物取引から生じる権利と義務は、契約時には等価であり、正味の債権・債務の時価は純額でゼロとなります。したがって、契約時にはデリバティブに関する仕訳は行いません。

しかし、先物取引では、契約時に証券会社に証拠金を支払う必要があり、支払った委託証拠金は、**先物取引差入証拠金勘定**（資産）として処理します。

先物取引では、将来の決済時点で確実に決済が行われるかどうかの信用不安がつきまといます。そこで、信用保証金として委託証拠金を差し入れます。

(2) 決算時

相場の変動による正味の債権または債務を先物取引差金として時価評価し、評価差額を先物損益として認識します。

評価差額の処理については、売買目的有価証券と同様に、デリバティブ取引にも洗替方式と切放方式が認められています。洗替方式の場合は、翌期首に振戻しを行います。問題文の指示に従って判断しましょう。

(3) 決済時

反対売買により決済し、差額部分のみの受払いが行われます。また、決済にともない委託証拠金の返還が行われます。

例題 先物取引

次の各取引の仕訳を示しなさい。

(1) X1年3月1日：国債300,000円（3,000口）を額面100円につき94円で買い建てる契約を結んだ。なお、委託証拠金として現金5,000円を証券会社に差し入れた。

(2) X1年3月31日（決算日）：債券先物の価格は額面100円につき95円であった。

(3) X1年4月1日（期首）：評価差額の振戻処理を行った。

(4) X1年5月30日：債券先物の価格が98円になり、反対売買による差金決済を行い、委託証拠金とともに現金で受け取った。

解答

(1) **X1年3月1日（契約時）**

借方科目	金額	貸方科目	金額
(先物取引差入証拠金)	5,000	(現　　　金)	5,000

(2) **X1年3月31日（決算日）**

借方科目	金額	貸方科目	金額
(先物取引差金)	3,000*	(先物損益)	3,000

＊ (決算時先物@95円－契約時先物@94円)×3,000口＝3,000円

(3) **X1年4月1日（翌期首）**

借方科目	金額	貸方科目	金額
(先物損益)	3,000	(先物取引差金)	3,000

(4) **X1年5月30日（決済時）**

借方科目	金額	貸方科目	金額
(現　　　金)	12,000	(先物損益)	12,000*
(現　　　金)	5,000	(先物取引差入証拠金)	5,000

＊ (決済時先物@98円－契約時先物@94円)×3,000口＝12,000円

3：スワップ取引

スワップ取引とは

スワップ取引とは、将来生じるキャッシュ・フローを交換することを約束する取引のことをいいます。

スワップ取引にはさまざまな種類がありますが、ここでは金利スワップ取引（変動金利を固定金利と交換する取引）についてみていきます。

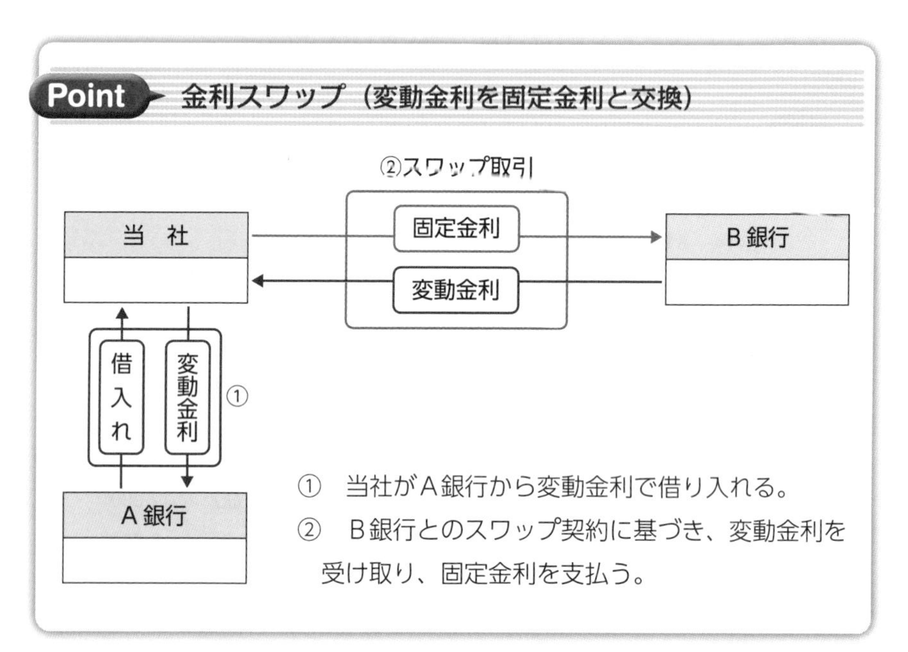

スワップ取引の結果、当社が負担する金利が固定金利に変わります。

スワップ取引の会計処理

(1) 契約時

スワップ取引から生じる権利と義務は、契約時には等価であり、正味の債権・債務の時価は純額でゼロとなるため、デリバティブに関する仕訳は行いません。

先物取引と異なり委託証拠金の支払いはありません。

(2) 利払時

利払時には、金利スワップ取引による受払いの純額を支払利息または受取利息として計上します。

(3) 決算時

決算時には、金利スワップの価値を**金利スワップ資産**または**金利スワップ負債**として時価評価し、評価差額は金利スワップ差損益として処理します。

借入金の利息に加減算するための支払利息や受取利息を、金利スワップ差損、金利スワップ差益で処理することもあります。本試験では、問題文の指示に従いましょう。

スワップ取引

次の各取引の仕訳を示しなさい。

(1) 当社は、Ａ銀行から変動金利で200,000円の借入れを行っていたが、金利変動リスクを回避するため、X3年４月１日にＢ銀行と支払利息に対するスワップ取引（変動金利受取、固定金利年４％支払）を締結した。

(2) X4年３月31日（利払日）の変動金利は年５％であり、決済は現金で行った。

(3) X4年３月31日（決算日）における金利スワップ取引から生じる正味の債権の時価は1,500円であった。

(1) X3年４月１日（契約時）

仕　訳　な　し

(2) X4年３月31日（利払時）

（支　払　利　息）	10,000*1	（現　　　　金）	10,000
（現　　　　金）	2,000	（支　払　利　息）	2,000*2

＊１　200,000円×変動金利５％＝10,000円

＊２　200,000円×（変動金利５％－固定金利４％）＝2,000円

(3) X4年３月31日（決算時）

（金利スワップ資産）	1,500	（金利スワップ差損益）	1,500

問題 >>> 問題編の**問題１**に挑戦しましょう！

4：ヘッジ会計

ヘッジ取引の意義

ヘッジ取引とは、ヘッジ対象の価格変動リスクを回避するために、デリバティブ取引をヘッジ手段として用いる取引のことです。

Point　ヘッジ取引の目的

①　ヘッジ対象の資産または負債に係る相場変動の相殺
②　ヘッジ対象の資産または負債に係るキャッシュ・フローを固定してその変動を回避

①または②により、ヘッジ対象である資産または負債の価格変動、変動金利および為替変動といった相場変動による損失の可能性を減殺します。

ヘッジ対象：相場変動による損失の可能性　←減殺←　ヘッジ手段：デリバティブ

ヘッジ会計とは

ヘッジ会計とは、ヘッジ取引のうち一定の要件を満たすものについて、ヘッジ対象に係る損益とヘッジ手段に係る損益を同一の会計期間に認識し、ヘッジの効果を会計に反映させるための特殊な会計処理をいいます。

Point ヘッジ会計の必要性

ヘッジ会計は、ヘッジ対象とヘッジ手段の損益が、期間的に一致しない場合に必要となります。

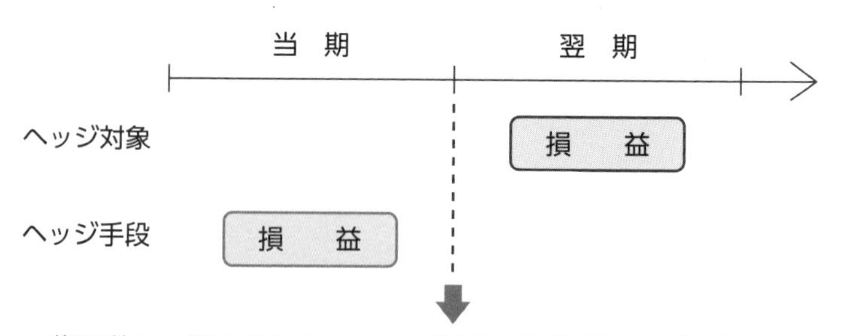

期間的に一致しないと、ヘッジ対象の損失がヘッジ手段によってカバーされているという経済的実態が財務諸表に反映されない

↓

ヘッジ会計を適用して、ヘッジ対象とヘッジ手段の損益を同一の会計期間に計上

ヘッジ取引すべてにヘッジ会計を適用できるわけではなく、あくまでヘッジ取引のうち一定の要件を満たしたものだけがヘッジ会計を適用できます。なお、通常、要件を満たしているかどうかは問題文の指示に与えられます。

ヘッジ会計の方法

ヘッジ会計の方法には、**繰延ヘッジ**と**時価ヘッジ**の２つがあります。

(1) **繰延ヘッジ（原則）**

繰延ヘッジとは、時価評価されているヘッジ手段に係る損益または評価差額を、ヘッジ対象に係る損益が認識されるまで、純資産の部において繰延ヘッジ損益として繰り延べる方法です。

純資産の部に計上されるヘッジ手段に係る損益または評価差額については、税効果会計を適用します。

Point 繰延ヘッジ

〈繰延ヘッジ（原則）〉

ヘッジ対象の損益が純資産の部に計上され、損益が認識されていないため、ヘッジ手段に係る損益についても「繰延ヘッジ損益」として繰り延べます。

	X1年	X2年	X3年
ヘッジ対象			損益
ヘッジ手段	損益	損益	損益

繰延べ

(2) **時価ヘッジ（容認）**

時価ヘッジとは、ヘッジ対象である資産または負債に係る相場変動などを損益に反映させることにより、その損益とヘッジ手段に係る損益とを同一の会計期間に認識する方法です。

時価ヘッジを適用することができるのは、その他有価証券のみです。

Point 時価ヘッジ

〈時価ヘッジ（容認）〉

その他有価証券の評価差額は、通常、その他有価証券評価差額金として処理しますが、時価ヘッジでは、損益に反映させるために「投資有価証券評価損益」として処理します。

	X1年	X2年	X3年
ヘッジ対象	損益	損益	損益
ヘッジ手段	損益	損益	損益

繰延ヘッジの会計処理

⑴ **契約時**

契約時は、通常のデリバティブ取引の場合と同様に処理します。

⑵ **決算時**

時価評価されているヘッジ手段に係る損益または評価差額を、繰延ヘッジ損益として繰り延べます。

⑶ **決済時・売買時**

ヘッジ対象で生じた損益勘定と同じ勘定科目で処理します。

先物損益勘定で処理することも考えられるので、本試験では問題文の指示に従いましょう。

例題 繰延ヘッジ

次の各取引について、①ヘッジ対象（現物国債）と②ヘッジ手段（国債先物）の仕訳を示しなさい。なお、法定実効税率は30%とする。

(1) X3年2月1日に、その他有価証券として保有する目的で国債3,000口を額面100円につき95円で購入し、代金は現金で支払った。

当該国債の購入と同時に、相場変動リスクを回避するために、国債先物によるヘッジ取引を行い、3,000口の国債を額面100円につき97円で売り建てた。なお、委託証拠金として現金で5,000円差し入れた。ヘッジ会計の適用要件を満たしているため、繰延ヘッジを適用する。

(2) 上記の国債と国債先物のX3年3月31日（決算日）の時価は、国債@94円、国債先物@96円であった。なお、その他有価証券の評価差額は全部純資産直入法により処理し、国債先物の評価差額は洗替方式により処理する。

(3) X3年4月1日、期首につき、振戻処理を行った。

(4) X3年5月20日に、保有する国債3,000口を1口@93円で売却した。

また、国債先物3,000口について1口@95円で反対売買による差金決済を現金で行った。

解答

(1) 契約時

① ヘッジ対象（現物国債）

(投資有価証券)	285,000*	(現　金)	285,000

* 3,000口×@95円＝285,000円

② ヘッジ手段（国債先物）

(先物取引差入証拠金)	5,000	(現　金)	5,000

(2) 決算時

① ヘッジ対象（現物国債）

(繰延税金資産)	900*2	(投資有価証券)	3,000*1
(その他有価証券評価差額金)	2,100*3		

＊１　(国債時価@94円－国債取得原価@95円)×3,000口＝△3,000円
＊２　3,000円×30%＝900円
＊３　貸借差額

②　ヘッジ手段（国債先物）

(先物取引差金)	3,000*[1]	(繰延税金負債)	900*[2]
		(繰延ヘッジ損益)	2,100*[3]

＊１　(先物売値@97円－先物時価@96円)×3,000口＝3,000円
＊２　3,000円×30%＝900円
＊３　貸借差額

(3)　翌期首

①　ヘッジ対象（現物国債）

(投資有価証券)	3,000	(繰延税金資産)	900
		(その他有価証券評価差額金)	2,100

②　ヘッジ手段（国債先物）

(繰延税金負債)	900	(先物取引差金)	3,000
(繰延ヘッジ損益)	2,100		

(4)　売却時・決済時

①　ヘッジ対象（現物国債）

(現　　金)	279,000*	(投資有価証券)	285,000
(投資有価証券売却損益)	6,000		

＊　@93円×3,000口＝279,000円

②　ヘッジ手段（国債先物）

(現　　金)	5,000	(先物取引差入証拠金)	5,000
(現　　金)	6,000	(投資有価証券売却損益)	6,000*

＊　(先物売値@97円－先物時価@95円)×3,000口＝6,000円

時価ヘッジの会計処理

(1) 契約時

契約時は、通常のデリバティブ取引の場合と同様に処理します。

(2) 決算時

ヘッジ対象に係る評価差額を損益として処理し、その評価差額とヘッジ手段に係る損益を同一の会計期間に認識します。

(3) 決済時・売買時

ヘッジ対象で生じた損益勘定と同じ勘定科目で処理します。

例題　時価ヘッジ

次の取引について、①ヘッジ対象（現物国債）と②ヘッジ手段（国債先物）に係る決算時の仕訳を示しなさい。

X3年2月1日に、その他有価証券として保有する目的で国債3,000口を額面100円につき95円で購入し、代金は現金で支払った。

当該国債の購入と同時に、価格変動リスクを回避する目的で、国債先物によるヘッジ取引を行い、3,000口の国債を額面100円につき97円で売り建てた。ヘッジ会計の適用要件を満たしているため、時価ヘッジを適用する。

決算日における国債と国債先物の時価は、国債@94円、国債先物@96円であった。なお、その他有価証券の評価差額は全部純資産直入法により処理する。

解答

① ヘッジ対象（現物国債）

(投資有価証券評価損益)	3,000*	(投資有価証券)	3,000

＊ （国債時価@94円－国債取得原価@95円）×3,000口＝△3,000円

② ヘッジ手段（国債先物）

(先物取引差金)	3,000*	(投資有価証券評価損益)	3,000

＊ （先物売値@97円－先物時価@96円）×3,000口＝3,000円

その他有価証券の時価評価は、全部純資産直入法を採用していたとしても投資有価証券評価損益勘定を用います。

問題 >>> 問題編の**問題2**に挑戦しましょう！

5：金利スワップに対するヘッジ会計 Rank B

金利スワップに対するヘッジ会計の適用

金利スワップ取引がヘッジ手段として利用されている場合の処理方法には、繰延ヘッジ（原則）のほかに、特例処理が認められます。

金利スワップの特例処理

(1) **特例処理の会計処理**

金利スワップを時価評価せずに、金利スワップ取引による受払いの純額を支払利息または受取利息として計上します。

(2) **特例処理の条件**

金利スワップ取引が金利変換の対象となる資産・負債とヘッジ会計の要件を満たしており、かつ、想定元本、利息の受払条件（利率、利息の受払日など）および契約期間が、金利変換の対象となる資産・負債とほぼ同一である場合に認められます。

特例処理は、金利スワップの時価評価が省略される簡便的な方法です。その分、適用する際に一定の条件があります。

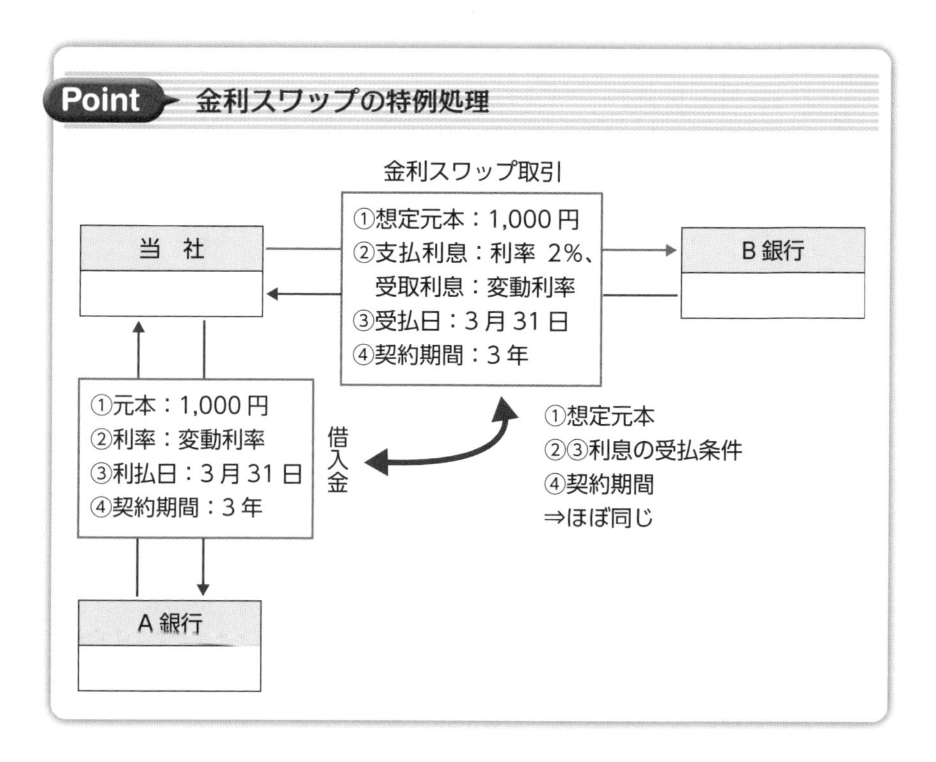

例題 **スワップ取引（特例処理）**

次の各取引について以下の問いに関する仕訳を示しなさい。

(1) 当社は、X2年4月1日にA銀行から借入期間5年、変動金利（利払日は3月31日）で300,000円の現金による借入れを行うとともに、同日に金利変動リスクを回避するため、B銀行と支払利息に対するスワップ取引（想定元本300,000円、期間5年、変動金利受取り、固定金利年3%支払い、利払日は3月31日）を締結した。

(2) X3年3月31日（利払日）の変動金利は年4%であり、決済は現金で行った。

(3) X3年3月31日（決算日）における金利スワップ取引から生じる正味の債権の時価は1,500円であった。

問1 繰延ヘッジを適用する場合

問2 特例処理を適用する場合

解答

(仕訳の単位：円)

問1　繰延ヘッジを適用する場合

⑴　X2年4月1日

借方科目	金額	貸方科目	金額
(現　　金)	300,000	(借　入　金)	300,000

⑵　X3年3月31日(利払日)

借方科目	金額	貸方科目	金額
(支 払 利 息)	12,000	(現　　金)	12,000*1
(現　　金)	3,000	(支 払 利 息)	3,000*2

＊1　300,000円×変動金利4%＝12,000円

＊2　300,000円×(変動金利4%－固定金利3%)＝3,000円

⑶　X3年3月31日(決算日)

借方科目	金額	貸方科目	金額
(金利スワップ資産)	1,500	(繰延ヘッジ損益)	1,500

金利スワップの繰延ヘッジは、金利スワップの評価差額を繰延ヘッジ損益として繰り延べます。

問2　特例処理を適用する場合

⑴　X2年4月1日

借方科目	金額	貸方科目	金額
(現　　金)	300,000	(借　入　金)	300,000

⑵　X3年3月31日(利払日)

借方科目	金額	貸方科目	金額
(支 払 利 息)	12,000	(現　　金)	12,000*1
(現　　金)	3,000	(支 払 利 息)	3,000*2

＊1　300,000円×変動金利4%＝12,000円

＊2　300,000円×(変動金利4%－固定金利3%)＝3,000円

⑶　X3年3月31日(決算日)

仕 訳 な し

金利スワップの特例処理は、利払日までの利息に関する処理だけ行い、決算時の時価評価は行いません。

問題 >>> 問題編の**問題3**に挑戦しましょう！

参考 オプション取引

オプション取引とは

オプションとは、一定の期日あるいは一定の期間内に一定の価格で特定の商品を買う、または売る権利をいいます。買う権利を「コール・オプション」、売る権利を「プット・オプション」といいます。また、単に「コール」、「プット」ということもあります。

オプション取引とは、買う権利または売る権利を売買する取引をいい、権利を買う側（買手）と売る側（売手）がいます。したがって、オプション取引は買手側の取引と売手側の取引に分けられ、買手側では「コールの買い」と「プットの買い」、売手側では「コールの売り」と「プットの売り」の合計4つに分けられます。

Point オプション取引

コール・オプション（買う権利）
　買い：「特定の商品を買う権利」を買うこと（買手）
　売り：「特定の商品を買う権利」を売ること（売手）
プット・オプション（売る権利）
　買い：「特定の商品を売る権利」を買うこと（買手）
　売り：「特定の商品を売る権利」を売ること（売手）

オプションの買手は、権利を行使するか、もしくは放棄することができます。
一方、オプションの売手は、買手が権利を行使したら、これに応じる義務を負います。
受験上は、基本的に買手側の処理を理解しておけば問題ありません。

オプション取引の会計処理（買手側の処理）

(1) オプションの購入時

オプション取引では、オプションを購入したときにオプション料を支払います。なお、オプション料は、先物取引の委託証拠金とは異なり、オプションの購入代金であるため返還されません。

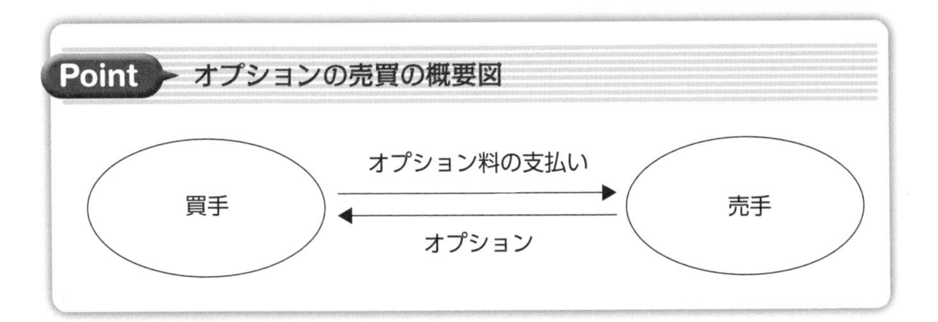

(2) 決算時

決算時には、オプション建玉について時価評価を行い、評価差額は原則として当期の損益（オプション損益勘定）として処理をします。

購入後に決済（反対売買）されないまま残っている未決済分を建玉（たてぎょく）といいます。

(3) 翌期首

通常、翌期首において洗替処理を行います。

(4) 権利行使期限

① 権利行使

オプションの買手は、権利行使によって利益が出る場合にのみ権利を行使します。

② 権利放棄

オプションの買手は、権利行使によって損失が生じる場合には権利を行使しません。

例題 オプション取引

当社のオプション取引について①X3年4月30日における為替レートが108円/ドルで権利行使した場合、②X3年4月30日における為替レートが112円/ドルで権利を放棄した場合の一連の仕訳を示しなさい。なお、当社の会計期間は3月31日を決算日とする1年間である。

［資　料］

⑴　X3年2月1日に以下の条件で通貨オプションを取得した。

ⅰ　通貨オプションの内容

種類：プット・オプション（円コール・ドルプット）

金額：1,500ドル

期限：3カ月

権利行使価格：111円/ドル

X3年2月1日におけるプット・オプションの価値：1.0円/ドル

ⅱ　X3年2月1日における為替レート：111円/ドル

⑵　X3年3月31日（決算日）

ⅰ　X3年3月31日におけるプット・オプションの価値：1.5円/ドル

ⅱ　X3年3月31日における為替レート：110円/ドル

⑶　X3年4月1日（翌期首）

⑷　X3年4月30日（権利行使期限）

解答

（仕訳の単位：円）

⑴　X3年2月1日（プット・オプションの購入）

借方	金額	貸方	金額
（オプション資産）	1,500*	（現　金　預　金）	1,500

＊　1,500ドル×1.0円/ドル＝1,500円

⑵　X3年3月31日（決算時）

借方	金額	貸方	金額
（オプション資産）	750	（オプション損益）	750*

＊　1,500ドル×(1.5円/ドル－1.0円/ドル)＝750円

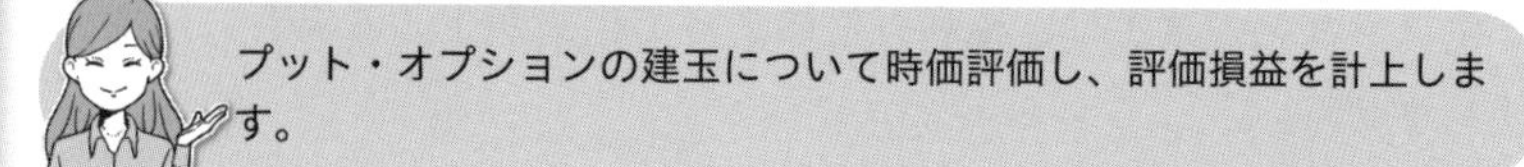

プット・オプションの建玉について時価評価し、評価損益を計上します。

(3) X3年4月1日（翌期首）

（オプション損益）	750	（オプション資産）	750

(4) X3年4月30日（権利行使期限）

① プット・オプションの権利行使（および外国為替市場でのドル買い）

（現　金　預　金）	4,500*1	（オプション資産）	1,500
		（オプション損益）	3,000*2

＊1　@3.0円（＊3）×1,500ドル＝4,500円

＊2　4,500円－1,500円＝3,000円

＊3　権利行使価格111円/ドル－権利行使時の為替レート108円/ドル＝@3.0円

オプションの買手は、権利行使によって利益が出る場合にのみ権利を行使します。

〈プット・オプションの価値の変動〉

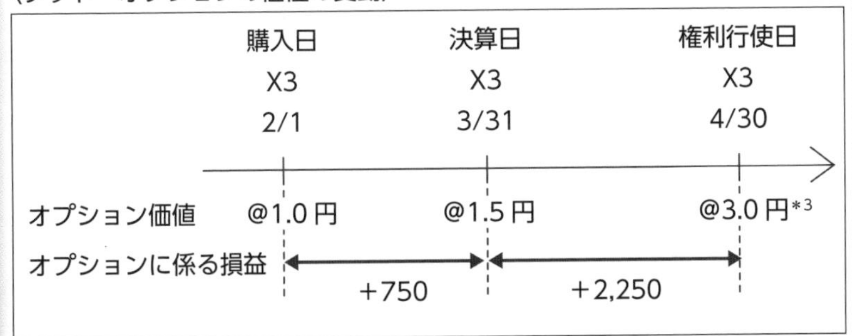

〈プット・オプションの損益図〉

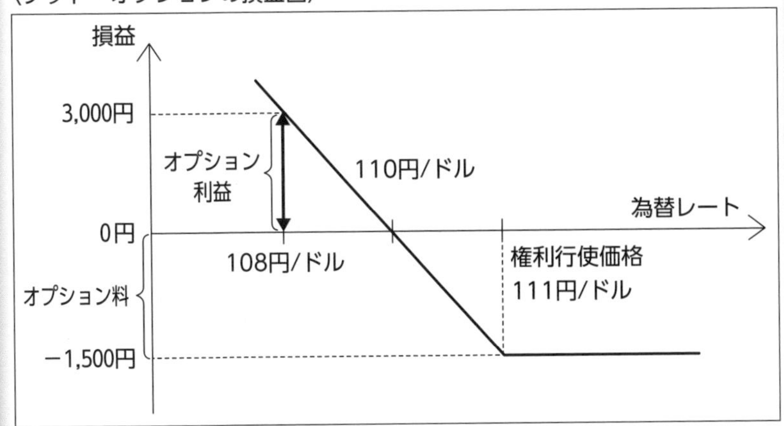

② プット・オプションの権利放棄

(オプション損益)	1,500*1	(オプション資産)	1,500

＊1　権利行使を行うと新たに1,500円（＊2）の損失が生じてしまうため、権利を放棄することで損失をオプション料に限定します。前期にオプション利益750円を計上し、当期首に洗替処理を行っているため、当期のオプションによる純損失は2,250円となります。

＊2　1,500ドル×（権利行使価格111円/ドル－権利行使時の為替レート112円/ドル）＝△1,500円

オプションの買手は、権利行使によって損失が生じる場合には、権利を行使しません。つまり、オプションの買手は、オプション料以上の損失を負うことはありません。ただし、オプションの価値はゼロとなります。

〈プット・オプションの価値の変動〉

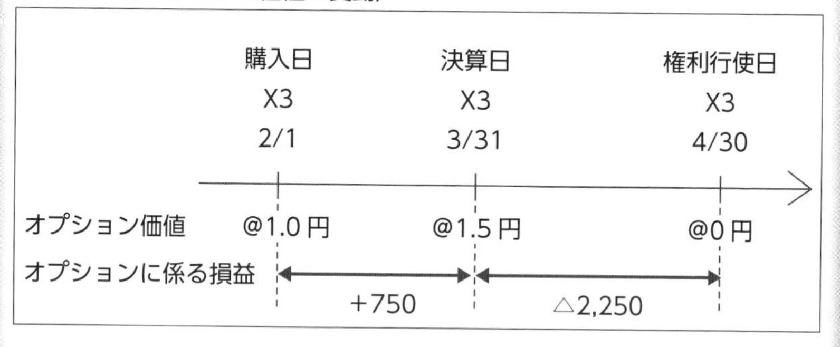

〈プット・オプションの損益図〉

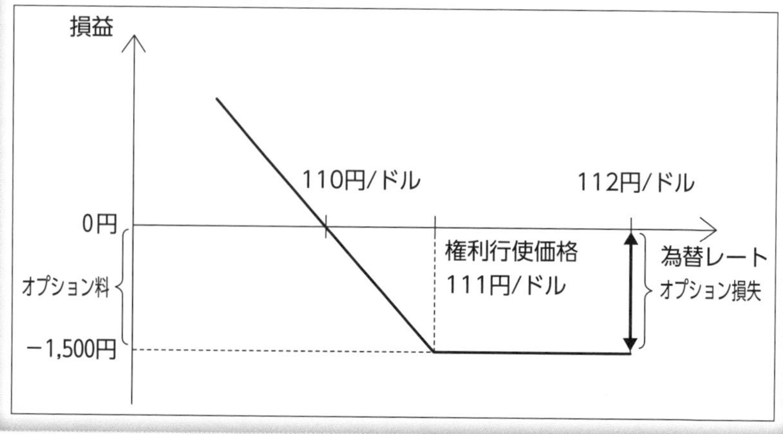

Chapter 6 のまとめ

□ デリバティブ取引の種類

先物取引	売手と買手が、将来の一定の時期に一定の商品を、現在の時点で約束した価格（先物価格）で受け渡すことを約束する取引
スワップ取引	将来生じるキャッシュ・フローを交換することを約束する取引
オプション取引	将来の一定の時点に、一定の価格で一定の商品を売買する権利を売買する取引

□ デリバティブ取引の評価

貸借対照表価額	時価
評価差額	当期の損益

□ ヘッジ会計の方法

繰延ヘッジ（原則）	時価評価されているヘッジ手段に係る損益または評価差額を、ヘッジ対象に係る損益が認識されるまで、純資産の部において繰延ヘッジ損益として繰り延べる方法
時価ヘッジ（容認）	ヘッジ対象である資産または負債に係る相場変動などを損益に反映させることにより、その損益とヘッジ手段に係る損益とを同一の会計期間に認識する方法

□ 繰延ヘッジと時価ヘッジの会計処理

〈繰延ヘッジ（原則）〉

ヘッジ対象の損益が純資産の部に計上され、損益が認識されていないため、ヘッジ手段に係る損益についても「繰延ヘッジ損益」として繰り延べます。

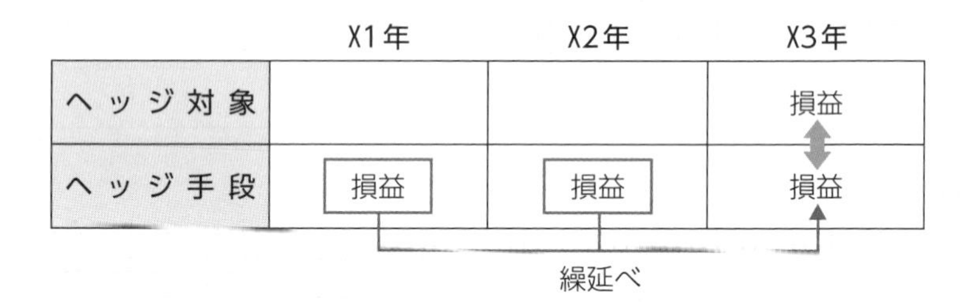

〈時価ヘッジ（容認）〉

その他有価証券の評価差額は、通常、その他有価証券評価差額金として処理しますが、時価ヘッジでは、損益に反映させるために「投資有価証券評価損益」として処理します。

	X1年	X2年	X3年
ヘッジ対象	損益	損益	損益
ヘッジ手段	損益	損益	損益

〈金利スワップの特例処理〉

金利スワップの特例処理は、一定の条件を満たした場合に認められる処理方法であり、利払日までの利息に関する処理だけ行い、決算時の時価評価は行いません。

有形固定資産

ここでは、有形固定資産について学習します。

有形固定資産の基本的な減価償却方法や、級数法による減価償却、耐用年数の変更・減価償却方法の変更など、応用的な論点についても学習していきます。論点が多いですが、まず減価償却関連を優先しておさえていきましょう。

Chapter 7

資産会計

有形固定資産

>> 減価償却は有形固定資産の基本です！

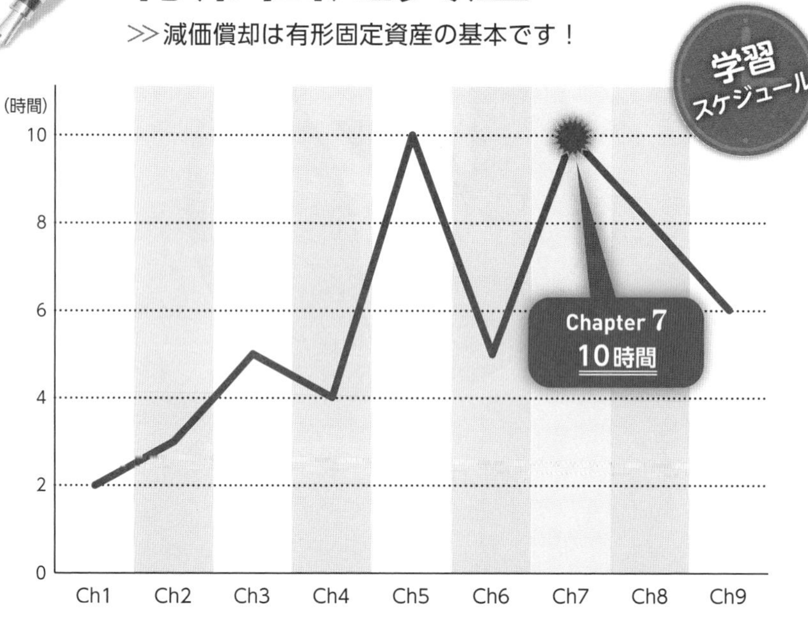

Check List

- □ 有形固定資産の取得原価の算定方法を理解しているか？
- □ 代表的な減価償却方法の違いを理解しているか？
- □ 間接控除法と直接控除法の違いを理解しているか？
- □ 売却・除却・焼失の会計処理を理解しているか？
- □ 買換えの会計処理を理解しているか？
- □ 耐用年数・償却方法の変更をした場合の会計処理を理解しているか？
- □ 資本的支出と収益的支出の会計処理を理解しているか？
- □ 圧縮記帳の会計処理を理解しているか？

Link to 財務諸表論② **Chapter8 有形固定資産**

財務諸表論では、減価償却の理論的な根拠や各償却方法の長所・短所を学習します。各計算方法と理論を関連づけて学習しましょう。

1：有形固定資産とは

有形固定資産の意義

有形固定資産とは、土地・建物・備品など、加工や売却を予定せず、企業が長期にわたって利用するために保有する資産で、形のあるものをいいます。

有形固定資産のうち、減価償却を行うものを**償却性資産**、行わないものを**非償却性資産**といいます。

建設仮勘定（建設中の建物等に対する支払額）やリース資産なども有形固定資産に含まれます。

Point 有形固定資産の代表例

有形固定資産の代表例は、次に示すとおりです。

分類	種類	具体例
償却性資産	建物	店舗、事務所、工場などの営業用建物
	建物付属設備	電気設備、冷暖房設備、昇降機設備、給排水設備
	構築物*	舗装道路・塀などの土木設備、広告塔、煙突
	機械装置	製品の製造にあたって使用する機械装置
	車両運搬具	トラック、ダンプ、営業用の自動車
	器具備品	机、椅子、商品陳列棚、コピー機、パソコン
非償却性資産	土地	店舗、事務所などの敷地
	建設仮勘定	建物、機械装置などの建設に係る前払金

* 構築物とは、土地の上に定着する工作物や土木設備で建物以外のものをいいます。

なお、勘定科目は、問題文の指示に従いましょう。

取得原価の決定

固定資産を**購入**によって取得したときは、購入代金に付随費用を加えて取得原価とします。

取得原価＝購入代金－値引・割戻し＋付随費用

取得時に値引や割戻しを受けたときは、これらの金額を購入代金から控除します。なお、「購入代金－値引・割戻し」を購入代価と呼ぶことがあります。

付随費用

付随費用とは、有形固定資産の使用を開始する前までに支出した費用で、原則として、取得原価に算入して処理します。

なお、使用開始前に支出した費用でも、損害保険料のように使用期間に対応して発生する費用は、期間費用として処理します。

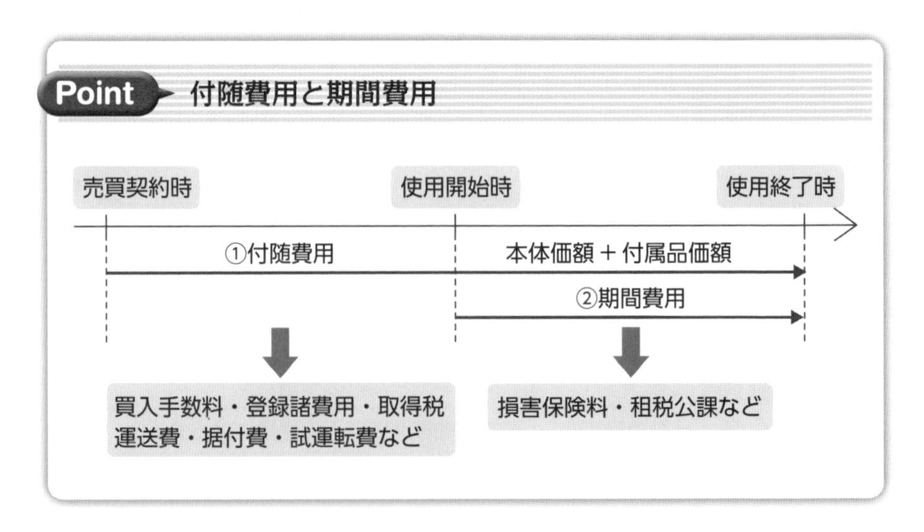

付随費用と期間費用は区別できるようにしておきましょう。

例題　有形固定資産―付随費用

次の各取引の仕訳を示しなさい。

(1) 備品900千円を購入し、代金は買入手数料 6 千円、運搬費45千円および据付費 9 千円とともに小切手を振り出して支払った。

(2) 当期に車両を購入し、代金は小切手を振り出して支払った。車両の購入契約書は、次に示すとおりである。なお、付随費用の取扱いは、会計上の原則的処理方法による。

車両本体	9,600千円	諸経費	
車両付属品	450千円	登録諸費用	510千円
小計	10,050千円	自動車取得税	1,080千円
		保険料（2年分）	360千円
		小計	1,950千円
		合計	12,000千円

(3) 駐車場として利用するため土地120,000千円を購入し、整地費用（造成および改良）3,000千円および路面アスファルト舗装費用6,000千円とともに小切手を振り出して支払った。

解答

（仕訳の単位：千円）

(1) **備品購入時**

(備　　　　品)	960*	(当　座　預　金)	960

＊　本体900千円＋買入手数料6千円＋運搬費45千円＋据付費9千円=960千円

(2) **車両購入時**

(車　　　　両)	11,640*1	(当　座　預　金)	12,000
(支 払 保 険 料)	360*2		

＊1　本体9,600千円＋付属品450千円＋登録諸費用510千円＋自動車取得税1,080千円=11,640千円

＊2　保険料（保険料は2年分とあるため、期末において費用の繰延べが必要となります）

(3) **土地購入時**

(土　　　地)	123,000	(当 座 預 金)	129,000
(構　築　物)	6,000*		

＊ 路面アスファルト舗装費用

整地費用は土地を利用するための費用なので、土地の取得原価に算入します。また、路面アスファルト舗装費用は、構築物に該当します。

建設仮勘定

建設中の建物などについては、工事代金を前払いしたときに建設仮勘定で会計処理を行い、完成して引渡しを受けたときに建物勘定へ振り替えます。

例題 建設仮勘定

次の各取引の仕訳を示しなさい。

(1) 本社ビル建設のため、建設会社に対して工事代金前払額900,000千円を小切手を振り出して支払った。なお、建設会社からの本社ビル建設に係る見積額は、次に示すとおりである。

内　容	金　額
建物建築費用	1,470,000千円
電気設備費用	18,000千円
給排水設備費用	12,000千円
見積合計	1,500,000千円

(2) 本社ビルが完成し、その引渡しを受けた。工事代金は上記見積額で精算し、前払額を除いた残額600,000千円は後日支払うこととした。

解答

（仕訳の単位：千円）

(1) **工事代金前払時**

（建設仮勘定）	900,000	（当座預金）	900,000

(2) **完成引渡時**

（建物）	1,500,000*	（建設仮勘定）	900,000
		（未払金）	600,000

* 建物建築費用1,470,000千円＋電気設備費用18,000千円
＋給排水設備費用12,000千円＝1,500,000千円

建物付属設備は、原則として建物勘定で処理します。ただし、問題文の指示によっては建物付属設備勘定で処理する場合もあります。

問題 >>> 問題編の**問題1**に挑戦しましょう！

2：減価償却

減価償却の意義

減価償却とは、有形固定資産の価値が低下するのにあわせて、その取得原価を耐用期間における各事業年度に費用として配分することです。これにより費用化される金額を減価償却費といいます。

減価償却方法

減価償却費は、有形固定資産の取得原価、残存価額および耐用年数に基づいて算定され、代表的な償却方法として、**定額法**、**定率法**、**級数法**および**200%定率法**などがあります。

定額法

定額法とは、有形固定資産の耐用期間中、毎期均等額の減価償却費を計上する方法のことです。

$$年間減価償却費＝(取得原価－残存価額)\times\frac{1年}{耐用年数}$$

定額法償却率

$\frac{1年}{耐用年数}$は、定額法償却率として示される場合があります。たとえば、耐用年数20年の場合、定額法償却率は$\frac{1年}{20年}$＝0.050となります。資料に定額法償却率が示された場合、減価償却費は定額法償却率により算定します。

例題 定額法

次の資料に基づいて、各資産の減価償却に関する仕訳を示しなさい。なお、当期はX3年4月1日からX4年3月31日までの1年間である。

［資　料］

決算整理前残高試算表　（単位：千円）

建　　　物	120,000	建物減価償却累計額	86,400
備　　　品	22,200	備品減価償却累計額	10,800

・決算整理事項

有形固定資産について減価償却を行う。

種　類	償却方法	耐用年数	備　　考
建　物	定額法	20年	残存価額：取得原価の10% 償 却 率：0.050
備　品	定額法	20年	備品のうち7,200千円は、X3年7月31日に取得し、翌日から使用を開始したものである。なお、残存価額は取得原価の10%とする。

解答

（仕訳の単位：千円）

① 建物

（建物減価償却費）	5,400	（建物減価償却累計額）	5,400

② 備品

（備品減価償却費）	891	（備品減価償却累計額）	891

① 建物

120,000千円×0.9×0.050＝5,400千円

② 備品

既　存　分：15,000千円×0.9×$\frac{1年}{20年}$＝675千円

期中取得分：7,200千円×0.9×$\frac{1年}{20年}$×$\frac{8カ月}{12カ月}$＝216千円

} 891千円

建物は、償却率が問題文に与えられているので、耐用年数で割らずに償却率を用います。備品は、期中取得分について、月割計算が必要な点に注意しましょう。

定率法

定率法とは、有形固定資産の耐用期間中、毎期期首未償却残高に一定率を掛けた減価償却費を計上する方法です。

年間減価償却費＝(取得原価－期首減価償却累計額)×償却率

通常、定率法の償却率は、問題文に与えられます。

例題 定率法

次の資料に基づいて、減価償却に関する仕訳を示しなさい。なお、当期はX3年4月1日からX4年3月31日までの1年間である。また、計算過程で千円未満の端数が生じた場合は、四捨五入すること。

［資　料］

決算整理前残高試算表　（単位：千円）

備　　品	96,000	備品減価償却累計額	71,946

・決算整理事項

有形固定資産について減価償却を行う。

種　類	償却方法	耐用年数	備　　考
備　品	定率法	10年	残存価額：取得原価の10% 償 却 率：0.206

解答

（仕訳の単位：千円）

（備品減価償却費）	4,955*	（備品減価償却累計額）	4,955

＊　(96,000千円－71,946千円)×0.206＝4,955千円（千円未満四捨五入）

級数法

級数法とは、有形固定資産の耐用期間中、毎期一定の額を算術級数的に逓減した減価償却費を計上する方法のことです。

$$年間減価償却費＝(取得原価－残存価額)\times\frac{当期項数}{総項数}$$

逓減とは、少しずつ減ることです。級数法は定率法と似た償却パターンとなります。

Point　総項数とは

総項数とは、各期首における残存耐用年数を合計した数のことで、次の算式により計算します。

$$総項数＝\frac{耐用年数\times(耐用年数＋1)}{2}$$

例）X1年度の期首に耐用年数５年の機械を購入した場合の総項数は、次のようになります。

耐用年数５年の場合、１年目期首の残存耐用年数は５年（項数５）、２年目期首の残存耐用年数は４年（項数４）…と計算すると、総項数は５＋４＋３＋２＋１＝15となります。

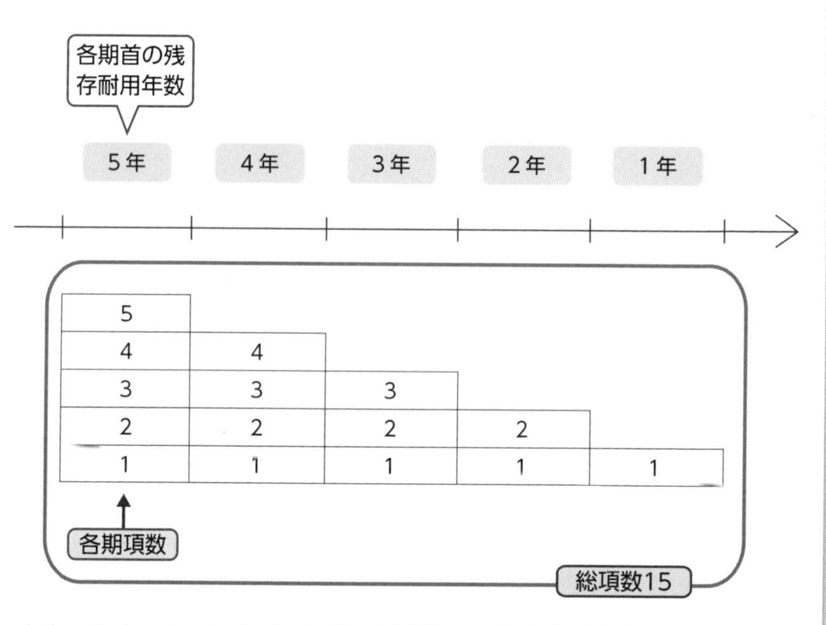

なお、前出の算式を用いた場合の総項数は、次のようになります。

総項数：$\frac{5年\times(5年+1)}{2}=15$

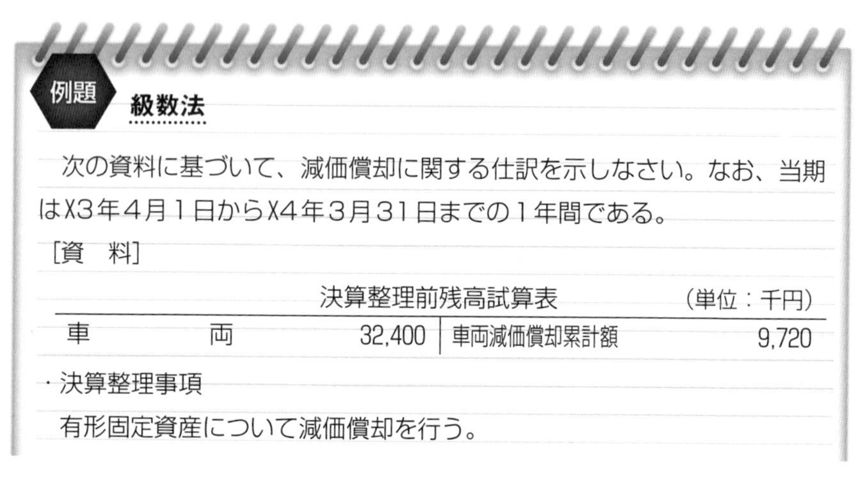

例題　**級数法**

次の資料に基づいて、減価償却に関する仕訳を示しなさい。なお、当期はX3年4月1日からX4年3月31日までの１年間である。

［資　料］

決算整理前残高試算表　（単位：千円）

車　　両	32,400	車両減価償却累計額	9,720

・決算整理事項

有形固定資産について減価償却を行う。

種　類	償却方法	耐用年数	備　　考
車　両	級数法	5年	残存価額：取得原価の10% 取 得 日：X2年4月1日

解答

（仕訳の単位：千円）

（車両減価償却費）	7,776	（車両減価償却累計額）	7,776

① 総項数：$\frac{5年\times(5年+1)}{2}=15$

② 減価償却費：$32,400千円\times0.9\times\frac{当期項数4}{総項数15}=7,776千円$

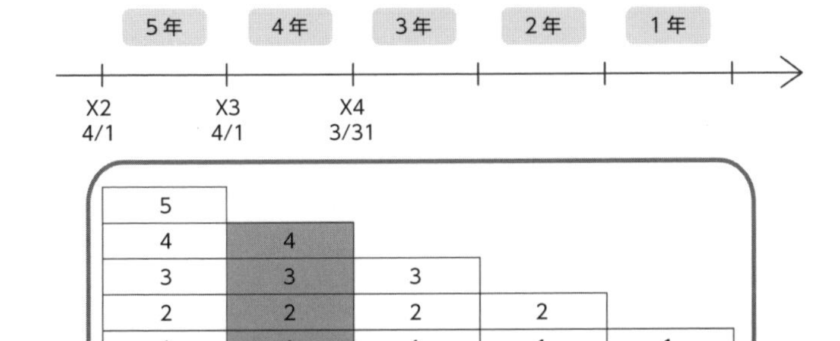

当期の項数は、4（当期首の残存耐用年数）なので、当期の減価償却費は全体の$\frac{4}{15}$となります。

例題 **級数法―期中取得**

次の資料に基づいて、減価償却に関する仕訳（単位：千円）を示しなさい。なお、当期はX3年4月1日からX4年3月31日までの1年間である。

［資　料］

決算整理前残高試算表　（単位：千円）

車　両	40,500	車両減価償却累計額	17,010

・決算整理事項

有形固定資産について減価償却を行う。

種　類	償却方法	耐用年数	備　考
車　両	級数法	5年	残存価額：取得原価の10% 取 得 日：X1年10月1日

解答　（仕訳の単位：千円）

（車両減価償却費）	8,505	（車両減価償却累計額）	8,505

① 総項数：$\frac{5年\times(5年+1)}{2}=15$

② 減価償却費：

$40{,}500千円\times0.9\times\frac{当期項数4}{総項数15}\times\frac{6カ月}{12カ月}=4{,}860千円$

$40{,}500千円\times0.9\times\frac{当期項数3}{総項数15}\times\frac{6カ月}{12カ月}=3{,}645千円$

合計 8,505千円

5年　4年　3年　2年　1年

X1 10/1　X3 4/1　X4 3/31

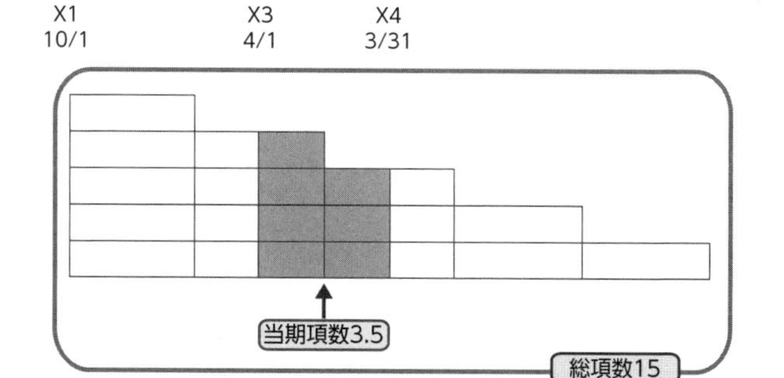

期中に固定資産を取得した場合、当期が2つの項数にまたがることがあります。その場合、対応する月数分の減価償却費をそれぞれの項数で求めたあと、合算して当期の減価償却費を求めます。

生産高比例法

生産高比例法とは、有形固定資産の耐用期間中、毎期当該資産による生産または用役の提供の度合に比例した減価償却費を計上する方法をいいます。

この方法は、当該有形固定資産の総利用可能量が物理的に確定でき、かつ、減価が主として有形固定資産の利用に比例して発生するもの、たとえば、鉱業用設備、航空機、自動車等について適用することが認められています。なお、減価償却費の月割計算は行いません。

$$減価償却費＝(取得原価－残存価額)\times\frac{当期利用量}{総利用可能量}$$

平成19年度改正

平成19年4月1日以後に取得した固定資産については、法人税法上、残存価額を0円として減価償却することができるようになりました。

ただし、耐用年数到来時には1円だけ残しておく処理を行います。償却済みの固定資産があることを帳簿に記録しておくためです。これを**備忘価額**といいます。

減価償却費の算定に用いる残存価額については、残存価額を設定する場合と0円とする場合があるので、本試験では、問題文の指示に従って計算してください。なお、便宜上、本書ではこの改正にかかわる定額法を「新定額法」とよびます。

新定額法

新定額法は、次のように計算します。

耐用年数が到来するまで：残存価額0円として計算

年間減価償却費＝取得原価×$\frac{1年}{耐用年数}$

最終年度：年間減価償却費＝期首帳簿価額－１円

プラスα 償却率が与えられた場合

償却率が与えられた場合、新定額法では次のように計算します。

毎年の減価償却費：取得原価×定額法償却率

最終年度の減価償却費：期首帳簿価額－１円

例題 新定額法

建物について、新定額法で減価償却を行う。取得原価270,000円、残存価額0円、耐用年数30年で、会計期間の期首に取得している。29年目と30年目の減価償却費を求めなさい。

解答

29年目の減価償却費：9,000円＊1

30年目の減価償却費：8,999円＊2

＊1　270,000円×$\frac{1年}{30年}$＝9,000円（1～29年目の減価償却費）

＊2　（270,000円－9,000円×29年）－1円＝8,999円
（最終年度の減価償却費）

200％定率法（新定率法）

200%定率法とは、定額法の償却率（1÷耐用年数）を２倍（200％）した率を償却率として計算する方法をいい、平成24年４月１日以後に取得した固定資産について適用されます（新定率法）。

この方法では、期首帳簿価額に償却率を掛けて計算するため、帳簿価額は毎年小さくなるものの、０円にはなりません。そこで、一定の時期（償却保証額に達したとき）に期首帳簿価額を残存耐用年数で割る均等償却（改定償却）を行います。

均等償却を行う時期は、償却率で計算した減価償却費が、償却保証額より小さくなった時です。

Point 200％定率法（新定率法）の計算方法

200％定率法の年間減価償却費は、定率償却額と償却保証額を比較して定率償却額が大きい場合には定率償却額、償却保証額が大きい場合には改定取得原価に改定償却率を掛けたものを計上します。

①　定率償却額＝期首帳簿価額×償却率
②　償却保証額＝取得原価×保証率
判定　①≧②の場合→年間減価償却費＝①の額
**　　　①＜②の場合→年間減価償却費＝改定取得原価＊×改定償却率**

＊　最初に①＜②となった会計期間の期首帳簿価額

法人税法上、平成19年4月1日から平成24年3月31日までに取得した固定資産については、250％定率法が適用されます。この場合、定額法償却率の2.5倍（250％）の率を償却率として計算します。計算方法は、200％定率法と同じですので、問題文の指示に従ってください。

新定率法

期首に取得した機械（取得原価30,000円）について、200%定率法で減価償却を行う（耐用年数10年、償却率0.200、改定償却率0.250、保証率0.0655）。2年目、7年目、10年目の減価償却費を求めなさい（円未満四捨五入）。

解答　**2年目：4,800円*1　7年目：1,966円*2　10年目：1,965円*3**

(1)　200%定率法の償却率：0.200

(2)　各期の減価償却費

年度	①期首簿価	②定率償却額*4	③償却保証額*5	④判定*6	⑤減価償却費	⑥期末簿価
1	30,000	6,000		②	6,000	24,000
2	24,000	4,800		②	4,800*1	19,200
3	19,200	3,840		②	3,840	15,360
4	15,360	3,072		②	3,072	12,288
5	12,288	2,458	1,965	②	2,458	9,830
6	9,830	1,966		②	1,966	7,864
7	7,864	1,573		②<③ *7	1,966*2	5,898
8	5,898			③	1,966	3,932
9	3,932			③	1,966	1,966
10	1,966			③	1,965*3	1

＊1　(30,000円－6,000円)×0.200＝4,800円

＊2　7年目期首簿価7,864円×改定償却率0.250＝1,966円

＊3　期首簿価1,966円－1円＝1,965円
最終年度は備忘価額1円とし、残りを償却額とします。

＊4　①期首簿価×0.200（円未満四捨五入）

＊5　30,000円×保証率0.0655＝1,965円

＊6　②定率償却額と③償却保証額のどちらが大きいか判定します。

＊7　7年目は②<③となり、定率償却額が償却保証額を下回りますので、7年目から均等償却を行います。8年目、9年目の計算でも、7年目の期首簿価（改定取得原価）7,864円に改定償却率を掛けることに注意しましょう。

総合償却

総合償却とは、一定の基準によってひとまとめにした有形固定資産について、一括して減価償却費を計算する方法です。

総合償却では、一般的に定額法が用いられますが、耐用年数の異なる有形固定資産をまとめて償却するため、各有形固定資産の平均耐用年数を算定し、これを用いて計算します。

これに対して、有形固定資産ごとに減価償却する方法を、個別償却といいます。

$$\text{減価償却費} = \frac{\text{取得原価合計}-\text{残存価額合計}}{\text{平均耐用年数}}$$

平均耐用年数は総合償却を行う有形固定資産の①要償却額合計（取得原価－残存価額）と②定額法による１年分の減価償却費の合計を計算し、①を②で割って計算します。

$$\text{平均耐用年数} = \frac{\text{要償却額合計}}{\text{定額法による1年分の減価償却費の合計}}$$

3：記帳方法

記帳方法

減価償却の記帳方法には、次に示す**間接控除法**と**直接控除法**の２つの方法があります。

間接控除法	減価償却費を有形固定資産勘定から直接控除せずに、減価償却累計額勘定に計上する方法
直接控除法	減価償却費を有形固定資産勘定から直接控除する方法

記帳方法の変更

減価償却の記帳方法について、前期まで直接控除法により記帳してきたものを、当期から間接控除法に変更する場合があります。

この場合、期首における減価償却累計額を算定して**減価償却累計額勘定**に計上するとともに、有形固定資産勘定を取得原価に修正する処理をします。

例題　記帳方法の変更

次の資料に基づいて、前期まで直接控除法により記帳してきたものを当期から間接控除法に変更する場合の決算時の仕訳を示しなさい。なお、当期はX3年４月１日からX4年３月31日までの１年間である。

［資　料］

決算整理前残高試算表　（単位：千円）

備　　品	67,500	

・決算整理事項

有形固定資産について減価償却を行う。

種　類	取得原価	償却方法	耐用年数	残存価額	償却率	取得日
備　品	120,000千円	定率法	10年	0円	0.250	X1年4月

解答

（仕訳の単位：千円）

（備　品）	52,500*1	（備品減価償却累計額）	52,500
（備品減価償却費）	16,875*2	（備品減価償却累計額）	16,875

＊1　取得原価120,000千円－前T/B備品67,500千円＝52,500千円
＊2　前T/B備品67,500千円×0.250＝16,875千円

取得原価と前T/B備品の差額が前期までに償却された額なので、その金額を備品減価償却累計額として計上します。

固定資産台帳とは

固定資産台帳とは、建物や備品などの固定資産を種類別に記録して管理するために作成する補助簿のことであり、固定資産の取得原価や減価償却額、帳簿価額などを資産ごとに記録します。

Point　固定資産台帳の記入例

固定資産台帳には決まった様式がないため、会社ごとのルールに従って作成します。仮に、次の資産（償却方法：定額法、残存価額：ゼロ）を固定資産台帳へ記入すると、下記のようになります。

例）　備品X：取得日X1年4月1日、取得原価@3,000円、数量1台、耐用年数5年
　　　備品Y：取得日X2年4月1日、取得原価@4,800円、数量2台、耐用年数4年
　　　備品Z：取得日X3年10月1日、取得原価@7,200円、数量4台、耐用年数8年

[記入例①] 固定資産の種類ごとに記入する場合

固定資産台帳

X4年3月31日現在 [備品]

取得年月日	名称等	期末数量	耐用年数	期首(期中取得)取得原価	期首減価償却累計額	差引期首(期中取得)帳簿価額	当期減価償却費
X1年4月1日	備品X	1	5年	3,000	1,200	1,800	600
X2年4月1日	備品Y	2	4年	9,600	2,400	7,200	2,400
X3年10月1日	備品Z	4	8年	28,800	0	28,800	1,800
小計				41,400	3,600	37,800	4,800

[記入例②] 固定資産を1件ずつ記入する場合

固定資産台帳 [備品]

名称	備品X	取得原価	3,000円
用途	営業用	耐用年数	5年
数量	1	残存価額	ゼロ
取得年月日	X1年4月1日	償却方法	定額法

年月日	摘要	取得原価	減価償却累計額	帳簿価額
X1年4月1日	小切手振り出しにより購入	3,000		3,000
X2年3月31日	減価償却費		600	2,400
X3年3月31日	減価償却費		600	1,800
X4年3月31日	減価償却費		600	1,200

問題 >>> 問題編の**問題2**～**問題4**に挑戦しましょう！

4：売却・除却・焼失

売却の会計処理

有形固定資産を売却した場合、売却時における帳簿価額と売却代金との差額は、**有形固定資産売却益勘定**または**有形固定資産売却損勘定**で処理します。

Point 売却した有形固定資産に係る減価償却費の処理方法

売却した有形固定資産に係る減価償却費の処理方法は、次のとおりです。

売却時点	処理方法
期　首	減価償却費は計上しない。
期　中	期首から売却時までの減価償却費を月割りで計上する。

売却手数料、荷役費および運送料などの売却費用は、有形固定資産売却益勘定または有形固定資産売却損勘定に加減処理します。

除却の会計処理

(1) **除却の意義**

除却とは、有形固定資産を事業の用途から外すことです。

(2) **除却の会計処理**

除却した有形固定資産は、通常、廃棄処分となるため、除却時の帳簿価額を**有形固定資産除却損勘定**または**有形固定資産廃棄損勘定**で処理します。

なお、除却した有形固定資産をスクラップとして後日売却する場合は、見積処分価額（評価額）を**貯蔵品勘定**または**除却固定資産勘定**で処理し、除却時の帳簿価額との差額を**有形固定資産除却損勘定**で処理します。

Point 除却した有形固定資産に係る減価償却費の処理方法

除却した有形固定資産に係る減価償却費の処理方法は、次のとおりです。

除却時点	処理方法
期　首	減価償却費は計上しない。
期　中	期首から除却時までの減価償却費を月割りで計上する。

解体撤去費用などの除却費用は、有形固定資産除却損勘定または有形固定資産廃棄損勘定に含めて処理します。

例題 除却

次の取引について、各問における除却時の仕訳を示しなさい。なお、当期はX3年4月1日からX4年3月31日までの1年間である。

当期の9月30日に、備品（取得原価3,600千円、期首減価償却累計額2,160千円）を除却した。減価償却は、耐用年数5年、残存価額0円、定額法で行っており、記帳方法は間接控除法で行っている。

問1　備品の評価額が960千円の場合

問2　問1において除却費用120千円を現金で支払った場合

解答

（仕訳の単位：千円）

問1

（備品減価償却累計額）	2,160	（備　　　　品）	3,600
（備品減価償却費）	360*		
（貯　　蔵　　品）	960		
（備 品 除 却 損）	120		

＊　$3{,}600\text{千円}\times\frac{1\text{年}}{5\text{年}}\times\frac{6\text{カ月}}{12\text{カ月}}=360\text{千円}$

問2

(備品減価償却累計額)	2,160	(備　　　品)	3,600
(備品減価償却費)	360	(現　　　金)	120
(貯　蔵　品)	960		
(備 品 除 却 損)	240		

備品の評価額があるので、貯蔵品勘定で処理します。問2は、問1に比べて除去費用の分だけ、備品除却損が増加します。

焼失の会計処理

有形固定資産が火災により焼失した場合、火災保険を付している場合と、付していない場合で会計処理の方法が異なってきます。

(1) **火災保険を付していない場合**

火災保険を付していない有形固定資産が火災により焼失した場合、焼失時の帳簿価額を、**火災損失勘定**で処理します。

Point 焼失した有形固定資産に係る減価償却費の処理方法

焼失した有形固定資産に係る減価償却費の処理方法は、次のとおりです。

焼失時点	処理方法
期　首	減価償却費は計上しない。
期　中	期首から焼失時までの減価償却費を月割りで計上する。

取壊費、焼跡整理費などの滅失経費は、火災損失勘定に含めて処理します。

火災保険を付していない場合

次の取引について、各問における焼失時の仕訳を示しなさい。当期はX3年4月1日からX4年3月31日までの1年間である。

当期の9月30日に、備品（取得原価3,600千円、期首減価償却累計額2,160千円）を火災により焼失した。減価償却は、定額法（耐用年数5年、残存価額は0円）で行っている。なお、記帳方法は間接控除法によっている。

問1　滅失経費が0円の場合

問2　滅失経費200千円を現金で支払っている場合

（仕訳の単位：千円）

問1

（備品減価償却累計額）	2,160	（備　　品）	3,600
（備品減価償却費）	360*		
（火　災　損　失）	1,080		

＊　$3,600千円 \times \frac{1年}{5年} \times \frac{6カ月}{12カ月} = 360千円$

問2

（備品減価償却累計額）	2,160	（備　　品）	3,600
（備品減価償却費）	360	（現　　金）	200
（火　災　損　失）	1,280		

問２は、問１に比べて滅失経費の分だけ、火災損失が増加します。

⑵ 火災保険を付している場合

① 保険金額が未確定の場合

焼失した有形固定資産に火災保険を付している場合、保険金額が確定するまで**保険未決算勘定**または**火災未決算勘定**で処理します。

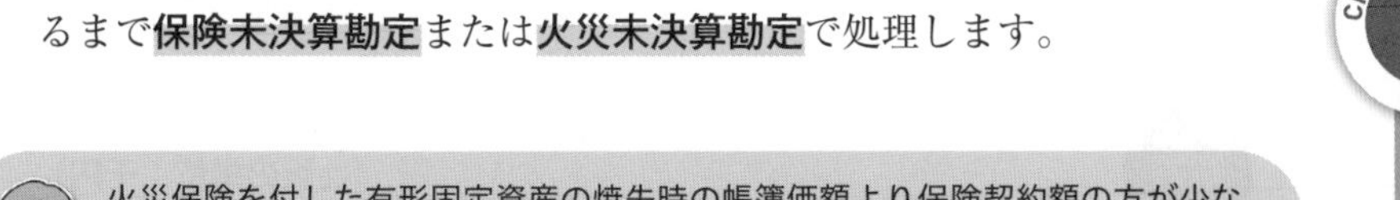

火災保険を付した有形固定資産の焼失時の帳簿価額より保険契約額の方が少ない場合には、その差額分は、保険金が受け取れないことが明らかなので、焼失時に火災損失勘定で処理します。

② 保険金額が確定した場合

焼失した有形固定資産に付していた火災保険の保険金額が確定した場合、次のような処理をします。

Point 保険金額確定時の保険未決算の処理

・未収金（保険金額）＞保険未決算

➡ 両者の差額を保険差益勘定で処理

・未収金（保険金額）＜保険未決算

➡ 両者の差額を火災損失勘定で処理

例題 火災保険を付している場合

次の取引について、各問における仕訳を示しなさい。当期はX3年４月１日からX4年３月31日までの１年間である。

当期の９月30日に、備品（取得原価3,600千円、期首減価償却累計額2,160千円）を火災により焼失したため、滅失経費120千円を現金で支払い、保険会社に保険金の請求をした。減価償却は、定額法（耐用年数５年、残存価額は０円）で行っている。なお、記帳方法は間接控除法によっている。

問１　保険契約額が、1,920千円であり、後日保険金960千円の支払いが確定した場合

問２　問１において、後日保険金1,920千円の支払いが確定した場合

解答

（仕訳の単位：千円）

問１

①　焼失時

（備品減価償却累計額）	2,160	（備　　　品）	3,600
（備品減価償却費）	360*	（現　　　金）	120
（保険未決算）	1,200		

＊　$3,600千円 \times \frac{1年}{5年} \times \frac{6カ月}{12カ月} = 360千円$

②　保険金額確定時

（未　収　金）	960	（保険未決算）	1,200
（火災損失）	240		

問２

（未　収　金）	1,920	（保険未決算）	1,200
		（保険差益）	720

問１は、未収金（保険金額）＜保険未決算であるため、火災損失を計上します。一方、問２は、未収金（保険金額）＞保険未決算であるため、保険差益を計上します。
なお、問２の場合でも、焼失時は問１と同じ仕訳を行います。

問題 >>> 問題編の**問題５～問題７**に挑戦しましょう！

5：買換え

買換え

固定資産の買換えとは、いままで使用した固定資産を下取りに出し、新たに固定資産を購入することです。

買換えは、旧資産の売却と新資産の購入が同時に行われたと考えて処理します。

下取価額＝適正評価額の場合

下取価額が適正評価額と同額の場合、適正評価額で売却したと考えます。

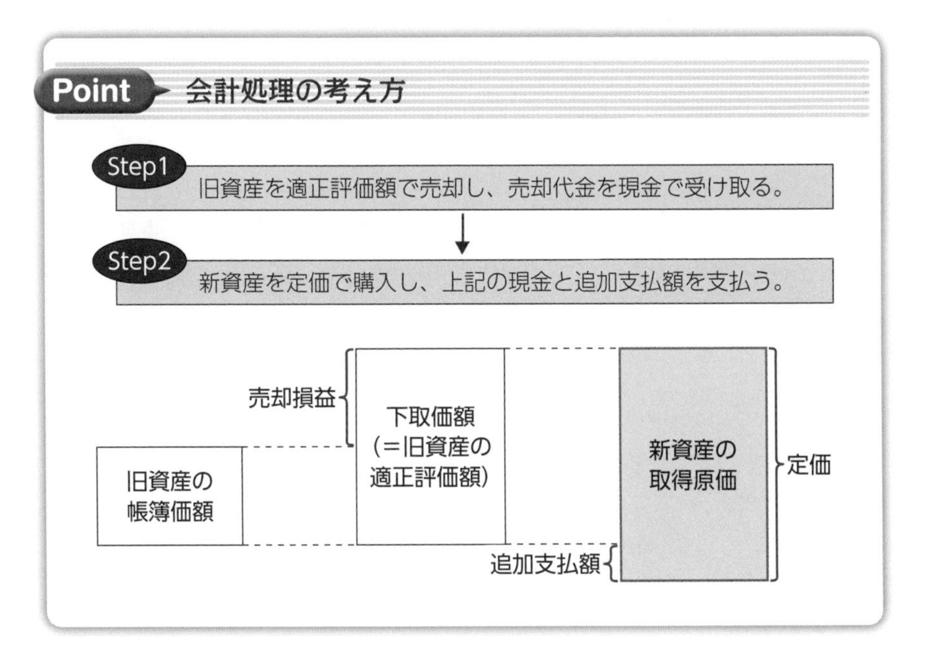

Point 会計処理の考え方
Step1 旧資産を適正評価額で売却し、売却代金を現金で受け取る。
Step2 新資産を定価で購入し、上記の現金と追加支払額を支払う。
売却損益
旧資産の帳簿価額
下取価額（＝旧資産の適正評価額）
新資産の取得原価
定価
追加支払額

適正評価額は、要するに時価のことで、適正時価ともいいます。

買換えの処理―下取価額＝適正評価額

次の取引について、買換時の仕訳を示しなさい。

当社（決算日は３月31日）は、当期の９月30日に旧車両（取得原価3,600千円、期首減価償却累計額2,160千円、適正評価額960千円）を960千円で下取りに出して、新車両（定価5,400千円）に買い換え、差額代金は小切手を振り出して支払った。なお、期首から売却日までの減価償却費は360千円であり、記帳方法は間接控除法によっている。

（仕訳の単位：千円）

借方科目	金額	貸方科目	金額
(車両減価償却累計額)	2,160	(車　　　両)	3,600
(車両減価償却費)	360	(当 座 預 金)	4,440
(車 両 売 却 損)	120		
(車　　　両)	5,400		

買換えの仕訳は、次のように考えます。

① まず、旧資産を適正評価額（下取価額）で売却し、売却代金を現金で受け取ると考えます。

借方科目	金額	貸方科目	金額
(車両減価償却累計額)	2,160	(車　　　両)	3,600
(車両減価償却費)	360		
(現　　　金)	960		
(車 両 売 却 損)	120*1		

＊１　適正評価額960千円－帳簿価額（3,600千円－減価償却累計額2,160千円－減価償却費360千円）＝△120千円（売却損）

② 次に、新資産を定価で購入し、上記の代金と追加支払額を支払うと考えます。

借方科目	金額	貸方科目	金額
(車　　　両)	5,400*2	(現　　　金)	960
		(当 座 預 金)	4,440*3

＊２　定価

＊３　定価5,400千円－適正評価額960千円＝4,440千円

③ ①＋②＝解答

旧資産の帳簿価額 1,080千円
売却損120千円
下取価額 960千円
追加支払額 4,440千円
新資産の取得原価 5,400千円
定価 5,400千円

下取価額＞適正評価額の場合

買換えにあたって、下取価額が適正評価額よりも高い場合、当該差額は新資産に対する値引として処理します。

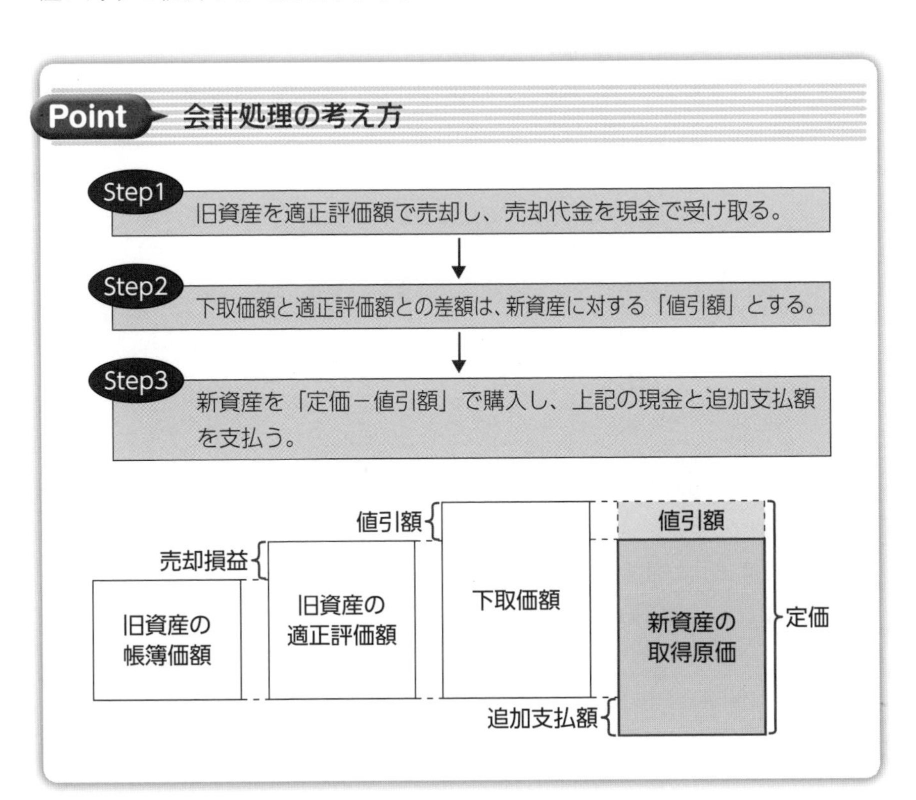

Point 会計処理の考え方
Step1 旧資産を適正評価額で売却し、売却代金を現金で受け取る。
Step2 下取価額と適正評価額との差額は、新資産に対する「値引額」とする。
Step3 新資産を「定価－値引額」で購入し、上記の現金と追加支払額を支払う。
値引額
売却損益
旧資産の帳簿価額
旧資産の適正評価額
下取価額
値引額
新資産の取得原価
定価
追加支払額

買換えの処理―下取価額＞適正評価額

次の取引について、買換時の仕訳を示しなさい。

当社（決算日は３月31日）は、当期の９月30日に旧車両（取得原価3,600千円、期首減価償却累計額2,160千円、適正評価額960千円）を1,320千円で下取りに出して、新車両（定価5,400千円）に買い換え、差額代金は小切手を振り出して支払った。なお、期首から売却日までの減価償却費は360千円であり、記帳方法は間接控除法によっている。

（仕訳の単位：千円）

(車両減価償却累計額)	2,160	(車　　　両)	3,600
(車両減価償却費)	360	(当 座 預 金)	4,080
(車 両 売 却 損)	120		
(車　　　両)	5,040		

買換えの仕訳は、次のように考えます。

① まず、旧資産を適正評価額で売却し、売却代金を現金で受け取ると考えます。

(車両減価償却累計額)	2,160	(車　　　両)	3,600
(減 価 償 却 費)	360		
(現　　　金)	960		
(車 両 売 却 損)	120*1		

＊１　適正評価額960千円－帳簿価額(3,600千円－減価償却累計額2,160千円－減価償却費360千円)＝△120千円（売却損）

② 次に、新資産を「定価－値引額」で購入し、上記の代金と追加支払額を支払うと考えます。

(車　　　両)	5,040*2	(現　　　金)	960
		(当 座 預 金)	4,080*3

＊２　定価5,400千円－値引額(下取価額1,320千円－適正評価額960千円)＝5,040千円

＊３　取得原価5,040千円－適正評価額960千円＝4,080千円

③ ①＋②＝解答

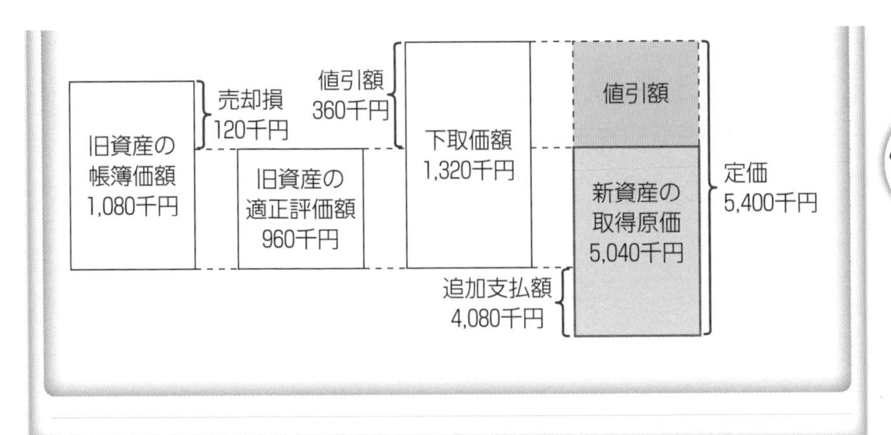

旧資産と新資産の減価償却費の計算

期中に買換えが行われた場合、旧資産と新資産の減価償却費はどのように計算したらよいのですか？

特に明確なルールがあるわけではありません。基本的には、旧資産は買換日まで使用したものとして減価償却計算を行い、新資産は買換日の翌日から使用を開始したものとして減価償却計算を行います。

問題 >>> 問題編の**問題8**に挑戦しましょう！

6：耐用年数の変更

耐用年数の変更

有形固定資産の減価償却について、当期に新たに入手可能となった情報に基づいて、耐用年数の変更が行われることがあります。この場合、当期以降の未償却残高を、変更後の残存耐用年数で償却していきます。

未償却残高は、今後償却する必要がある金額のことです。

減価償却費＝短縮時の未償却残高÷短縮後の残存耐用年数

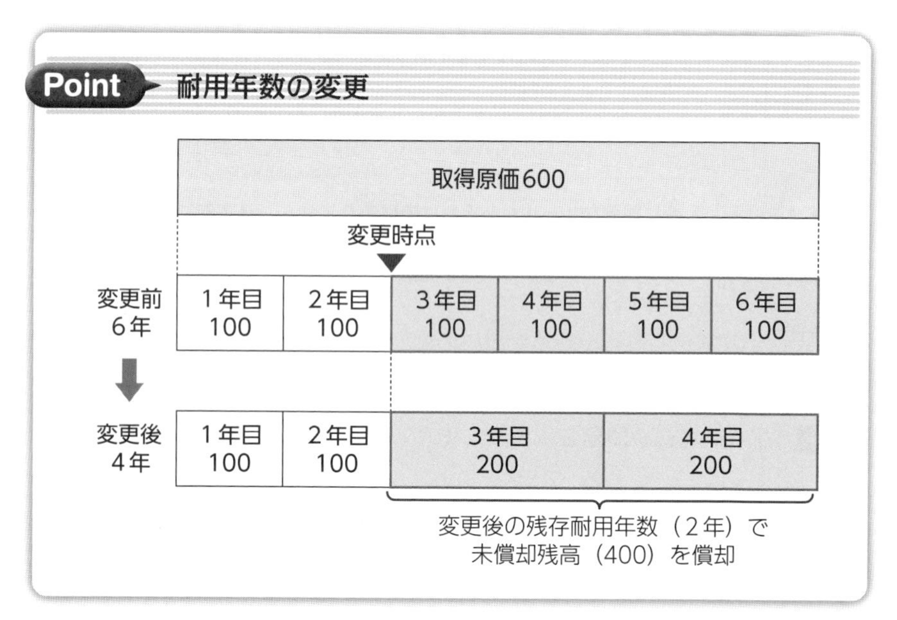

耐用年数の変更は会計上の見積りの変更に該当するため、簿記論4でも詳しく学習します。ここでは、計算方法をおさえておきましょう。

例題 耐用年数の変更

次の取引について、当期の減価償却費の金額を答えなさい。

機械（取得原価12,600千円、減価償却累計額4,725千円、前期末まで3年経過）は、耐用年数8年、残存価額を0円とする定額法により減価償却を行ってきたが、当期において新たに得られた情報に基づき、耐用年数を6年に見直すこととした。

解答 **減価償却費：2,625千円***

$$\text{*}\ (12{,}600\text{千円}-4{,}725\text{千円})\times\frac{1\text{年}}{\text{変更後の耐用年数}6\text{年}-\text{償却済年数}3\text{年}}=2{,}625\text{千円}$$

残存耐用年数３年で、未償却残高7,875千円を償却していきます。

プラスα 耐用年数の変更を行う要因

これまで使用していた設備が、技術の発展によって、より高性能な設備が登場したことで旧式化し、機能的に価値が著しく低下してしまうことがあります。このように、減価償却の設定時には予見することができなかった新技術の発明等の外的事情によって、有形固定資産が機能的に著しく減価した場合は耐用年数の変更を行う必要があります。

問題 >>> 問題編の**問題９**～**問題10**に挑戦しましょう！

7：減価償却方法の変更

減価償却方法の変更

有形固定資産の減価償却について、前期まで定率法で償却してきたものを当期から定額法に変更する、あるいはその逆が行われることがあります。この場合、前期までの償却計算は適正なものとして、当期以降の償却計算を行います。

「前期までの償却計算は適正なものとして」とは、簡単にいえば、いままで計上してきた減価償却費を修正するといった処理は行わないということです。

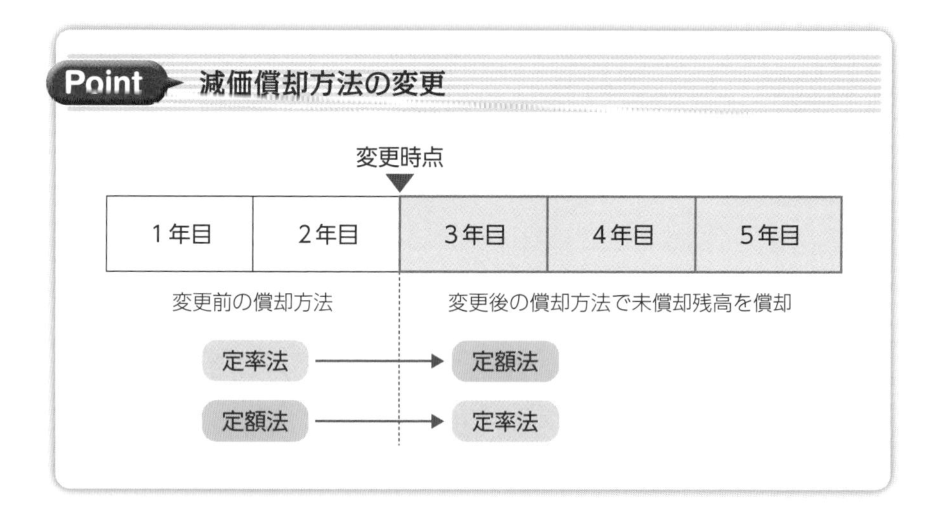

(1) 定率法から定額法に変更した場合

減価償却費＝(取得原価－期首減価償却累計額－残存価額)÷残存耐用年数

⑵　定額法から定率法に変更した場合

減価償却費＝（取得原価－期首減価償却累計額）×定率法償却率

定率法償却率について、残存耐用年数または当初耐用年数のどちらの償却率を用いるかは、問題文の指示に従ってください。

例題　減価償却方法の変更

次の取引について、各問における当期の減価償却費を答えなさい。

備品（16,000千円、耐用年数８年、前期末までの経過年数３年、残存価額０円）について、当期より償却方法を変更した。なお、当期以降の償却計算は残存耐用年数により行い、計算過程で千円未満の端数が生じた場合は、四捨五入すること。

問１　定率法（償却率0.250）から定額法に変更した場合

問２　定額法から定率法（償却率0.400）に変更した場合

解答

問１　定率法から定額法に変更した場合

減価償却費：1,350千円

問２　定額法から定率法に変更した場合

減価償却費：4,000千円

問１

①　前期までの減価償却累計額の算定

１年目：16,000千円×0.250＝4,000千円

２年目：（16,000千円－4,000千円）×0.250＝3,000千円

３年目：（16,000千円－4,000千円－3,000千円）×0.250＝2,250千円

合　計：9,250千円

②　当期の減価償却費

$$(16{,}000\text{千円}-9{,}250\text{千円})\times\frac{1\text{年}}{5\text{年}}=1{,}350\text{千円}$$

問2

① 前期までの減価償却累計額の算定

$$16,000\text{千円}\times\frac{3\text{年}}{8\text{年}}=6,000\text{千円}$$

② 当期の減価償却費

(16,000千円－6,000千円)×0.400＝4,000千円

当期の減価償却費は、未償却残高を変更後の償却方法で償却するため、取得原価から減価償却累計額を控除する必要があります。

問題 >>> 問題編の**問題11～問題12**に挑戦しましょう！

8：資本的支出と収益的支出

資本的支出と収益的支出

有形固定資産に改良・修繕を行った場合、それに要した支出額は、次に示す資本的支出と収益的支出に区分して処理します。

資本的支出	固定資産に係る支出のうち、取得原価に算入される支出
収益的支出	支出時の期間費用（修繕費）とされる支出

資本的支出と収益的支出の会計処理

(1) 資本的支出の会計処理

有形固定資産に改良・修繕を行ったことにより、固定資産自体の価値が増加した場合、または耐用年数が延長した場合には、その改良・修繕に要した支出は**資本的支出**となり、固定資産の取得原価に加算します。

(2) 収益的支出の処理

有形固定資産の改良・修繕が、その固定資産の単なる維持・管理である場合には、**収益的支出**となり、修繕費勘定で処理します。

Point 資本的支出と収益的支出

	性　質	会計処理
価値増加	資本的支出	取得原価算入
耐用年数延長		
機能維持管理	収益的支出	支出した期の費用

資本的支出後の償却計算

資本的支出を行った後の償却計算は、次のように行います。

Point 資本的支出後の償却計算

・耐用年数の延長があった場合

→ 残存耐用年数で償却計算

・価値の増加があった場合

→ 当初耐用年数で償却計算

問題文の指示によっては、耐用年数の延長があった場合でも当初の耐用年数で償却計算を行うことがあります。

例題 資本的支出と収益的支出

次の取引について、①改修費支出時と②決算時の仕訳を示しなさい。

当期首に建物（取得原価86,400千円、減価償却累計額64,800千円、耐用年数40年、前期末まで30年経過）について大規模な改修を行い、改良費（資本的支出）21,600千円と修繕費（収益的支出）10,800千円を小切手を振り出して支払った。なお、改良の結果、建物の耐用年数は20年間延長し、当期首から30年間使用できることとなった。

建物については、残存価額を0円とする定額法により償却を行い、記帳方法は間接控除法によっている。なお、資本的支出後の減価償却計算は、残存耐用年数により行うこととし、資本的支出部分の残存価額は0円とする。

解答

(仕訳の単位：千円)

① 改修費支出時

(建 物)	21,600	(当 座 預 金)	32,400
(修 繕 費)	10,800		

② 決算時

(建物減価償却費)	1,440	(建物減価償却累計額)	1,440

〈当期の減価償却費〉

(1) 既存分

$(86,400千円 - 64,800千円) \times \frac{1年}{30年} = 720千円$

(2) 資本的支出分

$21,600千円 \times \frac{1年}{30年} = 720千円$

(3) (1)+(2)= 1,440千円

本問は、改良によって耐用年数が延長しているので、残存耐用年数で償却計算をします。

当初の耐用年数で減価償却計算を行う場合の計算方法

当初の耐用年数で減価償却計算を行う場合、資本的支出分は残存耐用年数を超えて減価償却を行うことになりますが、問題はないのですか？

理屈で考えると明らかにおかしいと思うかもしれないけれど、この計算方法は理屈ではなく、あくまでも実務における計算の簡便性を重視しています。ちなみに、本試験で出題される場合には、必ず指示があるから安心してくださいね。

資本的支出と収益的支出の内訳が不明な場合

資本的支出と収益的支出が同時に行われ、その内訳が不明な場合には、次に示す計算式により資本的支出を算出し、支出額から資本的支出を差し引いて収益的支出を求めます。

(1) 耐用年数の延長があった場合

$$資本的支出＝支出額×\frac{延長耐用年数}{延長後の残存耐用年数}$$

(2) 価値の増加があった場合

資本的支出＝支出後の時価－支出前の時価

例題　資本的支出と収益的支出の内訳が不明な場合

次の取引について、改修費支出時の仕訳を示しなさい。

当期首に建物（取得原価86,400千円、減価償却累計額64,800千円、耐用年数40年、前期末まで30年経過）について大規模な改修を行い、改修費32,400千円を小切手を振り出して支払った。なお、改修の結果、建物の耐用年数は20年間延長し、当期首から30年間使用できることとなったが、資本的支出と収益的支出の内訳が不明であるため、改修費の延長年数に相当する金額を資本的支出として処理する。

解答

（仕訳の単位：千円）

借方科目	金額	貸方科目	金額
（建　　物）	21,600	（当 座 預 金）	32,400
（修 繕 費）	10,800		

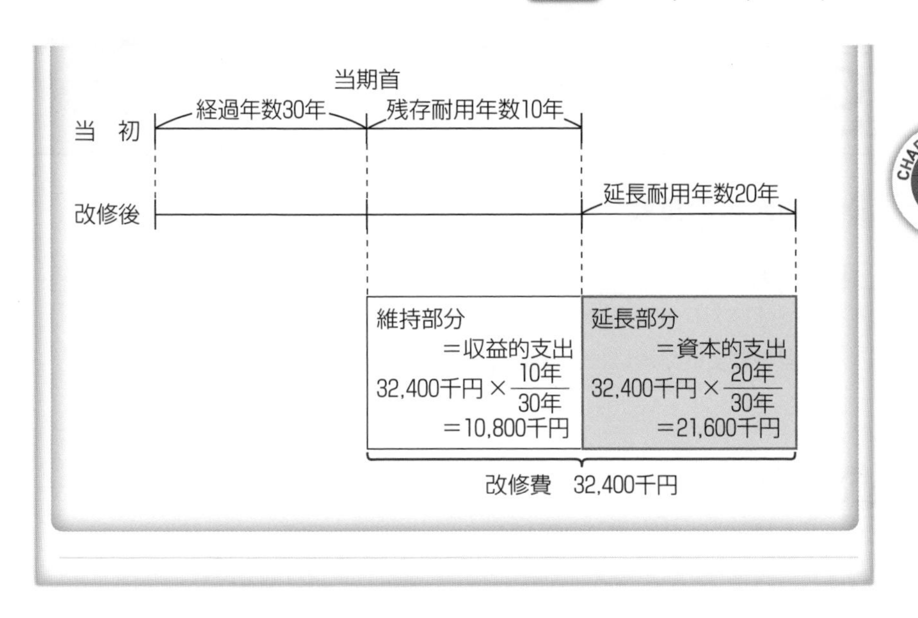

問題 >>> 問題編の**問題 13**～**問題 14**に挑戦しましょう！

9：圧縮記帳

圧縮記帳の意義

圧縮記帳とは、国庫補助金収入や保険差益などに対する一時的な課税を避け、課税の繰延べを行うための税法上の制度です。

圧縮記帳の会計処理には、**直接減額方式**と**積立金方式**があります。

Point 圧縮記帳の対象

圧縮記帳の対象は、次の資金で取得した有形固定資産です。

資 金 源	圧縮できる限度額
国庫補助金	補助金相当額
工事負担金	工事負担金相当額
保 険 金	保険差益相当額

具体例は軽く目を通すくらいで大丈夫です。

圧縮記帳が認められている理由

国からそのまま補助金を受け入れた場合、その金額だけ収益が計上され、利益が増加されます。

しかし、その金額分だけ法人税も増えるため、国から受け入れた補助金が税金としてまた国へ戻る結果になってしまい、補助金の意味がなくなってしまいます。そこで、圧縮記帳を行って当期の利益を減額することが認められています。

直接減額方式の意義

直接減額方式とは、決算時に国庫補助金などの受入益に相当する額を**固定資産圧縮損**として計上し、新規に取得した固定資産の取得原価を固定資産圧縮損と同額だけ減額する方法です。

Point 直接減額方式の会計処理

国庫補助金交付時	固定資産購入時	決算時
現金預金 300 / 国庫補助金収入 300	固定資産 600 / 現金預金 600	固定資産圧縮損 300 / 固定資産 300 減価償却費 30 / 減価償却累計額 30

決算時に固定資産を直接減額します。

なお、償却性資産の場合、新たに取得した資産の取得原価から圧縮相当額を控除した金額を取得原価とみなして減価償却費の計算を行います。

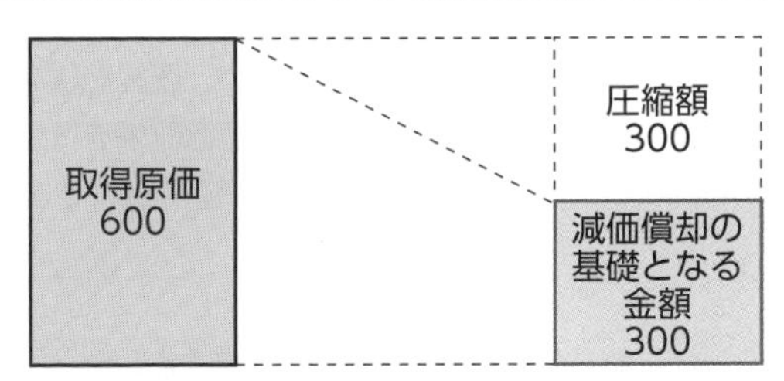

直接減額方式においては、固定資産の購入価額と取得原価が異なる点が特徴的です。そのため、圧縮記帳を行わない場合と異なる減価償却費が計上されます。

圧縮記帳の効果①

例） X1年度期首において国庫補助金3,000千円の交付を受け、期末に機械9,000千円を取得した。当該機械については、X2年度より、耐用年数5年、残存価額を0円とする定額法により減価償却を行う。また、各期の収益は30,000千円、費用は15,000千円、法人税等の税率は30%とする。

上記の例における圧縮記帳による効果は、次に示すとおりになります。

(1) 圧縮記帳を行わない場合

X1年度において、国庫補助金収入3,000千円に対して、法人税等900千円(3,000千円×30%)が課税されます。つまり、実質的には2,100千円(3,000千円－900千円)分しか収入が得られていないことになり、補助金の効果が減殺されていることがわかります。

(単位：千円)

	X1年度	X2年度	X3年度	X4年度	X5年度	X6年度	合計
諸収益	30,000	30,000	30,000	30,000	30,000	30,000	180,000
諸費用	△15,000	△15,000	△15,000	△15,000	△15,000	△15,000	△90,000
国庫補助金収入	3,000	―	―	―	―	―	3,000
機械減価償却費	―	△1,800	△1,800	△1,800	△1,800	△1,800	△9,000
税引前当期純利益	18,000	13,200	13,200	13,200	13,200	13,200	84,000
法人税等(30%)	5,400	3,960	3,960	3,960	3,960	3,960	25,200

(2) 直接減額方式による圧縮記帳

X1年度においては、機械圧縮損の計上により法人税等が減少します。しかし、X2年度以降は機械の取得原価が機械圧縮損により直接減額され小さくなっている分、計上される減価償却費も小さくなるため、圧縮記帳を行わない場合と比べて、法人税等の額は増加します。つまり、圧縮記帳を行うと、本来課税されるべき法人税等900千円がX2年度以降に繰り延べられていることがわかります。

(単位：千円)

	X1年度	X2年度	X3年度	X4年度	X5年度	X6年度	合計
諸収益	30,000	30,000	30,000	30,000	30,000	30,000	180,000
諸費用	△15,000	△15,000	△15,000	△15,000	△15,000	△15,000	△90,000
国庫補助金収入	3,000	―	―	―	―	―	3,000
機械圧縮損	△3,000	―	―	―	―	―	△3,000
機械減価償却費	―	△1,200	△1,200	△1,200	△1,200	△1,200	△6,000
税引前当期純利益	15,000	13,800	13,800	13,800	13,800	13,800	84,000
法人税等(30%)	4,500	4,140	4,140	4,140	4,140	4,140	25,200
課税の繰延効果	△900	180	180	180	180	180	0

国庫補助金収入に対する課税が
X2年度以降に繰り延べられます。

例題

圧縮記帳―直接減額方式

次の取引について、⑴国庫補助金交付時、⑵機械購入時、⑶決算時の仕訳を示しなさい。なお、当期はX3年4月1日からX4年3月31日までの1年間である。

期首において国庫補助金180,000千円の交付を受け、X3年10月1日に、国庫補助金180,000千円に、自己資金120,000千円を足して機械300,000千円を購入し、営業の用に供した。当該機械については、耐用年数5年、残存価額0円とする定額法により減価償却を行い、記帳方法は間接控除法によっている。なお、圧縮記帳は直接減額方式によること。

解答

（仕訳の単位：千円）

⑴ **国庫補助金交付時**

(現金預金)	180,000	(国庫補助金収入)	180,000

⑵ **機械購入時**

(機械)	300,000	(現金預金)	300,000

⑶ **決算時**

① **圧縮記帳**

(機械圧縮損)	180,000	(機械)	180,000

② **減価償却**

(機械減価償却費)	12,000*	(機械減価償却累計額)	12,000

＊（機械300,000千円－機械圧縮損180,000千円）$\times \frac{1年}{5年} \times \frac{6カ月}{12カ月}$

＝12,000千円

圧縮記帳によって減価償却費の金額が異なってくるため、圧縮記帳の処理は、減価償却費の計算より前に行います。

積立金方式の意義

積立金方式とは、新規に取得した固定資産の取得原価から国庫補助金などの受入益に相当する額を減額せず、**圧縮積立金**として積み立て、減価償却に応じた圧縮積立金の取崩処理を行う方法です。

なお、圧縮記帳は法人税法の規定に基づくものなので、圧縮積立金への振替処理および取崩処理は、決算手続として行うことになります。

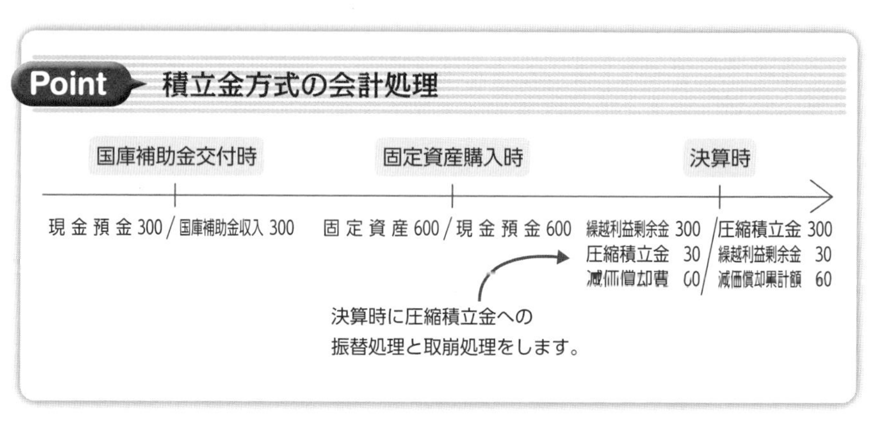

Point 積立金方式の会計処理
国庫補助金交付時
固定資産購入時
決算時
現 金 預 金 300 / 国庫補助金収入 300
固 定 資 産 600 / 現 金 預 金 600
繰越利益剰余金 300 / 圧縮積立金 300
圧縮積立金 30 / 繰越利益剰余金 30
減価償却費 60 / 減価償却累計額 60
決算時に圧縮積立金への
振替処理と取崩処理をします。

積立金方式においては、取得した資産の取得原価を減額しないため、圧縮記帳を行わない場合と同じ減価償却費が計上されます。

圧縮記帳の効果②

圧縮記帳の効果①の例に基づいて、積立金方式による圧縮記帳を行った場合の圧縮記帳による効果は、次に示すとおりになります。

税務上、国庫補助金収入を機械圧縮積立金として積み立てることにより、X1年度の法人税等は減少しますが、X2年度以降は機械圧縮積立金取崩額に課税が行われるため、法人税等は逆に増加します。つまり、X1年度の法人税等900千円が、X2年度以降に繰り延べられることになります。

(単位：千円)

	X1年度	X2年度	X3年度	X4年度	X5年度	X6年度	合　計
諸　収　益	30,000	30,000	30,000	30,000	30,000	30,000	180,000
諸　費　用	△15,000	△15,000	△15,000	△15,000	△15,000	△15,000	△90,000
国庫補助金収入	3,000	―	―	―	―	―	3,000
機械減価償却費	―	△1,800	△1,800	△1,800	△1,800	△1,800	△9,000
税引前当期純利益	18,000	13,200	13,200	13,200	13,200	13,200	84,000
機械圧縮積立金積立額	△3,000	―	―	―	―	―	△3,000
機械圧縮積立金取崩額	―	600	600	600	600	600	3,000
所　得　金　額	15,000	13,800	13,800	13,800	13,800	13,800	84,000
法人税等（30%）	4,500	4,140	4,140	4,140	4,140	4,140	25,200
課税の繰延効果	△900	180	180	180	180	180	0

国庫補助金収入に対する課税が
X2年度以降に繰り延べられます。

例題

圧縮記帳―積立金方式

次の取引について、⑴国庫補助金交付時、⑵機械購入時、⑶決算時の仕訳を示しなさい。なお、当期はX3年4月1日からX4年3月31日までの1年間である。

期首において国庫補助金180,000千円の交付を受け、X3年10月1日に、国庫補助金180,000千円に、自己資金120,000千円を足して機械300,000千円を購入し、営業の用に供した。当該機械については、耐用年数5年、残存価額0円とする定額法により減価償却を行い、記帳方法は間接控除法によっている。なお、圧縮記帳は積立金方式によること。

（仕訳の単位：千円）

⑴　国庫補助金交付時

（現　金　預　金）	180,000	（国庫補助金収入）	180,000

⑵　機械購入時

（機　　　　　械）	300,000	（現　金　預　金）	300,000

⑶　決算時

①　減価償却

（機械減価償却費）	30,000*	（機械減価償却累計額）	30,000

＊　$300{,}000\text{千円} \times \frac{1\text{年}}{5\text{年}} \times \frac{6\text{カ月}}{12\text{カ月}} = 30{,}000\text{千円}$

②　圧縮記帳（積立ておよび取崩し）

（繰越利益剰余金）	180,000	（圧　縮　積　立　金）	180,000
（圧　縮　積　立　金）	18,000*	（繰越利益剰余金）	18,000

＊　$180{,}000\text{千円} \times \frac{1\text{年}}{5\text{年}} \times \frac{6\text{カ月}}{12\text{カ月}} = 18{,}000\text{千円}$

圧縮記帳と税効果会計

積立金方式を採用している場合、会計上の帳簿価額は、取得原価のまま据え置かれます。

一方、税務上の帳簿価額は圧縮額を控除した金額となるため、会計上の帳簿価額と税務上の帳簿価額の間に将来加算一時差異が生じます。

基本的に、税務上は、会計上でいうところの直接減額方式と同じ処理を採用しています。

Point 会計上と税務上の取得資産の評価額の違い

例）400円の国庫補助金の交付を受け、1,000円の土地を取得し、積立金方式により圧縮記帳をした場合の一時差異

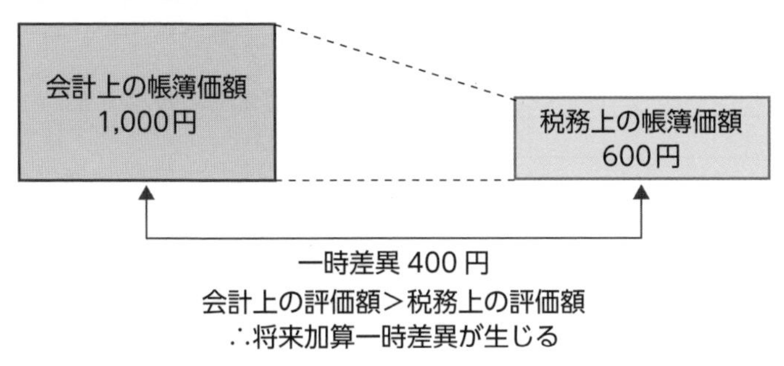

圧縮積立金の会計処理

税務上、圧縮積立金積立額は積立時においては減算調整されますが、将来において同額が取崩額として加算調整され、法人税等が増加します。

このことから、最終的に純資産（利益剰余金）として留保される金額は、圧縮積立金積立額から税金影響額を控除した残額となります。

そこで、圧縮積立金積立額に対して税効果会計を適用し、将来における法人税等の増加額を繰延税金負債として計上し、その残額を会計上の圧縮積立金として計上します。

Point 圧縮積立金の会計処理

(1) 税効果会計を適用しない場合

貸 借 対 照 表

	圧縮積立金 100

← 将来の法人税等が含まれており
税金影響額控除後の純資産とならない。

(2) 税効果会計を適用する場合

貸 借 対 照 表

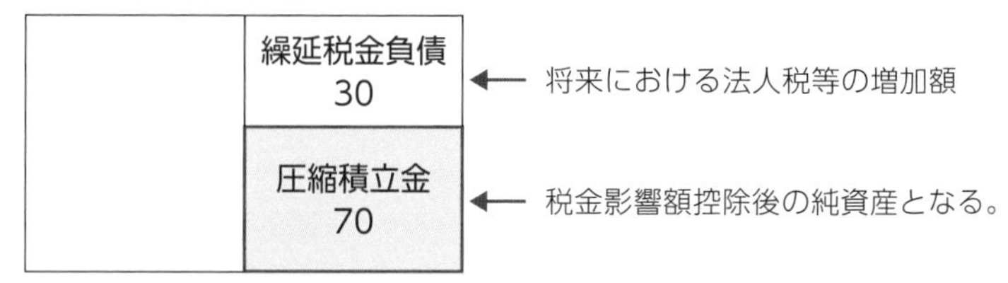

会計上で直接減額方式を採用している場合には、会計上でも税務上でも取得原価を圧縮しているため一時差異が生じないので、税効果会計は適用しません。

例題 **圧縮積立金―税効果会計**

次の取引について、決算時の仕訳を示しなさい。なお、当期はX3年4月1日からX4年3月31日までの1年間である。また、法定実効税率は30%である。

期首において国庫補助金180,000千円の交付を受け、X3年10月1日に、国庫補助金180,000千円に、自己資金120,000千円を足して機械300,000千円を購入し、営業の用に供した。当該機械については、耐用年数5年、残存価額0円とする定額法により減価償却を行い、記帳方法は間接控除法によっている。なお、圧縮記帳は積立金方式によること。

解答

(仕訳の単位：千円)

① 減価償却

(機械減価償却費)	30,000*	(機械減価償却累計額)	30,000

＊ $300,000千円 \times \frac{1年}{5年} \times \frac{6カ月}{12カ月} = 30,000千円$

② 税効果会計

(法人税等調整額)	48,600*	(繰延税金負債)	48,600

＊ $(圧縮額180,000千円 - 180,000千円 \times \frac{1年}{5年} \times \frac{6カ月}{12カ月})$
$\times 法定実効税率30\% = 48,600千円$

③ 圧縮記帳(積立ておよび取崩し)

(繰越利益剰余金)	126,000	(圧縮積立金)	126,000*1
(圧縮積立金)	12,600*2	(繰越利益剰余金)	12,600

＊1 圧縮額180,000千円×(1－法定実効税率30%)＝126,000千円

＊2 $圧縮額180,000千円 \times \frac{1年}{5年} \times \frac{6カ月}{12カ月} \times (1 - 法定実効税率30\%)$
$= 12,600千円$

税効果会計の仕訳は、次のように考えます。

(1) 圧縮積立金の積立てに係る分(差異の発生)

(法人税等調整額)	54,000	(繰延税金負債)	54,000*

＊ 圧縮額180,000千円×法定実効税率30%＝54,000千円

(2) 圧縮積立金の取崩しに係る分(差異の解消)

(繰延税金負債)	5,400*	(法人税等調整額)	5,400

＊ $圧縮額180,000千円 \times \frac{1年}{5年} \times \frac{6カ月}{12カ月} \times 法定実効税率30\% = 5,400千円$

(3) (1)＋(2)＝解答

圧縮積立金は、税金影響額を控除した残額になる点に注意しましょう。

問題 >>> 問題編の**問題15～問題17**に挑戦しましょう！

参考 取得原価の決定（特殊な方法での取得）

贈与の場合

贈与により有形固定資産を取得したときは、贈与時の時価などを基準とした公正な評価額をもって取得原価とします。

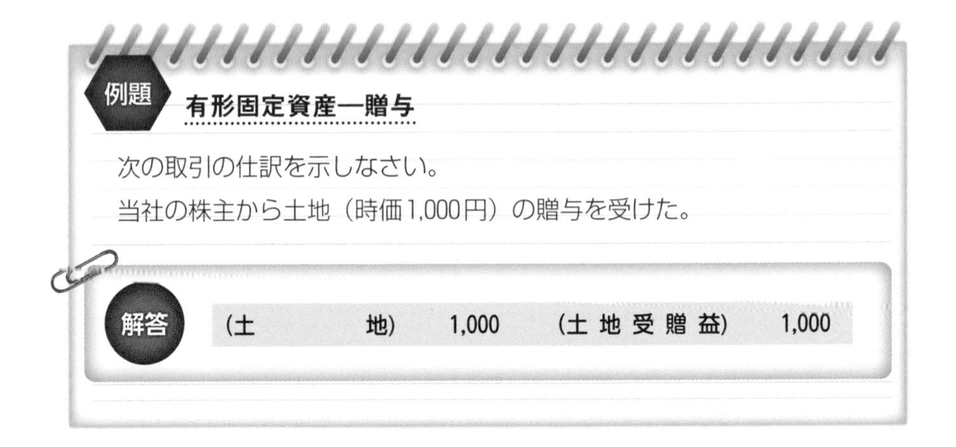

例題 **有形固定資産―贈与**

次の取引の仕訳を示しなさい。
当社の株主から土地（時価1,000円）の贈与を受けた。

解答

（土　　地）	1,000	（土地受贈益）	1,000

自家建設の場合

固定資産を自社で建設して取得した場合（「自家建設」といいます）は、原則として、適正な原価計算基準に従って製造原価（材料費、労務費、経費）を計算し、この製造原価を取得原価とします。ただし、自家建設のための借入金にかかる利息（自家建設に要する借入資本利子といいます）で固定資産の稼働前の期間に属するものは、取得原価に算入することができます。

通常、借入資本利子（支払利息）は取得原価に含めませんが、自家建設の場合に限っては、固定資産の稼働前の期間のものは、取得原価に算入することが容認されています。実際に取得原価に含めるかどうかは、問題文の指示に従いましょう。

例題 **自家建設**

次の取引の仕訳を示しなさい。

当社は、倉庫を自家建設により取得した。自家建設にかかる当期の工事原価300,000円と、自家建設のための借入金に係る利息10,000円（倉庫の稼働前の期間に属するもの）を当座預金から支払った。なお、倉庫は当期中に完成し、利息については、倉庫の取得原価に算入するものとする。

解答

(建　　物)	310,000*	(当座預金)	310,000

＊　300,000円＋10,000円＝310,000円

現物出資の場合

現物出資により有形固定資産を取得したときは、出資者に対して交付した株式の発行価額をもって取得原価とします。

例題 **有形固定資産ー現物出資**

次の取引の仕訳を示しなさい。

土地の現物出資を受け、株式（発行価額1株あたり100円）20株を発行した。

解答

(土　　地)	2,000*	(資本金)	2,000

＊　@100円×20株＝2,000円

交換の場合

(1) 固定資産と固定資産の交換

有形固定資産同士で交換したときは、譲渡した資産の適正な帳簿価額をもって取得原価とします。

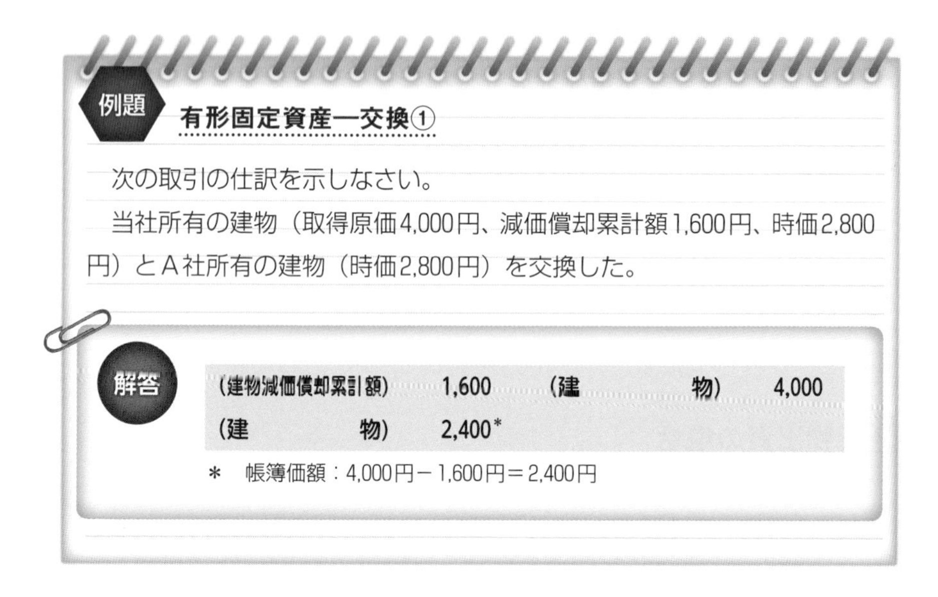

例題 **有形固定資産―交換①**

次の取引の仕訳を示しなさい。

当社所有の建物（取得原価4,000円、減価償却累計額1,600円、時価2,800円）とA社所有の建物（時価2,800円）を交換した。

解答

借方科目	金額	貸方科目	金額
（建物減価償却累計額）	1,600	（建　　　物）	4,000
（建　　　物）	2,400*		

＊　帳簿価額：4,000円－1,600円＝2,400円

(2) 有価証券と固定資産の交換

有形固定資産を当社が保有していた有価証券と交換したときは、提供した有価証券の時価または適正な帳簿価額をもって取得原価とします。

譲渡資産の時価が不明な場合、有価証券の適正な帳簿価額をもって取得原価とします。

例題　**有形固定資産―交換②**

次の取引の仕訳を示しなさい。

当社保有の株式（帳簿価額3,000円、時価3,600円）とB社所有の土地（時価3,600円）を交換した。

解答

借方	金額	貸方	金額
(土　　地)	3,600	(有 価 証 券)	3,000
		(有価証券売却益)	600

提供した有価証券の時価が判明しているため、時価を取得原価とします。

参考　固定資産の割賦購入

固定資産の割賦購入

固定資産を割賦（分割払い）により購入した場合には、一括払いにより購入した場合と比較して支払額が高くなることがあります。この差額は、利息の性格を有するため、原則として、固定資産の取得原価には含めずに区別して処理します。ここでは、約束手形を振り出して固定資産を割賦購入した場合の処理を解説します。

もし、購入代金について、約束手形を振り出さずに、分割払いの契約を結んだ場合には、営業外手形勘定ではなく未払金勘定を用いて処理を行います。

固定資産の割賦購入の会計処理

⑴ 購入時

固定資産を割賦購入し、約束手形を振り出した場合には、手形の額面金額を営業外支払手形として計上し、利息に相当する金額を**前払利息**として計上します。

⑵ 代金の支払時

購入代金を支払ったとき（約束手形を決済したとき）は、手形債務の消滅を処理するとともに、定額法等の計算に基づき、前払利息を取り崩し、支払利息（費用）に振り替えます。

⑶ 決算時

固定資産の割賦購入において計上した前払利息は、その支払日と決算日が異なる場合には、当期の最終の支払日の翌日から決算日までの経過期間に対応する利息を決算整理において取り崩し、支払利息に振り替えます。

例題 固定資産の割賦購入①

次の⑴から⑶の取引について仕訳を示しなさい。

⑴ 1月1日、建物30,000,000円を購入し、その代金は10回に分割して支払うこととし、2カ月ごとに支払期日を定めた約束手形を10枚（@3,150,000円×10枚）振り出して支払った。

⑵ 2月28日、上記の建物の購入に関する、1枚目の手形金3,150,000円を当座預金で決済した。なお、2カ月分の前払利息を定額法により配分する。

⑶ 3月31日、決算につき、上記の建物の購入に関する前払利息について、当期の経過期間に対応する1カ月分を定額法により取り崩す。

解答

(1) 1月1日

(建　　物)	30,000,000	(営業外支払手形)	31,500,000[*1]
(前 払 利 息)	1,500,000[*2]		

＊1　@3,150,000円×10枚＝31,500,000円
＊2　31,500,000円－建物の取得原価30,000,000円＝1,500,000円

(2) 2月28日

(営業外支払手形)	3,150,000	(当 座 預 金)	3,150,000
(支 払 利 息)	150,000[*]	(前 払 利 息)	150,000

＊　前払利息1,500,000円×$\frac{1回}{10回}$＝150,000円

(3) 3月31日

(支 払 利 息)	75,000[*]	(前 払 利 息)	75,000

＊　前払利息1,500,000円×$\frac{1回}{10回}$×$\frac{1カ月}{2カ月}$＝75,000円

(1)　支払総額と建物の取得原価の差額を利息に相当する金額として、前払利息で処理します。
(2)　手形を決済したときに、前払利息を取り崩し、支払利息に振り替えます。
(3)　手形の最終の支払日（2/28）の翌日から決算日までの経過期間に対応する利息を決算整理において取り崩し、支払利息に振り替えます。

ここで解説した購入時に前払利息を計上する方法の他に、購入時に支払利息を計上する方法もあります。この方法では、決算整理において次期以降の未経過期間に対応する利息を前払利息に振り替える処理を行います。なおこの方法では、代金の支払時（手形の決済時）に利息の計上は行いません。

利息を含まない金額で債務を計上する場合

固定資産を割賦購入した場合の割賦金支払額と本体価格との差額は利息的な性格を有することから、その債務額を割引現在価値で計上する方法もあります。

利息を含まない金額で債務を計上する場合の会計処理

(1) **購入時**

割賦金支払総額の割引現在価値を固定資産の取得原価として計上するとともに、債務額の割引現在価値を**割賦未払金勘定**として計上します。

(2) **代金支払時**

支払った代金のうち、債務額に対する利息相当額を利息法などの計算に基づき支払利息勘定として計上するとともに、元本部分である残額は債務額から減額処理します。

例題 **固定資産の割賦購入②**

次の資料に基づいて、債務金額から利息を控除した金額で債務を計上した場合の(1)備品購入時、(2)代金支払時の仕訳を示しなさい。なお、計算過程で千円未満の端数が生じた場合は、そのつど四捨五入すること。

［資　料］

X1年4月1日（決算日は3月31日）に備品を次の条件により購入し、ただちに使用を開始した。

① 支払代金は毎期末に現金12,000千円を3回の分割払い（代金総額36,000千円）
② 購入代金には年利3%（複利）の利息が含まれている
③ 利息要素を区分して処理し、利息の配分方法は利息法で行う

解答

(1) **備品購入時**　　(仕訳の単位：千円)

(備　品)	33,943	(割賦未払金)	33,943*

＊ 12,000千円÷1.03＋12,000千円÷1.03^2＋12,000千円÷1.03^3
＝33,943千円（千円未満四捨五入）

(2) **代金支払時**

(支払利息)	1,018*1	(現　金)	12,000
(割賦未払金)	10,982*2		

＊1　33,943千円×3%＝1,018千円（千円未満四捨五入）
＊2　貸借差額

Chapter8で学習するファイナンス・リース取引と同様の処理です。

参考　総合償却資産の除却

総合償却資産の除却

総合償却資産の一部を途中で除却した場合には、除却資産原価（残存価額を除く）をそのまま減価償却累計額勘定から控除します。

例題　総合償却

以下の問いに答えなさい。

問1　次の資産（機械A～C）を、X2年4月1日に購入した。各機械の取得原価、耐用年数は以下のとおりである。初年度末の決算時に機械A～Cを総合償却（定額法）した際の、平均耐用年数および減価償却費を計算しなさい。

問2　機械Bを取得後2年経過した後に除却した際の仕訳を示しなさい。

	取得原価	耐用年数	残存価額
機械A	480円	3年	10%
機械B	720円	4年	10%
機械C	800円	5年	10%

解答　問1　平均耐用年数　4年
　　　　減価償却費　450円

問2

(機械装置減価償却累計額)	648＊2	(機　械　装　置)	720＊1
(貯　　蔵　　品)	72＊3		

＊1　取得原価
＊2　取得原価720円－残存価額72円＝648円
＊3　残存価額 または 差額

(1)　平均耐用年数の計算

	要償却額	1年分の減価償却費
機械A	480円×0.9＝432円	432円÷3年＝144円
機械B	720円×0.9＝648円	648円÷4年＝162円
機械C	800円×0.9＝720円	720円÷5年＝144円
合計	1,800円	450円

＊　平均耐用年数：$\frac{1{,}800円}{450円}$＝4年

(2)　総合償却による減価償却費の計算
減価償却費：$\frac{1{,}800円}{4年}$＝450円

総合償却では、個々の資産の未償却残高が明らかでないため、平均耐用年数到来以前に除却される資産についても、除却損は計上されずに、除却資産原価（残存価額を除く）がそのまま減価償却累計額勘定から控除されます。
なお、総合償却資産の一部を売却した場合には、売却損益を計上する方法と、しない方法とがありますが、重要性が低いため、ここでは割愛します。

参考　土地の再評価（土地再評価差額金）

土地の再評価

損益計算書を経由せずに純資産の部に計上される評価差額については、税効果会計を適用したうえで、繰延税金資産または繰延税金負債を評価差額から直接控除します。なお、損益計算書を経由せずに純資産の部に計上される評価差

額には、その他有価証券評価差額金の他に、繰延ヘッジ損益や**土地再評価差額金**があります。

ここでは、土地再評価差額金についてみていきます。

土地再評価差額金

(1) 一時差異

税法上、土地は取得原価で評価されます。しかし、会計上「土地の再評価に関する法律」により時価評価が行われた場合、一時差異が生じます。

(2) 仕訳処理

① 評価益の場合

(土　　　地)	×××*1	(再評価に係る繰延税金負債)	×××*2
		(土地再評価差額金)	×××*3

＊1　時価－取得原価
＊2　(＊1)×実効税率
＊3　(＊1)×(1－実効税率)

② 評価損の場合

(再評価に係る繰延税金資産)	×××*2	(土　　　地)	×××*1
(土地再評価差額金)	×××*3		

＊1　取得原価－時価
＊2　(＊1)×実効税率
＊3　(＊1)×(1－実効税率)

例題

土地の再評価（土地再評価差額金）

取得価額100,000円、時価150,000円の土地について、再評価を行った際の仕訳を答えなさい。なお、法人税等の実効税率は30%とする。

解答

（土　　地）	50,000	（再評価に係る繰延税金負債）	15,000
		（土地再評価差額金）	35,000

土地の再評価に関する法律は、1998年3月から2002年3月31日まで適用されていた時限立法です。したがって、新たに土地再評価差額金が計上されることはないため、受験上は意義を理解しておけば問題ありません。

Chapter 7 のまとめ

□ 有形固定資産の取得原価の算定方法

取得原価＝購入代金－値引・割戻し＋付随費用

□ 代表的な減価償却方法

(1) 定額法

$$年間減価償却費＝(取得原価－残存価額)\times\frac{1年}{耐用年数}$$

(2) 定率法

年間減価償却費＝(取得原価－期首減価償却累計額)×償却率

(3) 級数法

$$年間減価償却費＝(取得原価－残存価額)\times\frac{当期項数}{総項数}$$

(4) 新定額法

耐用年数が到来するまで：残存価額０円として計算

$$年間減価償却費＝取得原価\times\frac{1年}{耐用年数}$$

最終年度：年間減価償却費＝期首帳簿価額－１円

⑸ 200%定率法（新定率法）

①　定率償却額＝期首帳簿価額×償却率
②　償却保証額＝取得原価×保証率
判定　①≧②の場合→年間減価償却費＝①の額
　　　①＜②の場合→年間減価償却費＝改定取得原価*×改定償却率

＊　最初に①＜②となった会計期間の期首帳簿価額

⑹ 総合償却（定額法）

$$減価償却費=\frac{取得原価合計-残存価額合計}{平均耐用年数}$$

$$平均耐用年数=\frac{要償却額合計}{定額法による1年分の減価償却費の合計}$$

□ 間接控除法と直接控除法

	会計処理
間接控除法	減価償却費を有形固定資産勘定から直接控除せずに、減価償却累計額勘定に計上する方法
直接控除法	減価償却費を有形固定資産勘定から直接控除する方法

□ 買換えの会計処理

(1) 下取価額＝適正評価額の場合

Step1 旧資産を適正評価額で売却し、売却代金を現金で受け取る。

↓

Step2 新資産を定価で購入し、上記の現金と追加支払額を支払う。

(2) 下取価額＞適正評価額の場合

Step1 旧資産を適正評価額で売却し、売却代金を現金で受け取る。

↓

Step2 下取価額と適正評価額との差額は、新資産に対する「値引額」とする。

↓

Step3 新資産を「定価－値引額」で購入し、上記の現金と追加支払額を支払う。

□ 耐用年数の変更をした場合の会計処理

減価償却費＝短縮時の未償却残高÷短縮後の残存耐用年数

□ 減価償却方法の変更をした場合の会計処理

(1) 定率法から定額法に変更した場合

> 減価償却費＝(取得原価－期首減価償却累計額－残存価額)
> ÷残存耐用年数

(2) 定額法から定率法に変更した場合

> 減価償却費＝(取得原価－期首減価償却累計額)×定率法償却率

□ 資本的支出と収益的支出の会計処理

	性　質	会計処理
価値増加	資本的支出	取得原価算入
耐用年数延長		
機能維持管理	収益的支出	支出した期の費用

□ 圧縮記帳の会計処理

直接減額方式	決算時に国庫補助金などの受入益に相当する額を固定資産圧縮損として計上し、新規に取得した固定資産の取得原価を固定資産圧縮損と同額だけ減額する方法
積立金方式	新規に取得した固定資産の取得原価から国庫補助金などの受入益に相当する額を減額せず、圧縮積立金として積み立て、減価償却に応じた、圧縮積立金の取崩処理を行う方法 税効果会計を適用する場合、圧縮積立金は、税金影響額を控除した残額になる

リース会計

ここでは、リース取引の借手の会計処理について学習します。

貸借対照表に計上するリース資産や支払利息は、割引計算によって計算しますので、割引計算の概念や計算方法を理解していないという方は、Chapter4 金銭債権の評価をもう一度復習することで、より一層リース取引の会計処理を理解することができます。

Chapter 8

資産会計

リース会計

>>リース取引の分類について理解しましょう！

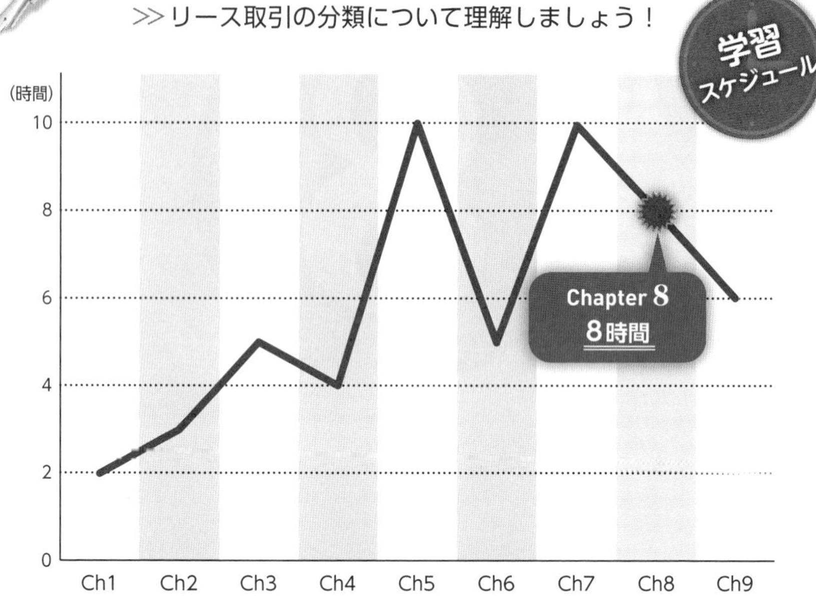

Check List

- □ リース取引の分類を理解しているか？
- □ ファイナンス・リース取引の会計処理を理解しているか？
- □ 利息相当額の各期への配分方法を理解しているか？
- □ リース資産の計上価額を理解しているか？
- □ 利息相当額の算定に用いる利子率を理解しているか？
- □ オペレーティング・リース取引の会計処理を理解しているか？

Link to 財務諸表論② Chapter9 リース会計

財務諸表論では、リース資産とリース債務の性質を学習します。リース取引の概要をおさえるためにも非常に重要なので、あわせて学習しましょう。

1：リース取引とは

Rank B

リース取引の意義

リース取引とは、機械や備品など、特定の物件の所有者である貸手が、当該物件の借手に対し、あらかじめ決めた期間（リース期間）にわたってこれを使用収益する権利を与え、借手は、決められた使用料（リース料）を貸手に支払う取引のことです。

貸手のことをレッサー、借手のことをレッシー、リースの対象となる資産をリース物件といいます。なお、リース物件の例にはコピー機等があげられます。

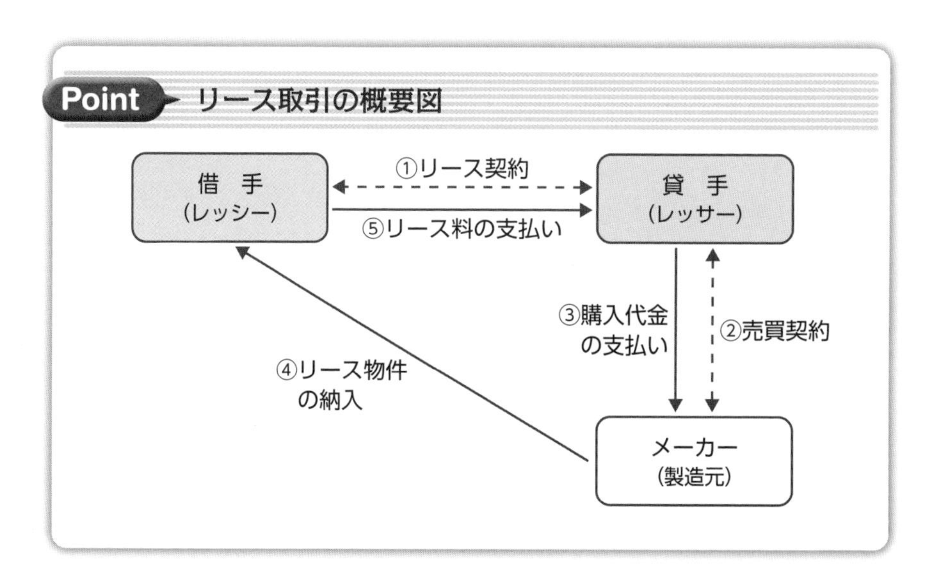

リース取引のメリット

リース取引のメリットにはさまざまなものがありますが、代表的なメリットとしては、次のようなものがあげられます。

① 資金調達の観点

固定資産を購入する場合、初期投資のために多額の資金が必要です。しかし、リース取引であれば、支払いは月々のリース料となるため、多額の初期投資を負担せずにすみます。

② 固定資産の陳腐化への対応

技術の進歩が激しい場合、固定資産を購入しても法定耐用年数が到来する前に陳腐化が生じてしまいます。しかし、リース取引であれば、リース期間を固定資産の陳腐化に対応するように設定すれば、最新の設備を適時に使用することができるようになります。

2：リース取引の分類

Rank B

リース取引の分類

リース取引は、**ファイナンス・リース取引**と**オペレーティング・リース取引**の２つに分類されます。

さらにファイナンス・リース取引は、**所有権移転ファイナンス・リース取引**と**所有権移転外ファイナンス・リース取引**に分類されます。

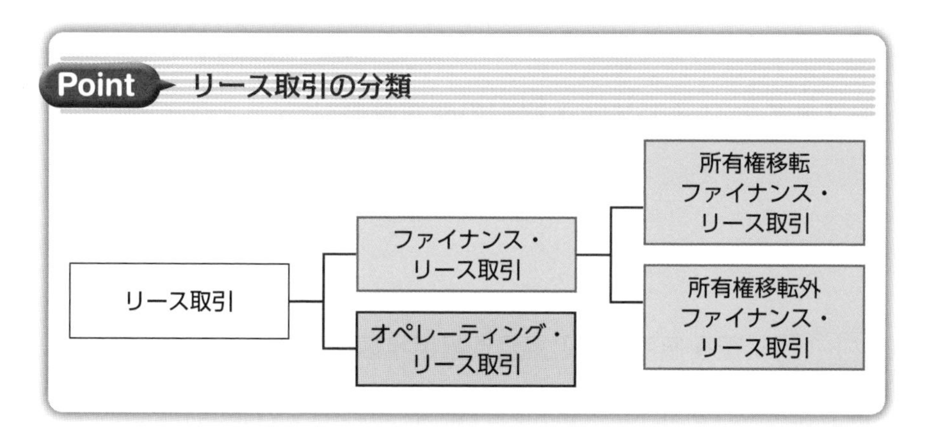

ファイナンス・リース取引の意義

ファイナンス・リース取引とは、解約不能とフルペイアウトの２つの要件を満たすリース取引のことです。

解約不能の要件とフルペイアウトの要件を、どちらか一方でも満たさない取引は、オペレーティング・リース取引に分類されます。

Point 解約不能とフルペイアウト

解約不能	リース期間の中途においてリース契約が解約不能であること、または、法的形式上は解約可能でも、解約時に相当の違約金を支払うなど、事実上解約不能であること
フルペイアウト	借手が、当該リース物件からもたらされるほとんどすべての経済的利益を受けることができ、かつ、当該リース物件の使用によって生じるほとんどすべてのコスト（維持管理費など）を負担すること

ファイナンス・リース取引の判定基準

次の基準のいずれかに該当する場合に、ファイナンス・リース取引と判定されます。

Point 現在価値基準と経済的耐用年数基準

現在価値基準	解約不能のリース期間におけるリース料総額の現在価値が、見積現金購入価額のおおむね**90％以上**であること
経済的耐用年数基準	解約不能のリース期間が、経済的耐用年数のおおむね**75％以上**であること

見積現金購入価額とは、リース物件を借手が現金で購入するものと仮定した場合の合理的見積金額のことです。

リース取引の分類

リース会社と機械のリース契約を締結した。契約の概要は、リース期間３年（解約不能）、リース料年額23,820円（後払い）、リース資産の見積現金購入価額65,000円、経済的耐用年数は６年、当社の追加借入利子率は年６％（貸手の計算利子率は知り得ない）である。よって、当該リース契約がファイナンス・リース取引に該当するか、計算過程を示して判定しなさい。なお、円未満の端数は四捨五入すること。

解答　ファイナンス・リース取引に該当する

(1)　現在価値基準

現在価値63,671円(＊)÷見積現金購入価額65,000円＝97.955…%≧90%

＊　$\frac{23{,}820円}{1+0.06}+\frac{23{,}820円}{(1+0.06)^2}+\frac{23{,}820円}{(1+0.06)^3}=63{,}671$円（円未満四捨五入）

(2)　経済的耐用年数基準

解約不能のリース期間３年÷経済的耐用年数６年＝50%＜75%

(3)　判定

現在価値基準を満たすため、当該リース取引はファイナンス・リース取引に該当する。

リース期間が経済的耐用年数のおおむね75％以上であっても借手がリース物件に係るほとんどすべてのコストを負担しないこともあるため、リース物件の特性等により、現在価値基準の判定結果が90％を大きく下回ることが明らかな場合には現在価値基準のみにより判定を行います。
本試験では問題文の指示に従って判定しましょう。

ファイナンス・リース取引の分類

ファイナンス・リース取引は、リース期間満了後に借手に所有権が移転するかどうかによって、**所有権移転ファイナンス・リース取引**と、**所有権移転外ファイナンス・リース取引**に分類されます。

Point 所有権が移転するかどうかの判断

次のいずれかに該当する場合には、所有権移転ファイナンス・リース取引に該当し、それ以外のものは所有権移転外ファイナンス・リース取引に該当します。

所有権移転条項	リース契約上、リース期間終了後などにリース物件の所有権が借手に移転すること
割安購入選択権	リース契約上、リース期間終了後などにリース物件を借手が割安な価額で購入できること
特　別　仕　様	リース物件が借手の用途等に合わせて特別仕様となっており、その使用可能期間を通じて借手のみが使用することが明らかであること

オペレーティング・リース取引

オペレーティング・リース取引とは、リース取引のうち、ファイナンス・リース取引以外の取引のことです。

オペレーティング・リース取引の具体的な会計処理は**6：オペレーティング・リース取引の会計処理**で学習します。

Point リース取引の判定の流れ

リース取引の判定をまとめると、次のようになります。

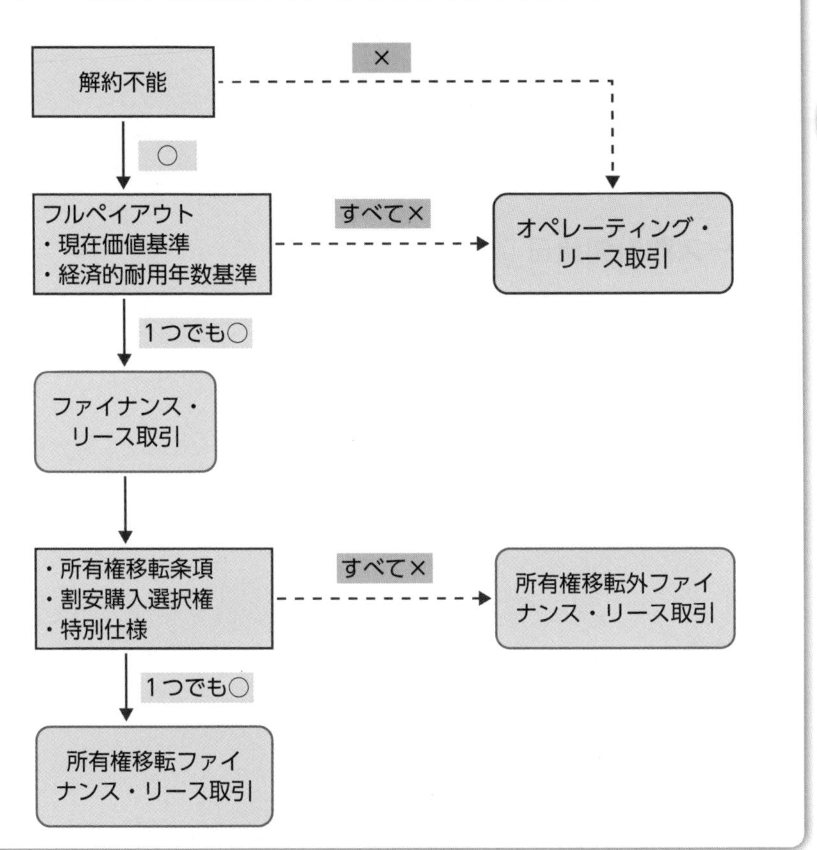

リース取引の分類は、上記の流れでおさえましょう。なお、各要件の具体的な内容については、ざっと確認する程度で十分です。

3：借手の会計処理

ファイナンス・リース取引の会計処理

ファイナンス・リース取引は、借手が貸手から資金を借り入れ、その借入資金で有形固定資産を購入し、代金を分割払いしたと考え、通常の売買取引に準じて会計処理をします（売買処理）。

リース取引開始日

リース物件の取得原価相当額を**リース資産勘定**に計上するとともに、同額を、リース会社から借り入れた資金の返済義務である**リース債務勘定**に計上します。

なお、金額については、リース料総額から利息相当額を控除して算定します。

リース資産（リース債務）＝リース料総額－利息相当額

リース資産勘定は、機械などの具体的な固定資産勘定を使用することもできます。

リース料支払時

支払ったリース料のうち、リース債務に対する利息相当額を支払利息勘定に計上するとともに、リース債務の元本返済部分である残額についてはリース債務勘定の減額処理をします。

Point リース料の内訳

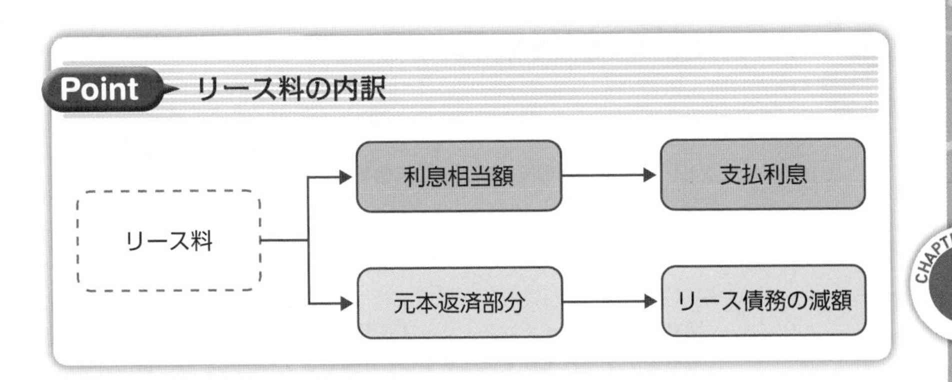

リース資産の取得原価や利息相当額については、**4：利息相当額の各期への配分**以降で詳しく説明します。ここでは、リース料総額には利息が含まれているということを理解しておきましょう。

決算時

リース物件も通常の資産と同様に、決算時に減価償却費を計上します。ただし、所有権移転の有無により残存価額と耐用年数の取扱いが異なります。

Point リース資産の減価償却

	残存価額	耐用年数
所有権移転 ファイナンス・リース取引	自己所有資産と同じ	経済的耐用年数
所有権移転外 ファイナンス・リース取引	0円	リース期間

減価償却方法については、問題文の指示に従いましょう。

リース資産の減価償却について

なぜ、所有権移転の有無によって減価償却の会計処理が異なるのですか？

所有権移転ファイナンス・リース取引の場合、リース期間終了後も借手がリース物件を使用することができますね。だから、自己所有の固定資産と同様に計算を行います。でも所有権移転外ファイナンス・リース取引の場合は、リース期間終了後リース物件を貸手に返却しないといけないので、借手には何も残りません。だから、耐用年数はリース期間、残存価額は0円として計算するのです。

例題　ファイナンス・リース取引

次の資料に基づいて、(1)リース取引開始時、(2)リース料支払時、(3)決算時の仕訳を示しなさい。

［資　料］

X1年4月1日（決算日は毎年3月31日）、備品について、次の条件により所有権移転外ファイナンス・リース契約を締結した。

1．解約不能のリース期間：5年
2．リース物件（備品）の経済的耐用年数：6年
3．リース料：年額9,000千円（支払いは毎期末ごと）
　　リース料総額：45,000千円
4．リース料総額に含まれている利息相当額：8,100千円
　　（第1回目のリース料に含まれている利息相当額は2,583千円である。）
5．借手の減価償却方法：定額法

解答

（仕訳の単位：千円）

(1) リース取引開始時

（リース資産）	36,900*	（リース債務）	36,900

＊ リース料総額45,000千円－利息相当額8,100千円＝36,900千円

(2) リース料支払時

（支払利息）	2,583*1	（現金預金）	9,000
（リース債務）	6,417*2		

＊1 第1回目のリース料に含まれている利息相当額
＊2 貸借差額

(3) 決算時

（減価償却費）	7,380*	（減価償却累計額）	7,380

＊ 36,900千円×$\frac{1年}{5年}$＝7,380千円

所有権移転外ファイナンス・リース取引であるため、残存価額は０円、耐用年数はリース期間となります。

なお、仮に所有権移転ファイナンス・リース取引で、残存価額が０円の場合、減価償却費の計算は次のようになります。

（減価償却費）	6,150*	（減価償却累計額）	6,150

＊ 36,900千円×$\frac{1年}{6年}$＝6,150千円

リース債務については、決算日の翌日から起算して、返済日が１年以内に到来するものはリース債務（流動負債）、１年を超えて到来するものは長期リース債務（固定負債）とすることがあります。問題文の指示に従いましょう。

問題 >>> 問題編の**問題１**に挑戦しましょう！

4：利息相当額の各期への配分

利息相当額の各期への配分方法

リース債務に対する各期の利息相当額の算定は、原則として利息法により行います。

利息法

利息法とは、各期の利息相当額をリース債務の未返済元本残高に一定の利率を掛けて算定する方法です。

各期の利息相当額＝リース債務の未返済元本残高×一定の利率

Point　各期の利息相当額の算定

例）X2年４月１日のリース債務計上額5,206円、リース料年額3,000円（後払い）、利率10％、リース期間２年であった場合の各期の支払利息

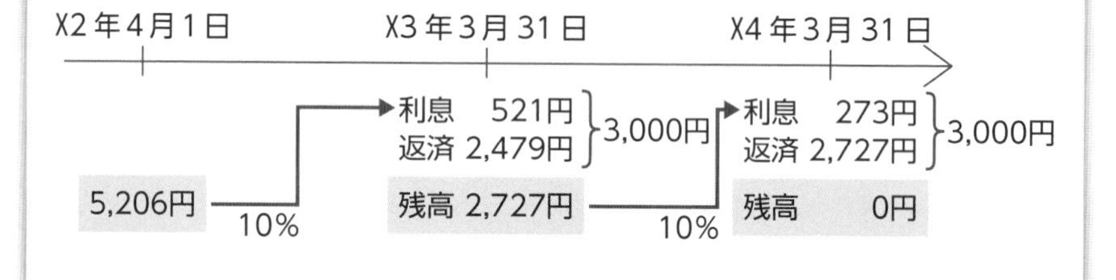

例題 リース料後払い

次の資料に基づいて、各問の仕訳を示しなさい。なお、計算上、千円未満の端数が生じた場合は、そのつど四捨五入すること。

［資　料］

X1年4月1日（決算日は毎年3月31日）、備品について、次の条件により所有権移転外ファイナンス・リース契約を締結した。

1．解約不能のリース期間：5年

2．リース料：年額9,000千円（支払いは毎期末ごと）
　リース料総額：45,000千円

3．リース資産の計上額は36,900千円である。

4．利子率：年7％

5　借手の減価償却方法：定額法

問1　X2年3月31日（リース料支払時）の仕訳

問2　X3年3月31日（リース料支払時）の仕訳

解答

（仕訳の単位：千円）

問1　X2年3月31日（リース料支払時）

借方	金額	貸方	金額
（支払利息）	2,583	（現金預金）	9,000
（リース債務）	6,417		

問2　X3年3月31日（リース料支払時）

借方	金額	貸方	金額
（支払利息）	2,134	（現金預金）	9,000
（リース債務）	6,866		

問1　X2年3月31日（リース料支払時）

(1)　期首リース債務残高：36,900千円

(2)　支払利息計上額：36,900千円×利子率7％＝2,583千円

(3)　リース債務返済額：
　リース料（年額）9,000千円－2,583千円＝6,417千円

問2　X3年3月31日（リース料支払時）

(1)　期首リース債務残高：30,483千円

(2)　支払利息計上額：

30,483千円×利子率7％＝2,134千円（千円未満四捨五入）

(3)　リース債務返済額：

リース料（年額）9,000千円－2,134千円＝6,866千円

〈リース債務の返済スケジュール（単位：千円）〉

×利子率7％

	支払リース料	支払利息	リース債務返済	リース債務残高
X1年4月1日	―	―	―	36,900
X2年3月31日	9,000	2,583	6,417	30,483
X3年3月31日	9,000	2,134	6,866	23,617
X4年3月31日	9,000	1,653	7,347	16,270
X5年3月31日	9,000	1,139	7,861	8,409
X6年3月31日	9,000	591*	8,409	0
合計	45,000	8,100	36,900	―

＊　9,000千円－8,409千円＝591千円

最終年度はリース債務残高が0円になるようにリース債務を減少させます。

例題 リース料後払い―期中にリース取引を開始した場合

次の資料に基づいて、決算時の仕訳を示しなさい。なお、計算上、千円未満の端数が生じた場合は、そのつど四捨五入すること。

［資　料］

X1年10月1日（決算日は毎年3月31日）、備品について、次の条件により所有権移転外ファイナンス・リース契約を締結した。

1．解約不能のリース期間：5年
2．リース料：年額9,000千円（支払日は毎年9月30日）
　　リース料総額：45,000千円
3．リース資産の計上額は36,900千円である。
4．利子率：年7％
5．借手の減価償却方法：定額法

解答

（仕訳の単位：千円）

⑴　**減価償却**

（減　価　償　却　費）	**3,690***	**（減価償却累計額）**	**3,690**

＊　$36,900千円 \times \frac{1年}{5年} \times \frac{6カ月}{12カ月} = 3,690千円$

⑵　**支払利息の見越計上**

（支　払　利　息）	**1,292***	**（未　払　利　息）**	**1,292**

＊　$リース債務36,900千円 \times 7\% \times \frac{6カ月}{12カ月} = 1,292千円$
（千円未満四捨五入）

リース料の支払日と決算日が異なる場合、リース債務に係る支払利息の見越計上を行います。

定額法

所有権移転外ファイナンス・リース取引について、リース資産総額に重要性が乏しいと認められる場合には、次のいずれかの方法を適用することができます。

(1) リース料総額から利息相当額の合理的な見積額を控除しない方法（利子込み法）

リース料総額から利息相当額の合理的な見積額を控除しない方法によることができます。この場合、リース資産およびリース債務は、リース料総額で計上され、支払利息は計上されず、減価償却費のみが計上されます。

(2) 利息相当額の総額をリース期間中の各期に配分する方法（利子抜き法）

利息相当額の総額をリース期間中の各期に配分する方法として、**定額法**を採用することができます。

例題　利息相当額の各期への配分（定額法）

X1年1月1日に機械をリース（所有権移転外ファイナンス・リース取引に該当する）した。当該リース契約の内容は、リース期間5年、リース料年額12,000円（毎年12月31日払）、リース資産の計上価額50,000円であり、利息相当額を定額法により期間配分する。

X1年1月1日からX2年12月31日において必要な仕訳を答えなさい。なお、決算日は12月31日である。

解答

⑴ **X1年1月1日（リース開始時）**

（リース資産）	50,000	（リース債務）	50,000

⑵ **X1年12月31日（リース料支払時）**

（支払利息）	2,000*1	（現金預金）	12,000
（リース債務）	10,000*2		

＊１　(60,000円(＊３)－50,000円)÷リース期間５年＝2,000円
＊２　支払リース料12,000円－2,000円(＊１)＝10,000円
　　　または、リース債務50,000円÷リース期間５年＝10,000円
＊３　支払リース料12,000円×５年＝リース料総額60,000円

⑶ **X2年12月31日（リース料支払時）**

（支払利息）	2,000	（現金預金）	12,000
（リース債務）	10,000		

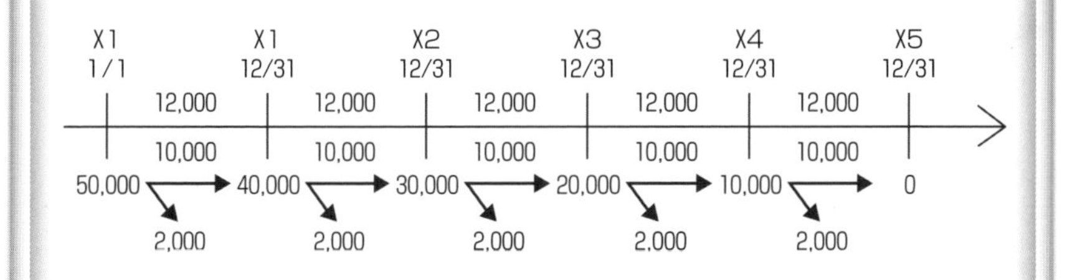

リース料を前払いする場合

(1) 第1回目のリース料の支払い

リース料を前払いする場合、初回のリース料支払日はリース開始時です。したがって、初回のリース料には利息は発生せず、全額が、元本であるリース債務の返済額となります。

(2) 支払利息の計上

リース料を前払いする場合、2回目以降に支払うリース料に含まれる利息相当額は、直前のリース期間に係る利息相当額になります。

前のリース期間中に発生した利息相当額は、次のリース期間に支払うリース料に含まれます。

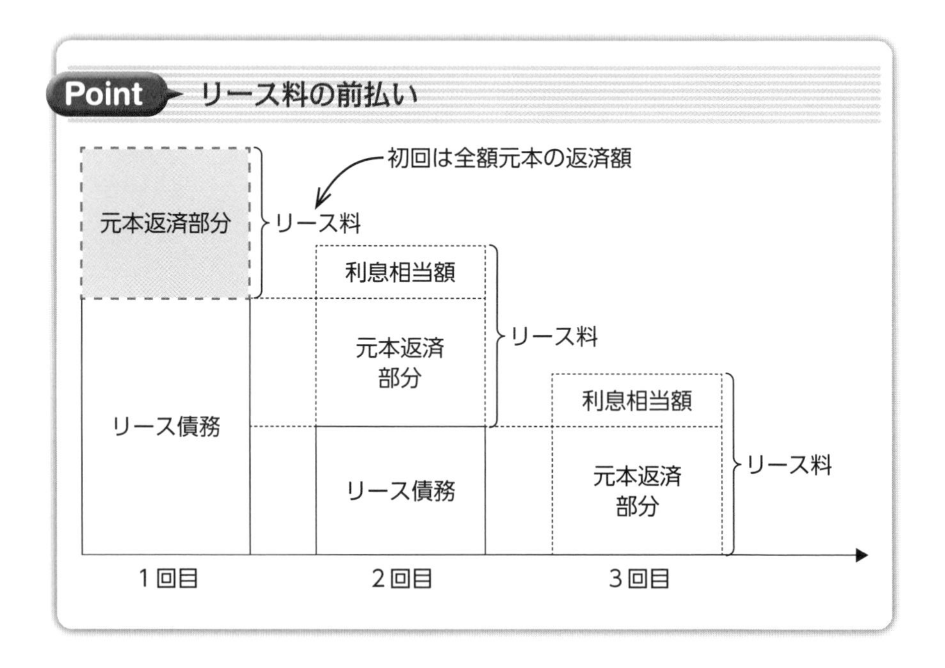

例題 リース料前払い

次の資料に基づいて、⑴X1年4月1日（リース取引開始時、リース料支払時）、⑵X2年3月31日（決算時）、⑶X2年4月1日（再振替時、リース料支払時）、⑷X3年3月31日（決算時）の仕訳を示しなさい。なお、計算上、千円未満の端数が生じた場合は、そのつど四捨五入すること。

［資　料］

X1年4月1日（決算日は毎年3月31日）、備品について、次の条件により所有権移転外ファイナンス・リース契約を締結した。

1．解約不能のリース期間：5年
2．リース料：年額9,000千円（支払いは毎期首ごと）
　　リース料総額：45,000千円
3．リース料総額に含まれている利息相当額：1,980千円
4．利子率：年2.3%
5．借手の減価償却方法：定額法

解答

（仕訳の単位：千円）

⑴　X1年4月1日

①　リース取引開始時

（リース資産）	43,020*	（リース債務）	43,020

＊　リース料総額45,000千円－利息相当額1,980千円＝43,020千円

②　リース料支払時

（リース債務）	9,000*	（現金預金）	9,000

＊　契約日に支払ったため、まだ利息は発生していません。したがって、リース料の全額をリース債務の返済額とします。

⑵　X2年3月31日（決算時）

①　減価償却

（減価償却費）	8,604*	（減価償却累計額）	8,604

＊　43,020千円×$\frac{1年}{5年}$＝8,604千円

② 支払利息の見越計上

(支払利息)	782*	(未払利息)	782

＊ リース債務34,020千円×利子率2.3%＝782千円(千円未満四捨五入)

(3) X2年4月1日

① 再振替時

(未払利息)	782	(支払利息)	782

② リース料支払時

(支払利息)	782*1	(現金預金)	9,000
(リース債務)	8,218*2		

＊1 リース債務34,020千円×利子率2.3%＝782千円
(千円未満四捨五入)

＊2 貸借差額

(4) X3年3月31日(決算時)

① 減価償却

(減価償却費)	8,604*	(減価償却累計額)	8,604

＊ $43,020千円 \times \frac{1年}{5年} = 8,604千円$

② 支払利息の見越計上

(支払利息)	593*	(未払利息)	593

＊ リース債務25,802千円×利子率2.3%＝593千円(千円未満四捨五入)

〈リース債務の返済スケジュール(単位:千円)〉

×利子率2.3%

	支払リース料	支払利息	リース債務返済	リース債務残高
X1年4月1日	—	—	—	43,020
X1年4月1日	9,000	0	9,000	34,020
X2年4月1日	9,000	782	8,218	25,802
X3年4月1日	9,000	593	8,407	17,395
X4年4月1日	9,000	400	8,600	8,795
X5年4月1日	9,000	205*	8,795	0
合計	45,000	1,980	43,020	—

＊ 9,000千円－8,795千円＝205千円

リース料の支払いが後払いか前払いかは、必ず問題文の指示を確認しましょう。

問題 >>> 問題編の**問題２**～**問題４**に挑戦しましょう！

5：リース資産の計上価額

リース資産の計上価額

ファイナンス・リース取引は売買処理を行うため、リース取引開始日に、リース料総額から利息相当額を控除した額をリース資産およびリース債務の計上価額（リース資産の計上価額）とします。

ただし、リース資産の計上価額は、リース契約の種類とリース物件の貸手の購入価額が明らかかどうかで具体的な算定方法が異なります。

Point リース資産の計上価額

<table>
<tr><th></th><th>貸手の購入価額が
明らか</th><th>貸手の購入価額が
明らかでない</th></tr>
<tr><td>所有権移転
ファイナンス・リース</td><td>貸手の購入価額</td><td rowspan="2">・見積現金購入価額
・リース料総額の割引現在価値
のいずれか低い方の金額</td></tr>
<tr><td>所有権移転外
ファイナンス・リース</td><td>・貸手の購入価額
・リース料総額の割引現在価値
のいずれか低い方の金額</td></tr>
</table>

また、割引現在価値を求める際に用いる割引率は、貸手の計算利子率を知っているかどうかにより異なります。

貸手の計算利子率	割引率
知りうる場合	貸手の計算利子率
知りえない場合	借手の追加借入利子率

借手の追加借入利子率とは、仮に、借手が追加で借入れを行ったときに適用されると合理的に見積られる利子率のことです。

例題 リース資産計上額

次の資料に基づいて、リース資産およびリース債務の計上価額を求めなさい。なお、計算上、千円未満の端数が生じた場合は、そのつど四捨五入すること。

［資　料］

X1年4月1日（決算日は毎年3月31日）、備品について、次の条件により、所有権移転ファイナンス・リース契約を締結した。

1．解約不能のリース期間：3年

2．借手の見積現金購入価額：8,325千円

（借手において貸手のリース物件の購入価額は明らかではない）

3．リース料：（年額）3,000千円（支払いは毎期末ごと）

リース料総額：9,000千円

4．借手の追加借入利子率：7％（借手は貸手の計算利子率を知りえない）

解答 リース資産およびリース債務：7,873千円

(1)　見積現金購入価額：8,325千円

(2)　リース料総額の割引現在価値

3,000千円÷1.07＋3,000千円÷1.07^2＋3,000千円÷1.07^3＝7,873千円

（千円未満四捨五入）

(3)　リース資産およびリース債務

(1)＞(2)　∴7,873千円

〈リース料総額の割引現在価値（単位：千円）〉

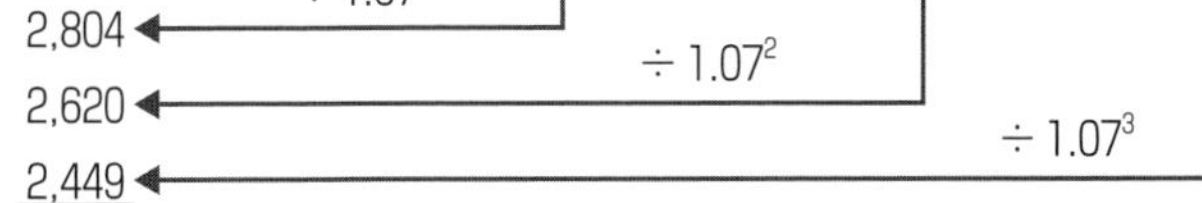

所有権移転ファイナンス・リース取引で、貸手の購入価額が明らかでない場合、見積現金購入価額とリース料総額の割引現在価値のいずれか低い方をリース資産およびリース債務とします。

利息法で用いる一定の利子率

利息相当額の算定に用いる利子率は、リース料総額の割引現在価値がリース資産の計上価額と等しくなる利率を用いるため、リース資産の計上価額にどのような価額を用いたのかで使用する利率も異なります。

Point 利息相当額の算定に用いる一定の利子率

リース資産の計上価額	利息法で用いる一定の利子率
貸手の購入価額	リース料総額の割引現在価値が貸手の購入価額と等しくなる利率
見積現金購入価額	リース料総額の割引現在価値が見積現金購入価額と等しくなる利率
リース料総額の現在価値	リース料総額の割引現在価値の算定に用いた利子率（割引率）

例題 **利息法で用いる一定の利子率**

次の資料に基づいて、⑴リース取引開始時と⑵リース料支払時の仕訳を示しなさい。なお、計算上、千円未満の端数が生じた場合は、そのつど四捨五入すること。

［資　料］

X1年4月1日（決算日は毎年3月31日）、備品について、次の条件により、ファイナンス・リース契約を締結した。

1．所有権移転条項なし
2．割安購入選択権なし
3．解約不能のリース期間：5年
4．借手の見積現金購入価額：37,500千円
　（借手において貸手のリース物件の購入価額は明らかではない）
5．リース料：年額9,000千円（支払いは毎期末ごと）
　リース料総額：45,000千円
6．リース物件（備品）の経済的耐用年数：7年
7．借手の減価償却方法：定額法
8．借手の追加借入利子率：年7％、リース料総額の現在価値：36,900千円
　（借手は貸手の計算利子率を知りえない）

解答

（仕訳の単位：千円）

⑴ **リース取引開始時**

(リース資産)	36,900	(リース債務)	36,900

⑵ **リース料支払時**

(支払利息)	2,583	(現金預金)	9,000
(リース債務)	6,417		

⑴ リース取引開始時

① ファイナンス・リース取引の分類

所有権移転条項または割安購入選択権がなく、また、その他の所有権移転に係る契約上の条件もないため、所有権移転ファイナンス・リース

には該当しません。したがって、このリース取引は所有権移転外ファイナンス・リース取引に該当します。

② リース資産の計上価額

見積現金購入価額37,500千円＞リース料総額の現在価値36,900千円

∴ 36,900千円

⑵ リース料支払時

① 期首リース債務残高：36,900千円

② 支払利息計上額

36,900千円×借手の追加借入利子率７％＝2,583千円

③ リース債務返済額

リース料（年額）9,000千円－2,583千円＝6,417千円

〈リース債務の返済スケジュール（単位：千円)〉

×借手の追加借入利子率７％

	支払リース料	支払利息	リース債務返済	リース債務残高
X1年４月１日	—	—	—	36,900
X2年３月31日	9,000	2,583	6,417	30,483
X3年３月31日	9,000	2,134	6,866	23,617
X4年３月31日	9,000	1,653	7,347	16,270
X5年３月31日	9,000	1,139	7,861	8,409
X6年３月31日	9,000	591*	8,409	0
合計	45,000	8,100	36,900	—

＊ 9,000千円－8,409千円＝591千円

リース資産の計上価額がリース料総額の現在価値であるため、利息法で用いる割引率は借手の追加借入利子率となります。

問題 >>> 問題編の**問題５**～**問題６**に挑戦しましょう！

6：オペレーティング・リース取引の会計処理

オペレーティング・リース取引

オペレーティング・リース取引は通常の賃貸借処理を行うため、支払ったリース料を支払リース料勘定で処理します。

オペレーティング・リース取引においては、支払ったリース料をその期の費用として処理するため、リース資産勘定やリース債務勘定などはでてきません。

例題　オペレーティング・リース取引

次の資料に基づいて、各問における仕訳を示しなさい。

[資　料]

X1年7月1日、当社は次の条件でB社と機械のリース契約を結んだ。当該リース契約はオペレーティング・リース取引に該当する。なお、当社の決算日は12月31日である。

1．年間リース料：5,000千円
2．リ ー ス 期 間：2年
3．リース料支払日：毎年6月30日（現金で後払い）

問1　リース契約時
問2　X1年12月31日の決算時
問3　問2の翌日の再振替時
問4　X2年6月30日のリース料支払時

（仕訳の単位：千円）

問1　リース契約時

仕訳なし

問2　決算時

（支払リース料）	2,500*	（未払リース料）	2,500

＊　$5{,}000千円 \times \frac{6カ月}{12カ月} = 2{,}500千円$

問3　再振替時

（未払リース料）	2,500	（支払リース料）	2,500

問4　リース料支払時

（支払リース料）	5,000	（現　　　金）	5,000

7：セール・アンド・リースバック取引

セール・アンド・リースバック取引とは

セール・アンド・リースバック取引とは、借手（ユーザー）がその所有する物件を貸手（リース会社）に売却し、貸手からその物件のリースを受ける取引をいいます。

Point セール・アンド・リースバック取引の図解

セール・アンド・リースバック取引は、物件の売却とその物件のリースとが一体化した取引です。

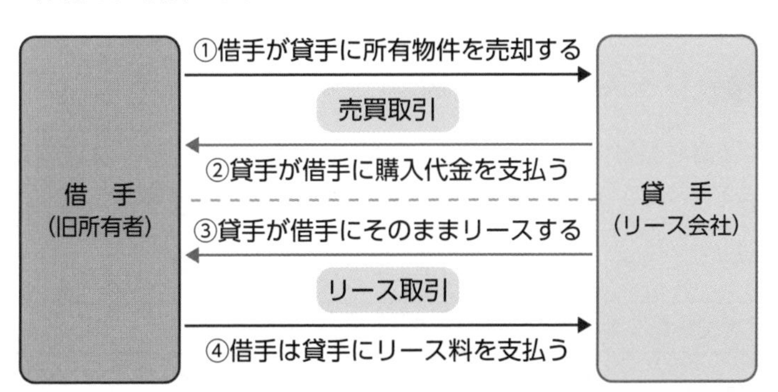

プラスα セール・アンド・リースバック取引の効果

借手（物件の旧所有者）は、セール・アンド・リースバック取引を行うことにより、物件の売却によって得た売却代金を、新たな投資や借入金の返済などに有効に活用することが可能となります。さらに、資産売却後も、貸手（物件の新所有者であるリース会社等）から物件のリースを受けることにより、当該物件を継続して使用することができます。

セール・アンド・リースバック取引の会計処理

セール・アンド・リースバック取引（ファイナンス・リース取引に該当する場合）では、物件の売却にともなう損益を**長期前払費用**または**長期前受収益**等として繰延処理し、その後、リース資産の減価償却費の割合に応じて配分し、減価償却費に加減算して損益に計上します。

また、所有権移転ファイナンス・リース取引に該当する場合には、リース資産の減価償却費の計算にあたっては、通常、当初の取得原価に基づいた残存価額が用いられます。

所有権移転ファイナンス・リース取引に該当する場合のセール・アンド・リースバック取引においては、資産を売却したときと、決算日の減価償却の計算をするときの会計処理が特徴です。

Point リース資産の計上額

リース資産の算定方法は、所有権移転ファイナンス・リース取引か所有権移転外ファイナンス・リース取引かによって異なります。

	リース資産の計上額
所有権移転ファイナンス・リース	実際の売却価額
所有権移転外ファイナンス・リース	実際の売却価額とリース料総額の割引現在価値とのいずれか低い方の金額

最良の独学合格ルートが

TACメソッドによる 教材&カリキュラムだから安心!

「独学道場」では、TAC出版の人気シリーズ書籍を教材として使用しています。
学習初期から中盤期で使用する『みんなが欲しかった!税理士の教科書&問題集』は、膨大な学習範囲から合格に必要な論点をピックアップしているので、効率的に基礎学習がすすめられる、まさに「みんなが欲しかった!」一冊となっています!
そのうえで、『解き方学習用問題集』や『過去問題集』などにより本試験レベルに対応できる応用力を、さらには、TAC税理士講座自慢の「チャレンジコース」で競争試験に打ち勝つ合格力を完成させることができます。
「税理士 独学道場」なら、学習段階に応じた教材とカリキュラムで、無理なくステップアップし、着実に合格を目指せるのです!

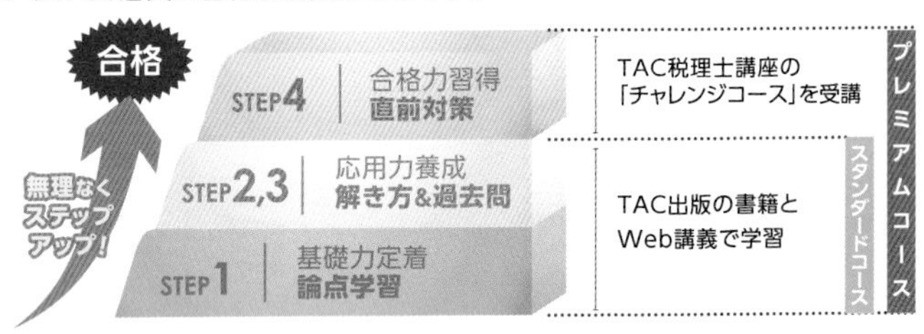

オリジナルWeb講義がセットで さらに学習効果UP!

独学者を意識したオリジナル講義は、経験豊富な講師陣が、試験傾向にあわせて重要ポイントに絞り、わかりやすく解説しているので、無理なく合格に必要な知識や答案作成テクニックを学ぶことができます。また、コンパクトにまとめられているので、時間に余裕がない方、短期間で学習したい方や2科目同時に学習したい方にも最適です!

簿財2科目同時学習のススメ!

学習の共通項目が多い!

税理士試験の「簿記論」と「財務諸表論」は会計に関する計算的側面と理論的側面を担うという意味で相互に密接な関係があるため、同時に学習することにより、学習の時間を圧縮することができます。独学道場の主要教材である『みんなが欲しかった!』シリーズには、「簿記論」⇔「財務諸表論」のリンクが記載されているので、より効果的に学習がすすめられます。

ここにあります！

いつでもどこでも視聴できる！ 独学者のためのWeb学習システム！

インターネットに繋がる環境なら、時間や場所に縛られず視聴できるので、スキマ時間を利用した学習にも効果を発揮します。
また、アプリで講義動画のダウンロードも可能なので、いつでもどこでも速度制限を気にすることなく、効率的に学習をすすめられます！

様々な環境に対応！

パソコンのほかスマートフォンやタブレットから、視聴期間内なら繰り返し視聴OK！ スキマ時間も有効活用できます。

便利な機能が充実！

0.8～2.0倍まで7段階から再生スピードを選択可能。また「前回停止時間から再生」や「しおり機能」「全画面表示機能」など、機能も充実しています！

※スマートフォン・タブレット端末をご利用の場合、一定期間に定められた（データ）通信量以上の通信を行うと、ご契約の各キャリア・プランにおいて通信速度の制御を実施される可能性があります。なお、TAC WEB SCHOOLの動画は「約500～700MB/2時間半」となります。
※ダウンロードした動画は2週間視聴可能となります。視聴期間内であれば何度でもダウンロード可能です。
※Web講義の視聴期間は、2025年度本試験最終日までとなります。

ズバリ的中！ TAC税理士講座のチャレンジコースで総仕上げ！

学習の成果を競争試験に打ち勝つレベルへ引き上げる大切な直前期は、TAC税理士講座がバックアップします。
税理士試験突破のために重要な5～7月には、講義⇔答案練習のサイクルで学習していくことで実践力に磨きをかけていきます。
さらに、受験業界最大規模の「全国公開模試」も含まれていますので総仕上げに最適です。
今まで習得した知識の底上げ・整理・補強を行う「ベースアップ期（4月）」がついたTAC税理士講座の「チャレンジコース」でラストスパートをかけましょう！
「税理士独学道場」の【プレミアムコース】なら、直前対策に最適なTAC税理士講座の「チャレンジコース」がセットになっています！

プレミアムコースの詳細はこちら！

【スタンダードコース】をお申込みの方は、TAC税理士講座の「チャレンジコース」を通常受講料より20%OFFの**優待価格**にて追加申込可能です！（同一科目に限ります）
「チャレンジコース」がセットになっている**【プレミアムコース】はさらにお得**になっています！

簿記論

Bookkeeping

●プレミアムコース（STEP4 直前対策まで）
●スタンダードコース（STEP3 過去問演習まで）

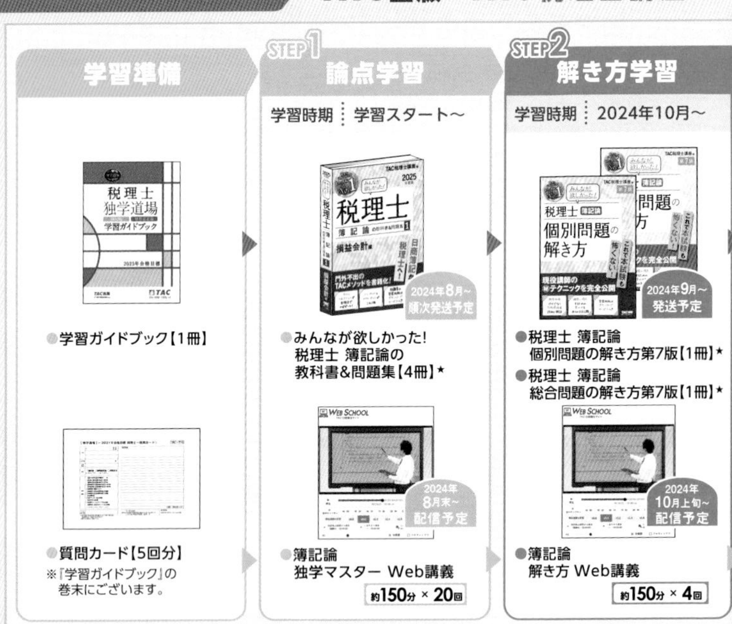

※上記コース内容は、2024年7月時点の予定です。やむを得ず変更となる場合もございます。

料金（10%税込）

申込受付期間　2024年7月9日(火)～2025年5月29日(木)

簿記論 プレミアムコース（スタンダードコース＋チャレンジコース）	フルパック	136,400円
	テキスト・問題集なしパック	118,800円
簿記論 スタンダードコース	フルパック	69,300円
	テキスト・問題集なしパック	51,700円

※「テキスト・問題集なしパック」は、★のTAC出版の市販書籍（『2025年度版 教科書&問題集（4冊）』『個別問題の解き方 第7版』『総合問題の解き方 第7版』『2025年度版 過去問題集』）が含まれません。
※料金には、教材費・発送費・消費税が含まれます。

▼スタンダードコース修了者向け（追加申込）

チャレンジコース（簿記論）	TAC通常受講料の20%OFF

※チャレンジコースの割引はスタンダードコース（簿記論）をお申込みの方のみ適用となります。

メイン担当講師
（スタンダードコース）

松井 啓太 講師

※利用期限は、2025年本試験最終日までとなります。

2024年合格目標 税理士独学道場
利用者特典！割引申込できます！
別の科目にチャレンジの場合
5,500円OFF*
同一科目に再チャレンジの場合
20,000円OFF*
*通常料金より割引となります。詳細はお問い合わせください。

フォロー制度

【プレミアムコース】に含まれる「チャレンジコース（STEP4）」では、TAC税理士講座のフォロー制度と同じサポートが受けられます！

- 学習ガイドブック
- 質問カード（1科目につき5枚）

さらに！

STEP4

- Webフォロー・音声DL（ダウンロード）フォロー
- 質問電話
- デジタル教材
- i-support（質問メール、よくある質問ほか）
- 自習室の利用　など

※「チャレンジコース」のフォロー制度につきましては、TAC税理士講座のチャレンジコースと同等になります。（いずれも2025年4月以降利用可）

財務諸表論

Financial Statements

●プレミアムコース（STEP4 直前対策まで）
●スタンダードコース（STEP3 過去問演習まで）

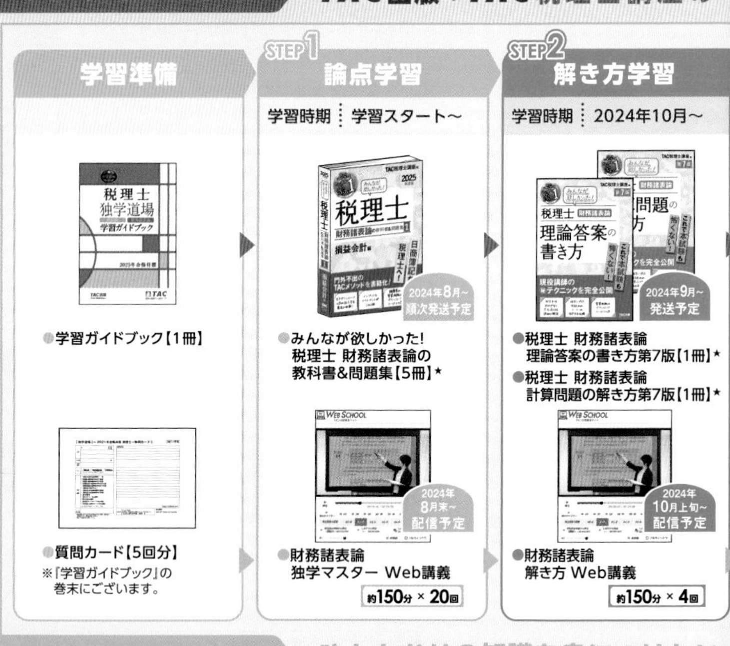

プレミアムコース
TAC出版＋TAC税理士講座の
学習準備
STEP1 論点学習
学習時期 学習スタート～
STEP2 解き方学習
学習時期 2024年10月～
税理士 独学道場 学習ガイドブック
2024年8月～ 順次発送予定
2024年9月～ 発送予定
●学習ガイドブック【1冊】
●みんなが欲しかった! 税理士 財務諸表論の 教科書&問題集【5冊】★
●税理士 財務諸表論 理論答案の書き方第7版【1冊】★
●税理士 財務諸表論 計算問題の解き方第7版【1冊】★
2024年 8月末～ 配信予定
2024年 10月上旬～ 配信予定
●質問カード【5回分】
※『学習ガイドブック』の 巻末にございます。
●財務諸表論 独学マスター Web講義
約150分 × 20回
●財務諸表論 解き方 Web講義
約150分 × 4回
スタンダードコース
ひととおりの知識を身につけたい

※上記コース内容は、2024年7月時点の予定です。やむを得ず変更となる場合もございます。

料金（10％税込）

申込受付期間 2024年 7月9日(火)～2025年 5月29日(木)

財務諸表論 **プレミアムコース**（スタンダードコース＋チャレンジコース）	フルパック	136,400円
	テキスト・問題集なしパック	118,800円
財務諸表論 **スタンダードコース**	フルパック	69,300円
	テキスト・問題集なしパック	51,700円

※「テキスト・問題集なしパック」は、★のTAC出版の市販書籍（『2025年度版 教科書&問題集（5冊）』『理論答案の書き方 第7版』『計算問題の解き方 第7版』『2025年度版 過去問題集』）が含まれません。
※料金には、教材費・発送費・消費税が含まれます。

▼スタンダードコース修了者向け（追加申込）

チャレンジコース（財務諸表論）	TAC通常受講料の20％OFF

※チャレンジコースの割引はスタンダードコース（財務諸表論）をお申込みの方のみ適用となります。

メイン担当講師
(スタンダードコース)

杉田 亜紀 講師

オールインワン・パッケージ
STEP3
過去問演習
学習時期 2024年12月～
2024年12月～ 発送予定
●税理士受験シリーズ 財務諸表論 過去問題集【1冊】★
2025年 1月下旬～ 配信予定
●財務諸表論 過去問で レベルアップ Web講義
約150分 × 2回
方向けコース
TAC税理士講座の「チャレンジコース」で総仕上げ!
STEP4
直前対策
学習時期 2025年4月～

財務諸表論 チャレンジコース【カリキュラム】全30回

ベースアップ期(4月期)	全10回
チャレンジ講義	5回
チャレンジ演習	5回

直前対策(5～7月期)		全20回	
直前対策講義	9回	全国公開模試	1回
実力完成答練	6回	合格情報講義	1回
直前予想答練	3回		

※上記カリキュラムは2024年度実施例のため、変更となる場合もございます。

■受講形態(直前対策5～7月期)

教室講座 / どちらか選べます / Web通信講座

※上記コースは、TAC税理士講座「チャレンジコース(財務諸表論)」と同一のものとなります。重複のお申込みにご注意ください。

別途追加申込もできます!

「スタンダードコース」ご利用後、TAC税理士講座「チャレンジコース(財務諸表論)」を追加でお申込みの場合には、通常受講料の20%OFFにてお申込みいただけます。

合格

※利用期限は、2025年本試験最終日までとなります。

2024年合格目標 税理士独学道場
利用者特典! 割引申込できます!
別の科目にチャレンジの場合
5,500円OFF*
同一科目に再チャレンジの場合
20,000円OFF*
*通常料金より割引となります。
詳細はお問い合わせください。

フォロー制度

【プレミアムコース】に含まれる「チャレンジコース(STEP4)」では、TAC税理士講座のフォロー制度と同じサポートが受けられます!

STEP1 STEP2 STEP3

- 学習ガイドブック
- 質問カード(1科目につき5枚)

さらに!

STEP4

- Webフォロー・音声DL(ダウンロード)フォロー
- 質問電話
- デジタル教材
- i-support(質問メール、よくある質問ほか)
- 自習室の利用　など

※「チャレンジコース」のフォロー制度につきましては、TAC税理士講座のチャレンジコースと同等になります。(いずれも2025年4月以降利用可)

「税理士独学道場」だけの優待制度をご用意!!
負担少なく学習を続けていただけます!

TAC出版の2025年度版問題集セットを、
定価より20%OFFでご購入いただけます!
(お申込コースと同科目)

資格の学校TACの「税理士講座」や
TAC出版の「独学道場」を
優待価格でお申込いただける、
学習支援割引制度があります!

優待制度の詳細はこちら!

【独学道場お申込みにあたっての注意事項】(必ずお読みください)

※独学道場は個人様向け商品です。お申込者様(個人)がご利用者様となりますので、第三者への利用権利の譲渡はできません。実際に独学道場をご利用されるご本人様が個人名にてお申込みください。
※当コースのお申込みにあたっては、入会金等は必要ありません。
※当コースはTACの株主優待や各種割引制度はご利用いただけません。また、独学道場は教育訓練給付金制度の対象ではございません。
※簿記論コースおよび財務諸表論コースのお申込み受付期間は、2024年7月9日(火)～2025年5月29日(木)です。
※代金引換払いでのお支払いは、初回の教材受取時となります。
※代金引換払いの場合、代引手数料として発送1件につき、300円+消費税がかかります。サイバーブックストア会員様は、3,000円以上のご注文で代引手数料が無料となります。
※お申込み前に必ず、TAC WEB SCHOOL動作環境ページ(https://ws.tac-school.co.jp/taiken)にて、動作環境をご確認ください。
※プレミアムコースをお申込みの方は、TAC税理士講座の「チャレンジコース」が含まれておりますので、必ず「TACお申込規約について(https://bookstore.tac-school.co.jp/pages/agreement/#03)」をお読みのうえ、お申込みください。
※プレミアムコースをお申込みいただくと、TAC税理士講座の「チャレンジコース」の受講形態はWeb通信講座のご登録となりますが、Web通信講座以外の受講形態をご希望の場合は、期日内に別途手続きが必要となります。詳細は、2025年3月下旬送付予定の「ご案内」をご確認ください。
※税理士本試験の願書の配布はございません。本試験受験のお申込みは、必ずご自身でお手続きください。
※TAC各校の自習室はご利用いただけません。予めご了承ください。(ただし、「プレミアムコース」をお申込みの方、「チャレンジコース」を追加お申込みされた方は、2025年4月よりTAC税理士講座のフォロー制度が適用となりますので、ご利用いただけます)
※TAC出版からのサービス提供期限(Web講義の視聴期限等)は、2025年度税理士試験の本試験最終日までとなります。
★コースの詳細・最新情報等につきましては、TAC出版書籍販売サイト「サイバーブックストア」の「税理士独学道場(簿記論・財務諸表論)」ページにてご確認ください。

●「独学道場」のお申込み・詳細内容の確認●

お申込み・最新内容の確認

インターネットで
TAC出版書籍販売サイト「サイバーブックストア」にて申し込む
TAC 出版　検索
https://bookstore.tac-school.co.jp/

※過去1年以内に「日商簿記 独学道場」を利用された方は、割引料金にてお申込みいただけます。
詳細につきましては、お手元の「日商簿記 独学道場」『学習ガイドブック』にて、ご確認ください。

その他お問合せ

メールにて
sbook@tac-school.co.jp

※このパンフレットに記載されている内容は、2024年7月現在のものです。これ以降の最新情報、およびお申込みについては、上記TAC出版書籍販売サイト「サイバーブックストア」の「税理士　独学道場(簿記論、財務諸表論)」のページにてご確認ください。

例題 **セール・アンド・リースバック**

次の資料に基づいて、各問における仕訳を示しなさい。

［資　料］

1．当社はX4年4月1日（決算日は毎年3月31日）に、X1年4月1日に取得した機械をリース会社に売却し、その全部をファイナンス・リース取引によりリースバックすることとした。

2．対象資産の内容

⑴　取得日：X1年4月1日

⑵　取得原価：240,000円（減価償却累計額81,000円）

⑶　経済的耐用年数：8年

⑷　減価償却方法：定額法（残存価額は取得原価の10%とする）

3．リースバック取引の条件

⑴　売却価額：180,000円

⑵　所有権移転条項あり

⑶　解約不能のリース期間：5年

⑷　リース料：年額43,200円、支払いは毎年3月31日の後払い

⑸　貸手の計算利子率は年6.4%であり、当社はこれを知りうる。

4．リース資産の減価償却

⑴　使用可能期間：5年

⑵　減価償却方法：定額法（残存価額の見積りに変更はない）

5．売却損益は、リース期間終了時までの期間に配分し、各期の減価償却費に加減する。

問1　売却およびリース契約時

問2　X5年3月31日のリース料支払時

問3　X5年3月31日の決算時

解答　問１　売却およびリース契約時

⑴　売却時

(減価償却累計額)	81,000	(機　　　　械)	240,000
(現　　　　金)	180,000	(長期前受収益)	21,000*

＊　貸借差額

⑵　リース契約時

(リース資産)	180,000	(リース債務)	180,000

問２　リース料支払時

(リース債務)	31,680	(現　　　　金)	43,200
(支払利息)	11,520*		

＊　180,000円×6.4%＝11,520円

問３　決算時

⑴　減価償却

(減価償却費)	31,200*	(減価償却累計額)	31,200

＊　$(180{,}000円-240{,}000円\times 10\%)\times\frac{1年}{5年}=31{,}200円$

⑵　売却損益の配分

(長期前受収益)	4,200*	(減価償却費)	4,200

＊　$21{,}000円\times\frac{1年}{5年}=4{,}200円$

セール・アンド・リースバック取引においては、物件の売却にともなう利益を長期前受収益として処理します。
また、問３⑴と⑵の減価償却費は相殺されて27,000円となり、最終的に計上される費用は売却前と一致します。

問題 >>> 問題編の**問題７**に挑戦しましょう！

参考 ファイナンス・リース取引（貸手の会計処理）

貸手の会計処理

(1) リース取引の分類

リース取引の貸手においても、借手と同様に、ファイナンス・リース取引とそれ以外のオペレーティング・リース取引があります。

また、ファイナンス・リース取引には、リース契約上の諸条件に照らしてリース物件の所有権が借手に移転すると認められる所有権移転ファイナンス・リース取引とそれ以外の所有権移転外ファイナンス・リース取引があります。

(2) ファイナンス・リース取引

貸手はリース取引開始日に、通常の売買取引に係る方法に準じた会計処理により、所有権移転ファイナンス・リース取引については「**リース債権**」を、所有権移転外ファイナンス・リース取引については「**リース投資資産**」を計上します。

貸手における利息相当額の総額は、リース契約締結時に合意されたリース料総額および見積残存価額の合計額から、これに対応するリース資産の取得価額を控除することによって算定します。当該利息相当額については、原則として、リース期間にわたり利息法により配分します。

例題 ファイナンス・リース取引（貸手の会計処理）

下記リース取引に関して、X1年度およびX2年度に貸手において必要となる(1)から(3)の仕訳を答えなさい。円未満の端数は四捨五入すること。なお、決算日は年1回、12月31日である。

1．X1年1月1日に機械（現金購入価額50,000円）をリースした（所有権移転ファイナンス・リース取引に該当する）。

2．当該リース契約の内容は、リース期間５年、リース料年額12,000円（毎年12月31日払）、計算利子率6.4%である。

⑴ リース取引開始日に売上高と売上原価を計上する方法
⑵ リース料受取時に売上高と売上原価を計上する方法
⑶ 売上高を計上せずに利息相当額を各期へ配分する方法

解答

⑴ リース取引開始日に売上高と売上原価を計上する方法

① X1年1月1日（リース開始日）

(リース債権)	60,000	(売上高)	60,000*1
(売上原価)	50,000*2	(買掛金)	50,000

＊1 年リース料12,000円×５年＝リース料総額60,000円
＊2 リース物件の購入価額

② X1年12月31日（リース料受取日）

(現金預金)	12,000	(リース債権)	12,000

③ X1年12月31日（決算整理）

(繰延リース利益繰入)	6,800	(繰延リース利益)	6,800*1

＊1 利息相当額総額10,000円（＊2）－当期利息相当額3,200円（＊3）＝6,800円
＊2 60,000円－50,000円＝10,000円
＊3 50,000円×6.4%＝3,200円

決算整理後残高試算表

リース債権	48,000	繰延リース利益	6,800
売上原価	50,000	売上高	60,000
繰延リース利益繰入	6,800		

売上総利益：60,000円－50,000円－6,800円
＝当期利息相当額3,200円

貸借対照表

リース債権	41,200*		

＊ 後T/B（リース債権48,000円－繰延リース利益6,800円）
＝41,200円
（注） 繰延リース利益は貸借対照表上、リース債権と相殺して表示します。

④ X2年12月31日（リース料受取日）

（現　金　預　金）	12,000	（リ ー ス 債 権）	12,000

⑤ X2年12月31日（決算整理）

（繰延リース利益）	2,637	（繰延リース利益戻入）	2,637*

＊ 41,200円×6.4%＝2,637円（円未満四捨五入）

決算整理後残高試算表

リ ー ス 債 権	36,000	繰延リース利益	4,163*
		繰延リース利益戻入	2,637

売上総利益：当期利息相当額2,637円

＊ 6,800円－2,637円＝4,163円

貸借対照表

リ ー ス 債 権	31,837*	

＊ 後T/B（リース債権36,000円－繰延リース利益4,163円）＝31,837円

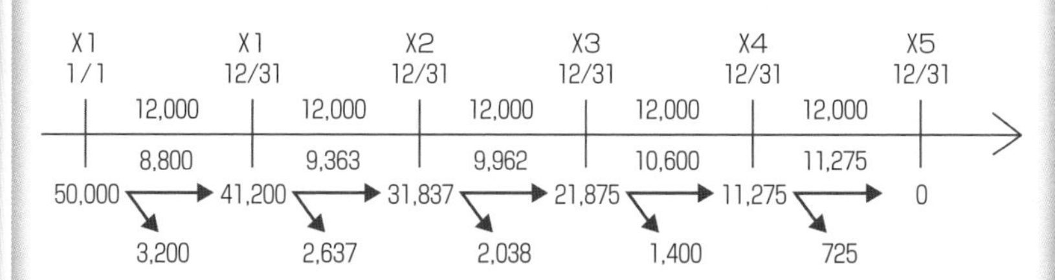

（注）最終年度において、利息を調整しています。

⑵ リース料受取時に売上高と売上原価を計上する方法

① X1年1月1日（リース開始日）

（リ ー ス 債 権）	50,000	（買　掛　金）	50,000

② X1年12月31日（リース料受取日）

（現　金　預　金）	12,000	（売　上　高）	12,000
（売　上　原　価）	8,800*	（リ ー ス 債 権）	8,800

＊ 受取リース料12,000円－当期利息相当額3,200円＝8,800円

決算整理後残高試算表

リース債権	41,200	売上高	12,000
売上原価	8,800		

売上総利益：12,000円－8,800円＝当期利息相当額3,200円

貸借対照表

リース債権	41,200		

③ X2年12月31日（リース料受取日）

(現金預金)	12,000	(売上高)	12,000
(売上原価)	9,363*	(リース債権)	9,363

＊ 受取リース料12,000円－当期利息相当額2,637円＝9,363円

決算整理後残高試算表

リース債権	31,837	売上高	12,000
売上原価	9,363		

売上総利益：12,000円－9,363円＝当期利息相当額2,637円

貸借対照表

リース債権	31,837		

(3) 売上高を計上せずに利息相当額を各期へ配分する方法

① X1年1月1日（リース開始日）

(リース債権)	50,000	(買掛金)	50,000

② X1年12月31日（リース料受取日）

(現金預金)	12,000	(リース債権)	8,800
		(受取利息)	3,200

決算整理後残高試算表

リース債権	41,200	受取利息	3,200

売上総利益：当期利息相当額3,200円

貸借対照表

リース債権	41,200		

③ X2年12月31日（リース料受取日）

（現金預金）	12,000	（リース債権）	9,363
		（受取利息）	2,637

決算整理後残高試算表

リース債権	31,837	受取利息	2,637

売上総利益：当期利息相当額2,637円

貸借対照表

リース債権	31,837	

問題 >>> 問題編の**問題8**に挑戦しましょう！

参考 ファイナンス・リース取引（中途解約）

中途解約とは

通常のファイナンス・リース取引では、リース期間の途中において解約することはできません。しかし、借手側にやむを得ない事情が発生した場合、リース契約を途中で解約することがあります。これをリース契約の**中途解約**といいます。

たとえば、生産規模を拡大するために設備のリース契約を行ったが、市場環境の急激な変化によって企業の業績が悪化し、生産規模を縮小するためにリース契約を中途解約することがあります。

中途解約の会計処理

リース契約の中途解約では、「リース資産の除却」と「違約金（損害金）の支払い」という２つの会計処理を行います。

(1) リース資産の除却

リース契約を中途解約する場合、借手が使用していたリース資産を返却しなければならないので除却処理を行う必要があります。よって、リース資産の未償却残高をリース資産除却損として処理します。

(2) 違約金（損害金）の支払い

リース契約を中途解約する場合、貸手に対して中途解約により生じた違約金（損害金）を支払わなければなりません。よって、中途解約時におけるリース債務の残高と違約金との差額を、リース債務解約損として処理します。

リース資産除却損とリース債務解約損の金額は、「リース解約損」等の勘定科目を使用して合算することもできます。

例題 **中途解約**

次の資料に基づいて、リース契約の中途解約の仕訳を示しなさい。なお、計算上、千円未満の端数が生じた場合は、そのつど四捨五入すること。

[資　料]

X1年4月1日（決算日は毎年3月31日）、備品について、次の条件により所有権移転外ファイナンス・リース取引を締結した。

1. 解約不能のリース期間：3年
2. リース料：年額30,000千円（支払いは毎期末ごと）、
   リース料総額：90,000千円
3. リース資産の計上額（リース料総額の割引現在価値）：81,697千円
4. 借手の減価償却方法：定額法
5. 借手の追加借入利子率：年5％
6. X3年3月31日においてリース契約を中途解約することとし、貸手に対する違約金29,000千円は小切手を振り出して支払った。

解答

（仕訳の単位：千円）

借方科目	金額	貸方科目	金額
（減価償却累計額）	54,464*1	（リース資産）	81,697
（リース資産除却損）	27,233*2		
（リース債務）	28,571*3	（当座預金）	29,000
（リース債務解約損）	429*4		

＊1　リース資産81,697千円÷3年≒27,232千円（千円未満四捨五入）
　　27,232千円×2年＝54,464千円

＊2　81,697千円－54,464千円＝27,233千円（リース資産の未償却残高）

＊3　X3年3月31日時点のリース債務残高（下記の返済スケジュールを参照）

＊4　違約金29,000千円－28,571千円＝429千円

〈リース債務の返済スケジュール（単位：千円）〉

×借手の追加借入利子率５%

	支払リース料	支払利息	リース債務返済	リース債務残高
X1年４月１日	—	—	—	81,697
X2年３月31日	30,000	4,085	25,915	55,782
X3年３月31日	30,000	2,789	27,211	28,571

参考　使用権モデル

使用権モデルとは

現在、借手の会計処理について**使用権モデル**への移行が検討されています。使用権モデルとは、リース取引を「リース物件の使用権を取得する取引」と捉え、借手はリース開始時に、リース物件を使用する権利を資産として計上し、将来のリース料支払義務を負債として計上する考え方です。

使用権モデルの会計処理

使用権モデルの会計処理は、使用する勘定科目は異なるものの、基本的に従来のファイナンス・リース取引と同様の会計処理になると考えられます。

(1)　**リース開始時**

(使用権資産) リース物件を使用する権利	×××	(リース負債) リース債務	×××

(2) リース料支払時

(支 払 利 息)	×××	(現 金 預 金)	×××
(リ ー ス 負 債)	×××		

(3) 使用権資産の減価償却（間接法の場合）

(減 価 償 却 費)	×××	(減価償却累計額)	×××

使用権モデルでは、ファイナンス・リース取引とオペレーティング・リース取引という区別はなくなるため、借手はあらゆるリースから生じる資産と負債を貸借対照表に計上することになります。

Chapter 8 のまとめ

□ リース取引の分類

<table>
<tr><td rowspan="3">リース取引</td><td rowspan="2">ファイナンス・リース取引</td><td>所有権移転
ファイナンス・リース取引</td></tr>
<tr><td>所有権移転外
ファイナンス・リース取引</td></tr>
<tr><td colspan="2">オペレーティング・リース取引</td></tr>
</table>

□ 減価償却の会計処理

	残存価額	耐用年数
所有権移転 ファイナンス・リース取引	自己所有資産と 同じ	経済的耐用年数
所有権移転外 ファイナンス・リース取引	0円	リース期間

□ リース資産の計上価額

リース資産（リース債務）＝リース料総額－利息相当額

<table>
<tr><td></td><td>貸手の購入価額が
明らか</td><td>貸手の購入価額が
明らかでない</td></tr>
<tr><td>所有権移転
ファイナンス・リース</td><td>貸手の購入価額</td><td rowspan="2">・見積現金購入価額
・リース料総額の割引現在価値
のいずれか低い方の金額</td></tr>
<tr><td>所有権移転外
ファイナンス・リース</td><td>・貸手の購入価額
・リース料総額の割引現在価値
のいずれか低い方の金額</td></tr>
</table>

□ 利息相当額の会計処理

各期の利息相当額＝リース債務の未返済元本残高×一定の利率

リース資産の計上価額	利息法の計算に用いる一定の利子率
貸手の購入価額	リース料総額の割引現在価値が貸手の購入価額と等しくなる利率
見積現金購入価額	リース料総額の割引現在価値が見積現金購入価額と等しくなる利率
リース料総額の現在価値	リース料総額の割引現在価値の算定に用いた利子率（割引率）

なお、所有権移転外ファイナンス・リースにおいて、リース資産総額に重要性が乏しいと認められる場合には次の方法を適用することができる。

(1) リース料総額から利息相当額の合理的な見積額を控除しない方法（利子込み法）

(2) 利息相当額の総額をリース期間中の各期に配分する方法（利子抜き法）

□ セール・アンド・リースバック取引におけるリース資産の計上額

セール・アンド・リースバック取引におけるリース資産の算定方法は、所有権移転ファイナンス・リース取引か所有権移転外ファイナンス・リース取引かによって、異なります。

	リース資産の計上額
所有権移転ファイナンス・リース	実際の売却価額
所有権移転外ファイナンス・リース	実際の売却価額とリース料総額の割引現在価値とのいずれか低い方

CHAPTER 9

固定資産の減損会計

ここでは、固定資産の減損会計を学習していきます。計算自体は簡単なので、自分がどの段階の計算方法を学習しているのかを意識して読み進めましょう。

Chapter 9

資産会計

固定資産の減損会計

>>測定までの流れをおさえよう！

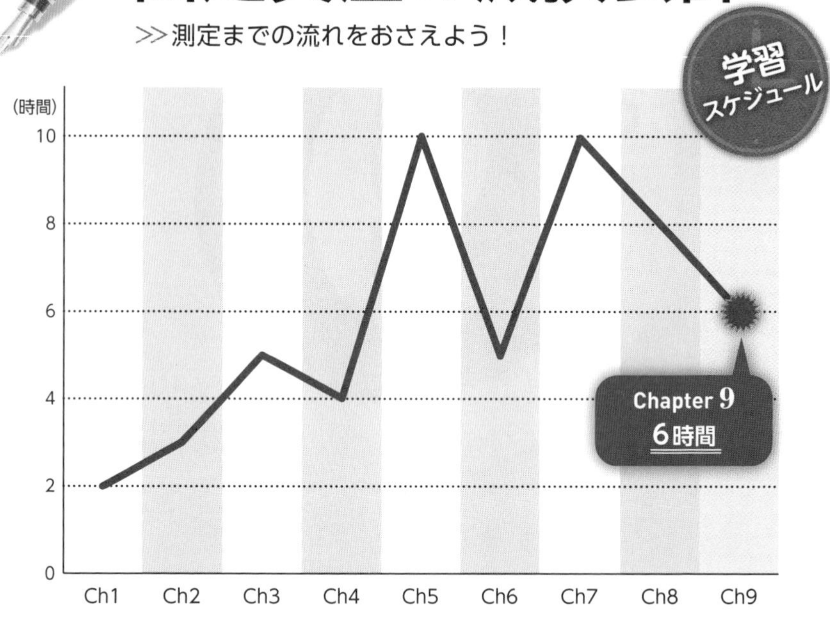

Check List

- □ 減損損失の認識の判定方法を理解しているか？
- □ 回収可能価額、正味売却価額、使用価値の意味を理解しているか？
- □ 減損損失の測定および会計処理を理解しているか？
- □ 資産のグルーピングがある場合の計算方法を理解しているか？
- □ 共用資産がある場合の会計処理を理解しているか？

Link to 財務諸表論② Chapter10 固定資産の減損会計

財務諸表論では、減損会計の理論的な根拠を学習します。理論的な根拠をおさえることで計算の理解も深まりますので、関連づけて学習しましょう。

1：減損会計とは

減損会計の意義

固定資産の減損とは、固定資産の収益性の低下により投資額の回収が見込めなくなった状態をいいます。

また、減損処理とは、固定資産に減損が生じている場合に、一定の条件のもとで回収可能性を反映させるように帳簿価額を減額する会計処理のことです。

Point 減損会計の適用対象について

減損会計の適用の対象となる資産には、次のものがあります。

・有形固定資産（土地、建物、機械装置、共用資産など）

・無形固定資産（のれん、借地権など）

なお、他の基準に減損の規定がある固定資産は、減損会計の対象外となります。

減損会計の必要性

備品、建物などの固定資産は、取得原価主義に基づき取得原価から減価償却累計額を控除した金額（固定資産の帳簿価額）によって評価します。

しかし、固定資産の収益性（固定資産の利用によって得られる収益）が低下し、投資額（固定資産の帳簿価額）の回収が見込めなくなることがあります。このような場合、過大に評価された帳簿価額を減額することにより、将来に損失を繰り延べないための処理が必要となります。

ここは減損会計の基本なので、サッと読んでどんどん進みましょう！

減損会計の流れ

減損会計は、次の流れに従って減損の金額を計算します。

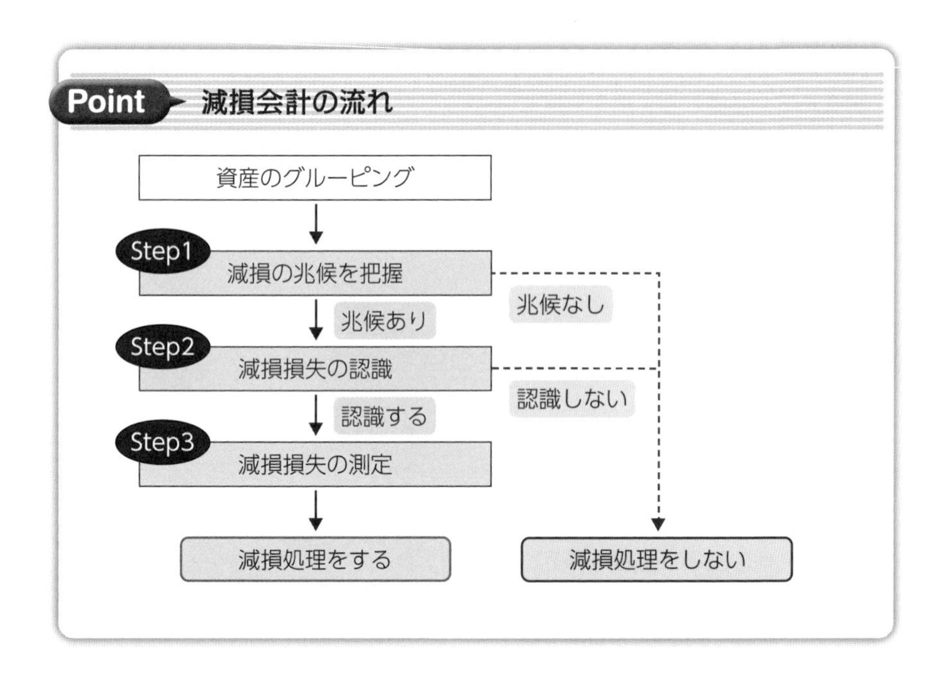

資産のグルーピングについては、後出の**資産のグルーピング**を参照してください。

減損の兆候を把握 Step1

減損の兆候とは、資産または資産グループに減損が生じている可能性を示す事象のことです。

Point 減損の兆候の具体例

・営業活動から生じる損益またはキャッシュ・フローが継続してマイナスの場合

具体例	資産または資産グループが使用されている営業活動から生じる損益またはキャッシュ・フローが、継続してマイナスとなっているか、または、継続してマイナスとなる見込みである場合

・使用範囲または方法について回収可能価額を著しく低下させる変化がある場合

具体例	資産または資産グループが遊休状態になり、将来の用途が定まっていないこと

・経営環境の著しい悪化の場合

具体例	材料価格の高騰や、製品・商品の店頭価格やサービス料金、賃料水準の大幅な下落、製品・商品の販売量の著しい減少などが続いているような市場環境の著しい悪化

減損の兆候を把握する理由

企業が保有する固定資産すべてについて減損損失を認識するかどうかの判定を行うことは、実務上、過大な負担となるため、減損が生じている固定資産を効率的に発見するために、まず減損の兆候を把握します。

減損損失の認識 Step2

(1) 減損損失の認識

減損の兆候がある資産または資産グループについて、当該資産または資産グループから得られる割引前将来キャッシュ・フロー（CF）の総額がこれらの帳簿価額を下回る場合には、減損損失を認識します。

Point 割引前将来キャッシュ・フローの計算

例） 毎年50円のキャッシュ・フローが２年間生じ、２年後の期末に10円で売却できる機械の割引前将来キャッシュ・フロー

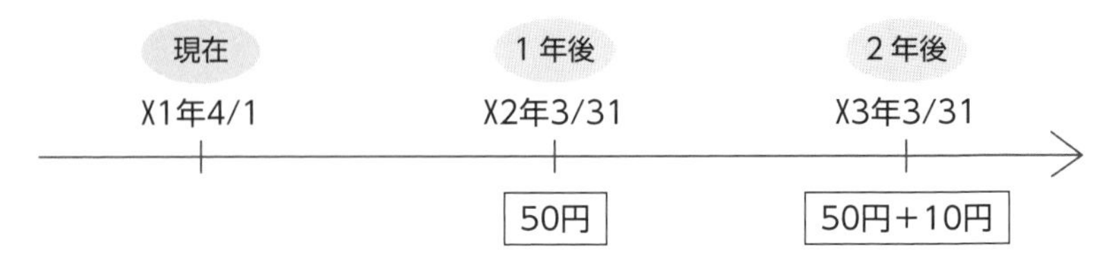

50円（X2年3/31）＋（50円＋10円）（X3年3/31）＝110円（割引前将来キャッシュ・フロー）

割引前将来キャッシュ・フローの総額が帳簿価額より小さい場合は減損損失を認識します。逆に、大きい場合には減損損失の認識は行われません。

割引前将来キャッシュ・フローを使用する理由

減損損失の認識は、どうして割引前将来キャッシュ・フローで判断するのですか？　割引後のほうが正確だと思うのですが？

それは将来キャッシュ・フローには、経営者の主観が含まれているからです。つまり、減損の基準では、減損の存在が相当程度に確実な場合に限って減損損失を認識することが適当だと考えているので、割引後に比べて金額の大きい割引前将来キャッシュ・フローの総額が帳簿価額を下回る場合には、減損損失を認識することにしています。

例題 減損損失の認識

次の資料に基づいて、減損の兆候が認められる機械A、B、Cについて減損損失を認識すべきかどうかを判定しなさい。なお、耐用年数経過後の処分価値は残存価額と一致する。

［資　料］

	機械A	機械B	機械C
取得原価	7,500円	3,500円	5,000円
減価償却累計額	4,200円	2,300円	1,200円
残存価額	0円	0円	100円
残存耐用年数	4年	2年	5年
毎年の割引前将来CF	750円	400円	800円

解答

機械A：減損損失を認識する

機械B：減損損失を認識する

機械C：減損損失を認識しない

〈機械A〉

①　帳簿価額：7,500円－4,200円＝3,300円

②　将来CF：750円×4年＝3,000円

③　3,300円＞3,000円→減損損失を認識する

〈機械B〉

①　帳簿価額：3,500円－2,300円＝1,200円

②　将来CF：400円×2年＝800円

③　1,200円＞800円→減損損失を認識する

〈機械C〉

①　帳簿価額：5,000円－1,200円＝3,800円

②　将来CF：800円×5年＋100円＝4,100円

③　3,800円＜4,100円→減損損失を認識しない

機械A・Bは減損損失を認識するため、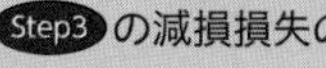の減損損失の測定を行います。

減損損失の測定 Step3

減損損失を認識すべきであると判定された資産または資産グループについては、帳簿価額を回収可能価額まで減額し、当該減少額を減損損失として当期の損失とします。

減損損失＝帳簿価額－回収可能価額

減損損失には、税効果会計を適用することがあります。本試験では、問題文の指示に従ってください。

回収可能価額とは、正味売却価額と使用価値のいずれか高い方の金額のことです。

正味売却価額
使　用　価　値
いずれか高い金額⇒回収可能価額

Point 正味売却価額と使用価値

〈正味売却価額〉

正味売却価額とは、資産または資産グループの時価から処分費用見込額を控除した金額のこと

正味売却価額＝時価－処分費用見込額

〈使用価値〉

使用価値とは、資産または資産グループの継続的使用と使用後の処分によって生じると見込まれる将来キャッシュ・フローの現在価値のこと

使用価値＝将来キャッシュ・フローの現在価値

例)　毎年50円のキャッシュ・フローが2年間生じ、2年後の期末に10円で売却できる機械の使用価値（割引率5％、円未満四捨五入）

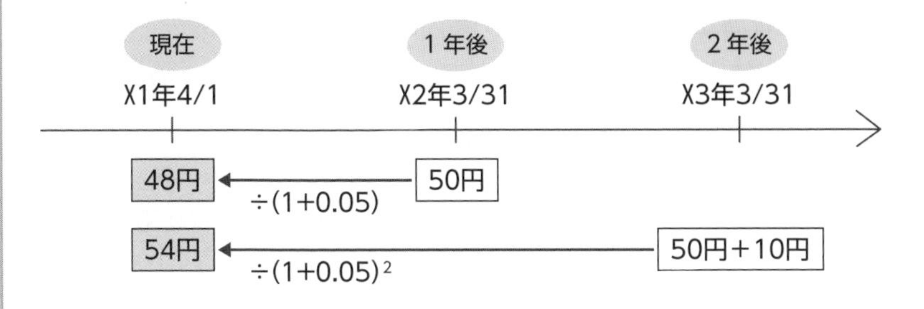

使用価値：

$$\frac{50円}{1+0.05}+\frac{50円+10円}{(1+0.05)^2}=102.04\cdots\rightarrow 102円$$（円未満四捨五入）

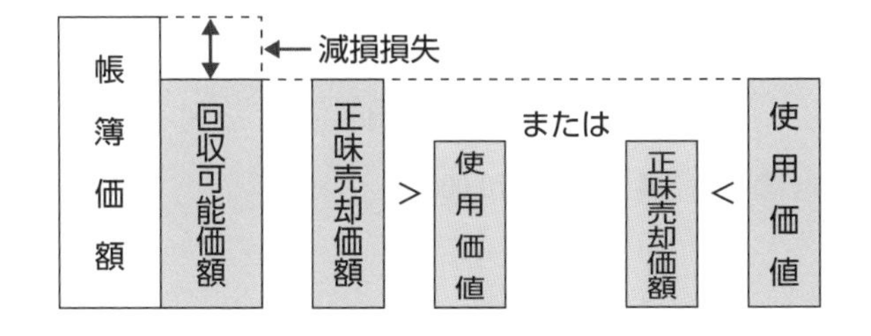

使用価値の算定にあたって現価係数や年金現価係数が与えられている場合は、割引計算は現価係数や年金現価係数を用いて計算します。

プラスα　回収可能価額について

減損の測定時においては、正味売却価額と使用価値を比較し、高い金額を回収可能価額とします。

企業は、減損の測定時において、売却したほうが得か、それともそのまま使い続けたほうが得かを考えて有利な方を選択するため、回収可能価額は企業にとって有利な金額、つまり高い方の金額が回収可能価額となるのです。

例題 **減損損失の認識・測定**

当期末に保有する次の機械および備品について、減損の兆候が認められた。減損損失を認識するかどうかを判断し、減損損失を認識する場合には、減損損失の金額および仕訳を示しなさい。

	機械	備品
取得原価	850,000円	600,000円
減価償却累計額	350,000円	370,000円
割引前将来キャッシュ・フロー	470,000円	245,000円
正味売却価額	430,000円	185,000円
使用価値	380,000円	199,000円

解答 **減損損失の金額：機械　70,000円**
備品　　―　円

(減損損失)	70,000	(機械)	70,000

1．機械

(1)　減損損失の認識

①　帳簿価額：850,000円－350,000円＝500,000円

②　割引前将来キャッシュ・フロー：470,000円

③　①＞②→減損損失を認識する

(2)　減損損失の測定

①　正味売却価額：430,000円

②　使用価値：380,000円

③　回収可能価額：①＞②→430,000円

∴減損損失：500,000円－430,000円＝70,000円

2．備品

(1)　減損損失の認識

①　帳簿価額：600,000円－370,000円＝230,000円

②　割引前将来キャッシュ・フロー：245,000円

③　①＜②→減損損失を認識しない

減損損失は、原則として固定資産から直接控除します。ただし、減損損失累計額または減価償却累計額とすることもできます。

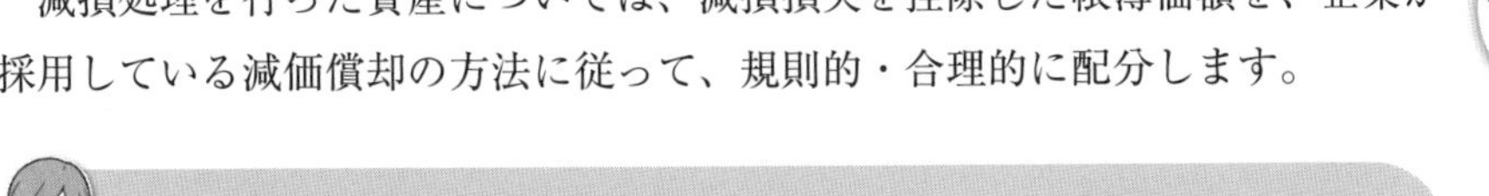

減損損失処理後の減価償却

減損処理を行った資産については、減損損失を控除した帳簿価額を、企業が採用している減価償却の方法に従って、規則的・合理的に配分します。

翌期以降に減損損失の戻入れは行いません。

減損処理後の会計処理

減損処理を行った資産については、減損損失の戻入れはしないで、減損損失を控除した帳簿価額で減価償却を行うということですが、どうしてそういう処理になるのですか？

減損の基準では、減損の存在が相当程度確実な場合に限って減損損失の認識や測定をするからです。あと、減損損失の戻入れは事務的負担が増えるおそれがあるので、行わないことになっています。

資産のグルーピング

(1) 資産のグルーピングの単位

複数の資産が一体となって独立したキャッシュ・フローを生み出す場合には、**資産のグルーピング**を行って減損会計を適用します。この資産のグルーピングは、ほかの資産または資産グループからおおむね独立したキャッシュ・フローを生み出す最小の単位で行います。

Point グルーピング単位の具体例

グルーピング単位	含まれる資産
工　　場	土地、建物、機械装置、車両、無形固定資産など
支店・営業所	土地、建物、車両など
投資不動産	土地、建物など

資産のグルーピングについて

製品を作る工場（建物）に機械があったとします（この工場と機械をグループAとします）。通常、工場だけ、もしくは機械だけでは製品を作ってキャッシュ・フローを生み出すことはできません。両者がそろってはじめて、製品を作ってキャッシュ・フローを生み出す体制が機能します。そのため、グループAを独立したキャッシュ・フローを生み出す最小の単位としてグルーピングを行います。

グループA

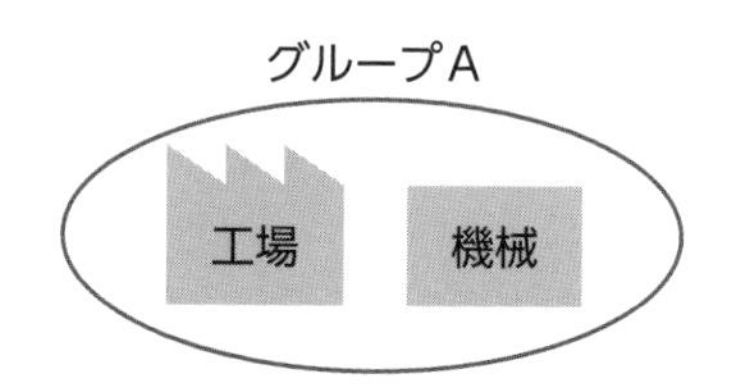

また、グループA以外にも、ほかの製品を作る工場（建物）と機械があるとします（この工場と機械をグループBとします）。

このグループBが、グループAの支援なしに製品を作り、キャッシュ・フローを生み出すことができるならば、両者をグルーピングしてはいけません。この場合、両者を別々の単位としてグルーピングを行います。

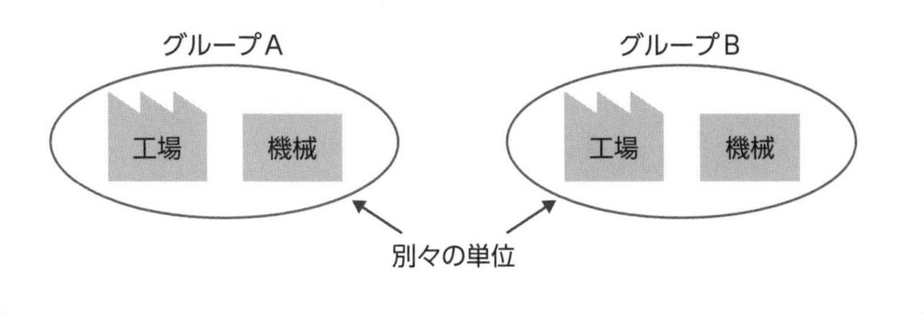

(2) 資産グループにおける減損の適用

資産グループにおける減損会計の適用は、資産グループ全体で減損損失の認識と測定をし、帳簿価額に基づく比例配分などの合理的な方法によって、減損損失相当額を各資産に配分します。

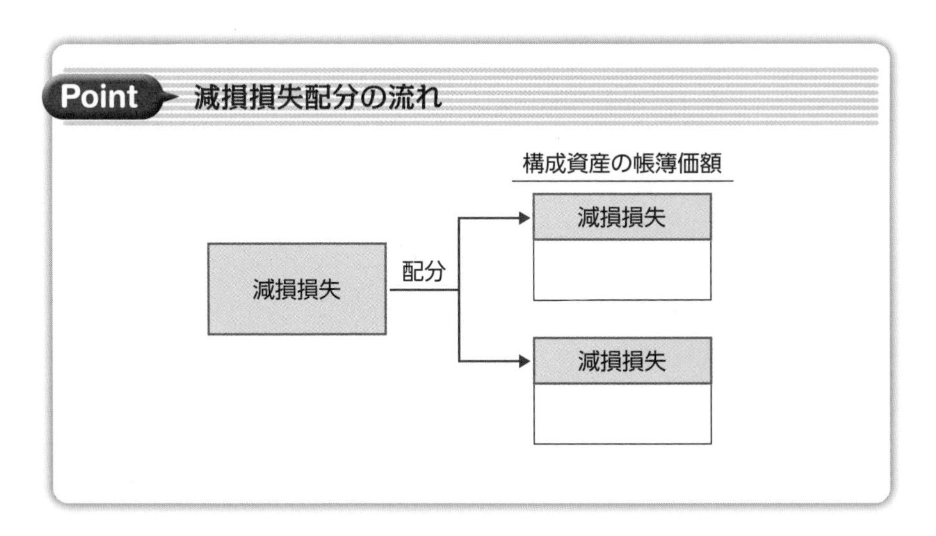

減損損失の配分

次の資料に基づいて、資産グループAについて減損損失に関する仕訳(単位：千円）を示しなさい。

［資　料］

1．資産グループAは、減損の兆候が認められ、割引前将来キャッシュ・フローも帳簿価額を下回ることから、減損損失を認識することとした。

2．資産グループAの各構成資産および帳簿価額

	建　物	機　械	土　地
帳簿価額	1,800千円	1,200千円	3,000千円

3．資産グループAの正味売却価額：3,300千円

4．資産グループAの使用価値：3,750千円

5．資産グループAについて認識された減損損失は、減損処理適用前の帳簿価額に基づいて各構成資産に配分する。

（仕訳の単位：千円）

（減　損　損　失）	2,250	（建　　物）	675
		（機　　械）	450
		（土　　地）	1,125

(1)　回収可能価額の算定

正味売却価額3,300千円＜使用価値3,750千円　∴回収可能価額3,750千円

(2)　減損損失の測定

帳簿価額合計（1,800千円＋1,200千円＋3,000千円）－3,750千円
＝2,250千円

(3)　減損損失の配分

$$建物：2,250千円\times\frac{1,800千円}{1,800千円+1,200千円+3,000千円}=675千円$$

$$機械：2,250千円\times\frac{1,200千円}{1,800千円+1,200千円+3,000千円}=450千円$$

$$土地：2,250千円\times\frac{3,000千円}{1,800千円+1,200千円+3,000千円}=1,125千円$$

グループ単位で全体の減損損失を求めてから、各資産に配分します。

⑶ 構成資産の正味売却価額が容易に把握できる場合

構成資産の正味売却価額が容易に把握できる場合には、構成資産の帳簿価額が正味売却価額を下回らないようにするために、超過額を合理的な基準により、他の構成資産に減損損失を配分（再配分）します。

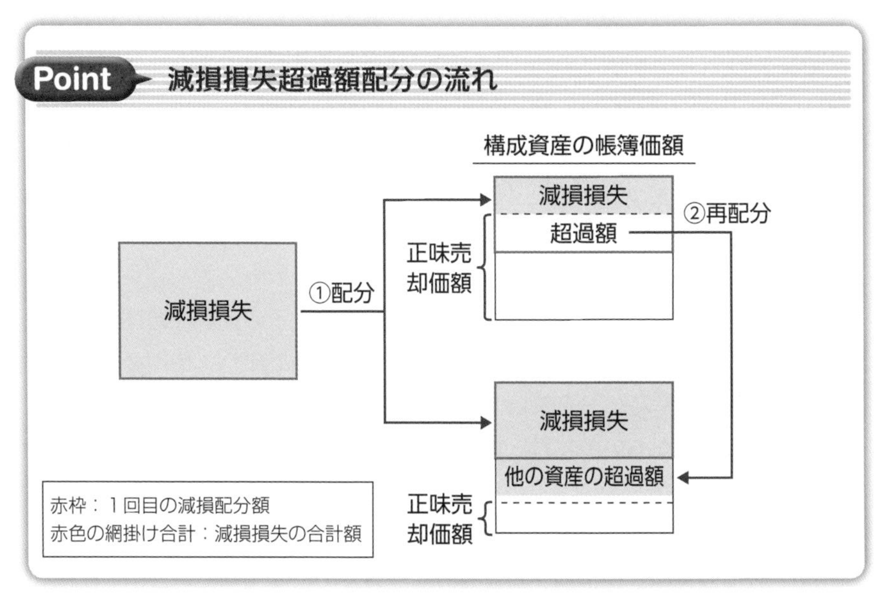

上記の処理は、減損損失が生じている場合であっても、構成資産には少なくとも正味売却価額以上の価値はあると考えられるため行われます。

減損会計―総合問題

次の資料に基づいて、減損損失に関する仕訳（単位：千円）を示しなさい。

［資　料］

決算整理前残高試算表　（単位：千円）

建　物	150,000	建物減価償却累計額	52,500
土　地	210,000		

1．Ａ社は、土地を取得してその上に建物を建設し、一体として賃貸用不動産としているが、当期末（X14年３月31日）において減損会計を適用し、減損の兆候の識別を行ったところ、減損の兆候があることが判明した。

2．減価償却の方法等は、次に示すとおりである（単位：千円）。

資産の種類	取得原価	耐用年数	残存割合	償却方法	取得年月日
建　物	150,000	18年	10%	定額法	X6年４月１日
土　地	210,000	―	―	―	X4年４月１日

3．減損処理に関する事項

①　経済的残存使用年数は４年間と見積もられ、その期間における将来キャッシュ・フローの見積額は毎期30,000千円であり、使用後の処分時における見積処分価額は150,000千円である。

②　割引率は年５％であり、期間４年の年金現価係数は3.54、現価係数は0.82である。

③　正味売却価額：210,000千円（建物45,000千円、土地165,000千円）

④　減損損失は、減損損失認識時の構成資産の帳簿価額に基づいて比例配分する。

⑤　減損損失配分後における構成資産の帳簿価額が正味売却価額を下回る場合、当該超過額は他の構成資産に再配分する。

解答

（仕訳の単位：千円）

（減損損失）	70,800	（建物）	25,800
		（土地）	45,000

(1) 当期の減価償却

減損は期末の帳簿価額に基づいて認識・測定するため、まずは減価償却の処理を行います。

（建物減価償却費）	7,500*	（建物減価償却累計額）	7,500

＊ 150,000千円×0.9×$\frac{1年}{18年}$＝7,500千円

(2) 減損損失の認識の判定

(イ) 帳簿価額：建物（150,000千円－52,500千円－7,500千円）
＋土地210,000千円＝300,000千円

(ロ) 割引前将来CF：30,000千円×４年＋150,000千円＝270,000千円

(ハ) (イ)＞(ロ)→減損損失を認識する

(3) 減損損失の測定・配分（単位：千円）

	建物	土地	合計	備考
帳簿価額	90,000	210,000	300,000	＊1
減損損失	21,240	49,560	70,800	＊3
減損処理後の帳簿価額	68,760	160,440	229,200	＊2

＊1 減損損失認識時の帳簿価額

＊2 回収可能価額

(イ) 使用価値：30,000千円×3.54＋150,000千円×0.82＝229,200千円

(ロ) 正味売却価額：210,000千円

(ハ) (イ)＞(ロ)→使用価値229,200千円

＊3 帳簿価額合計300,000千円－回収可能価額229,200千円＝減損損失70,800千円

(イ) 建物：70,800千円×$\frac{90,000千円}{300,000千円}$＝21,240千円

(ロ) 土地：70,800千円×$\frac{210,000千円}{300,000千円}$＝49,560千円

(4) 減損損失超過額の他の構成資産への再配分

(3)の場合、土地の帳簿価額が正味売却価額165,000千円を下回ってしまうため、超過額4,560千円（165,000千円－160,440千円）について建物へ再配分することになります。

(イ) 建物：21,240千円＋超過額4,560千円＝25,800千円

(ロ) 土地：49,560千円－超過額4,560千円＝45,000千円

なお、翌期末における建物の減価償却費を示すと次のようになります（減損処理後の残存使用年数は４年、償却方法と残存価額は減損処理前と同じとします）。

(建物減価償却費)	12,300*	(建物減価償却累計額)	12,300

* {建物124,200千円－減価償却累計額60,000千円－残存価額（150,000千円×10%)}×$\frac{1年}{4年}$＝12,300千円

減損損失の戻入れは行わないため、建物の帳簿価額は取得原価から減損損失を控除したあとの金額になっています。

問題 >>> 問題編の**問題１**～**問題２**に挑戦しましょう！

2：共用資産の減損損失

Rank B

共用資産の意義

共用資産とは、複数の資産または資産グループの将来キャッシュ・フローを生み出すのに貢献する資産のことです。

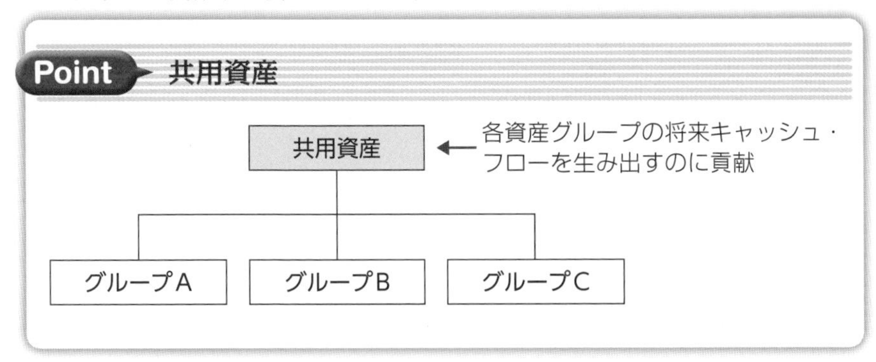

本社の建物などのように、全社的な将来キャッシュ・フローを生み出すのに貢献する資産などが共用資産に該当します。

共用資産の減損損失

共用資産がある場合の処理方法には、共用資産と共用資産が関連する資産または資産グループを、**より大きな単位でグルーピングする方法**（原則）と、**共用資産の帳簿価額を各資産または資産グループに配分する方法**（容認）があります。

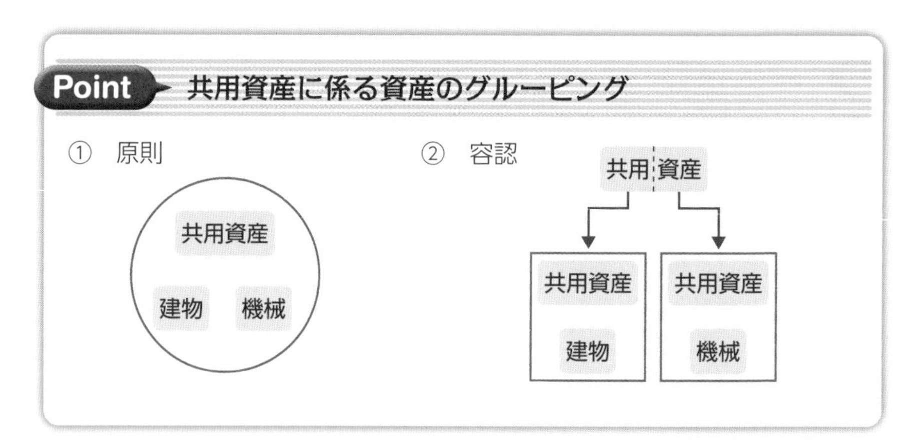

本書では、学習上の重要性を考慮し、原則法である共用資産を含むより大きな単位でグルーピングする方法を取り扱います。

より大きな単位でグルーピングする方法（原則）

共用資産に減損の兆候がある場合、減損の兆候の把握、減損損失を認識するかどうかの判定および減損損失の測定は、まず、資産または資産グループごとに行い、その後、より大きな単位で行います。

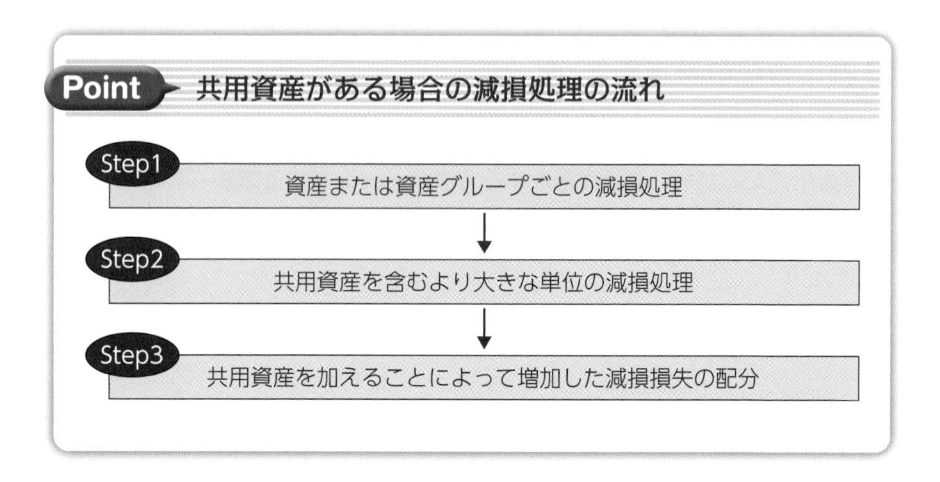

(1) 資産または資産グループごとの減損処理 Step1

まず、共用資産を含めずに、資産または資産グループごとに減損の兆候の把握、減損損失の認識、測定を行います。

この手続は、通常の減損処理の計算と同じです。

(2) 共用資産を含むより大きな単位の減損処理 Step2

① 減損損失の認識

共用資産を含むより大きな単位から得られる割引前将来キャッシュ・フローの総額が、減損損失控除前の帳簿価額合計を下回る場合に、減損損失を認識します。

減損損失控除前の帳簿価額合計とは、各資産または資産グループの帳簿価額合計に共用資産の帳簿価額を加えた金額です。

② 減損損失の測定

(イ) より大きな単位から測定された減損損失

減損損失を認識すべきであると判定された、より大きな単位については、減損損失控除前の帳簿価額合計を回収可能価額まで減額し、当該減少額を減損損失として当期の損失とします。

より大きな単位での減損損失
＝減損損失控除前の帳簿価額合計－回収可能価額

(ロ) 共用資産の減損損失（減損損失の増加額）

より大きな単位から測定された減損損失から、資産または資産グループごとの減損損失を控除した額が共用資産の減損損失になります。

共用資産の減損損失
＝より大きな単位から測定された減損損失－資産または資産グループごとの減損損失

(3) 減損損失超過額の配分 Step3

共用資産を加えることによって算定される減損損失の増加額は、原則として共用資産に配分します。ただし、共用資産に配分される減損損失が、共用資産の帳簿価額と正味売却価額の差額を超過することが明らかな場合には、当該超過額を各資産または資産グループに合理的な基準により配分します。

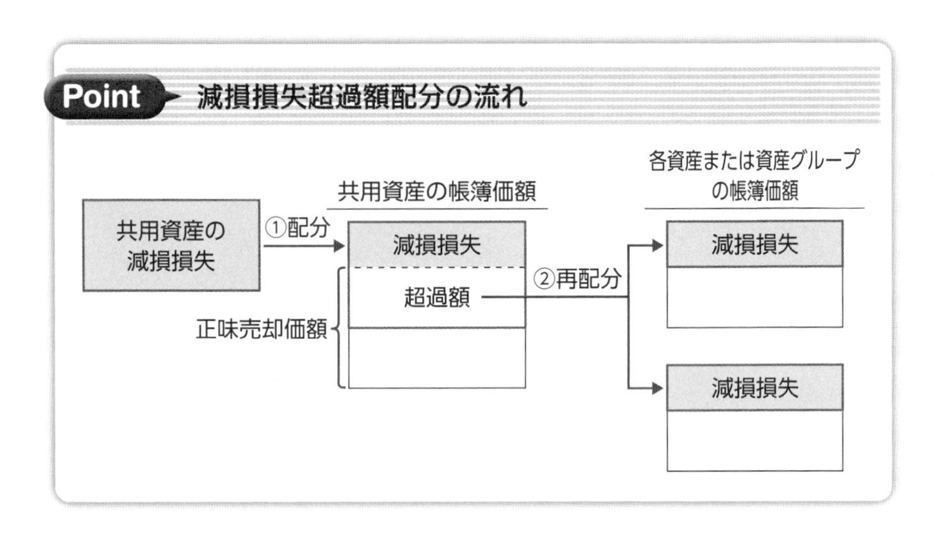

減損損失超過額の配分方法

各資産または資産グループに対する共用資産の減損損失超過額の配分方法には、各資産または資産グループの帳簿価額の比率などにより配分する方法と、各資産または資産グループの帳簿価額と回収可能価額の差額の比率などにより配分する方法があります。

どちらの方法を採用するかは、問題文の指示に従いましょう。

例題　共用資産の減損損失

次の資料に基づいて、各問における、資産グループA、B、C、共用資産の減損処理後の帳簿価額を答えなさい。共用資産を含めて減損損失を認識する場合には、共用資産を加えることによって算定された減損損失の増加額を共用資産に対する減損損失とする。

［資　料］

1．資産グループA、B、Cおよび共用資産の帳簿価額と割引前将来キャッシュ・フロー

（単位：千円）

	A	B	C	小計	共用資産	合計
帳簿価額	2,800	4,200	5,880	12,880	2,800	15,680
割引前将来キャッシュ・フロー	−	4,480	5,040	−	−	−

2．資産グループBおよびCに減損の兆候がある。また、共用資産にも減損の兆候がある。

3．資産グループCの回収可能価額は3,500千円であり、資産グループA、Bの回収可能価額は不明である。

4．共用資産を含むより大きな単位での割引前将来キャッシュ・フローは15,120千円、回収可能価額は10,360千円である。

5．共用資産の正味売却価額は910千円である。

問1　共用資産の減損損失超過額を、各資産グループの帳簿価額の比率により配分しなさい。なお、各資産グループの帳簿価額が回収可能価額を下回らないように配分すること。

問2　共用資産の減損損失超過額を、各資産グループの帳簿価額と回収可能価額の差額の比率により配分しなさい。この場合における、資産グループA、Bの回収可能価額は、それぞれ2,100千円、2,800千円であるものとする。

解答

問１

（単位：千円）

	A	B	C	共用資産
減損処理後の帳簿価額	2,380	3,570	3,500	910

問２

（単位：千円）

	A	B	C	共用資産
減損処理後の帳簿価額	2,450	3,500	3,500	910

〈問１〉

⑴ 資産グループA、B、C

① 減損の兆候の把握および減損損失の認識の判定

(イ) 資産グループA：減損の兆候がない→減損損失は認識しない

(ロ) 資産グループB：帳簿価額＜割引前将来CF→減損損失は認識しない

(ハ) 資産グループC：帳簿価額＞割引前将来CF→減損損失を認識する

② 減損損失の測定（資産グループC）

帳簿価額5,880千円－回収可能価額3,500千円＝減損損失2,380千円

まずは、共用資産は考慮せずに、各資産グループごとに減損処理を行います。

⑵ 資産グループに共用資産を加えたより大きな単位

① 減損損失の認識の判定

帳簿価額合計15,680千円＞割引前将来CF15,120千円→減損損失を認識する

② より大きな単位から測定された減損損失

減損損失控除前の帳簿価額15,680千円－回収可能価額10,360千円

＝減損損失5,320千円

⑶ 共用資産の減損損失（減損損失の増加額）の測定

5,320千円－2,380千円＝2,940千円

⑷ 共用資産の減損損失超過額

共用資産の減損損失2,940千円－（共用資産の帳簿価額2,800千円

－共用資産の正味売却価額910千円）＝1,050千円

⑸ 各資産グループA、B、Cおよび共用資産への配分額

① 共用資産の減損損失超過額を各資産グループの帳簿価額の比率により配分する場合

資産グループA：1,050千円×$\frac{\text{A2,800千円}}{\text{A2,800千円＋B4,200千円＋C3,500千円}}$
＝280千円→配分後帳簿価額2,520千円

資産グループB：1,050千円×$\frac{\text{B4,200千円}}{\text{A2,800千円＋B4,200千円＋C3,500千円}}$
＝420千円→配分後帳簿価額3,780千円

資産グループC：1,050千円×$\frac{\text{C3,500千円}}{\text{A2,800千円＋B4,200千円＋C3,500千円}}$
＝350千円→配分後帳簿価額3,150千円

（単位：千円）

	A	B	C	小計	共用資産	合計
帳簿価額	2,800	4,200	5,880	12,880	2,800	15,680
減損損失	280	420	2,730	3,430	1,890	5,320
減損処理後の帳簿価額	2,520	3,780	3,150	9,450	910	10,360

上記①の計算は、計算過程を理解するために記載しましたが、資産グループCは回収可能価額3,500千円まで減額しているため、それ以上減損の配分ができないので、この計算は省略してもかまいません。

② 資産グループCの帳簿価額が回収可能価額3,500千円を下回ってしまうため、資産グループA、Bのみに配分する。

資産グループA：1,050千円×$\frac{\text{A2,800千円}}{\text{A2,800千円＋B4,200千円}}$
＝420千円→配分後帳簿価額2,380千円

資産グループB：1,050千円×$\frac{\text{B4,200千円}}{\text{A2,800千円＋B4,200千円}}$
＝630千円→配分後帳簿価額3,570千円

（単位：千円）

	A	B	C	小計	共用資産	合計
帳簿価額	2,800	4,200	5,880	12,880	2,800	15,680
減損損失	420	630	2,380	3,430	1,890	5,320
減損処理後の帳簿価額	2,380	3,570	3,500	9,450	910	10,360

共用資産配分後の帳簿価額の金額によっては、再配分が必要になりますので、各資産グループの共用資産配分後の帳簿価額と回収可能価額の金額に注意しましょう。

〈問2〉

(1)~(4)までは、問1と同様の計算をします。

(5) 各資産グループA、B、Cおよび共用資産への配分額

① 各資産グループの帳簿価額と回収可能価額の差額

資産グループA：帳簿価額2,800千円－回収可能価額2,100千円＝700千円

資産グループB：帳簿価額4,200千円－回収可能価額2,800千円＝1,400千円

資産グループC：(帳簿価額5,880千円－減損損失2,380千円)－回収可能価額3,500千円＝ 0千円

② 各資産グループへの配分額

$$資産グループA：1,050千円\times\frac{A700千円}{A700千円+B1,400千円}=350千円$$

$$資産グループB：1,050千円\times\frac{B1,400千円}{A700千円+B1,400千円}=700千円$$

(単位：千円)

	A	B	C	小計	共用資産	合計
帳簿価額	2,800	4,200	5,880	12,880	2,800	15,680
減損損失	350	700	2,380	3,430	1,890	5,320
減損処理後の帳簿価額	2,450	3,500	3,500	9,450	910	10,360

問題 >>> 問題編の**問題3~問題5**に挑戦しましょう！

参考 割引前将来キャッシュ・フローの見積期間

割引前将来キャッシュ・フローの見積期間

減損損失の認識を行うときの割引前将来キャッシュ・フローの見積期間は、資産または主要な資産の経済的残存使用年数と20年のいずれか短い方とします。

期間が長くなればなるほどより主観的となるため、20年という一定期間が定められています。

① **経済的残存使用年数が20年を超えない場合**

経済的残存使用年数までの割引前将来キャッシュ・フローに、経済的残存使用年数経過時点における正味売却価額を加算して求めます。

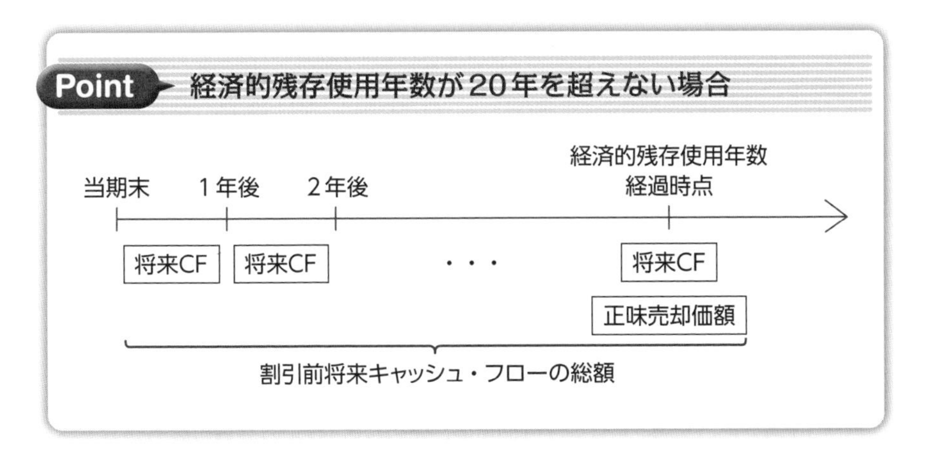

例題 **割引前将来キャッシュ・フロー①**

減損の判定における割引前将来キャッシュ・フローの総額を算定しなさい。

［資　料］

1．資産の経済的残存使用年数12年、12年経過時点の正味売却価額は700円である。

2．各期の割引前将来キャッシュ・フローは200円である。

解答 **割引前将来キャッシュ・フローの総額：3,100円***

＊　200円×12年＋700円（正味売却価額）＝3,100円

②　経済的残存使用年数が20年を超える場合

21年目以降に見込まれる将来キャッシュ・フローと正味売却価額を、20年経過時点まで割り引いて回収可能価額を算定し、その金額を20年目までの割引前将来キャッシュ・フローに加算して求めます。

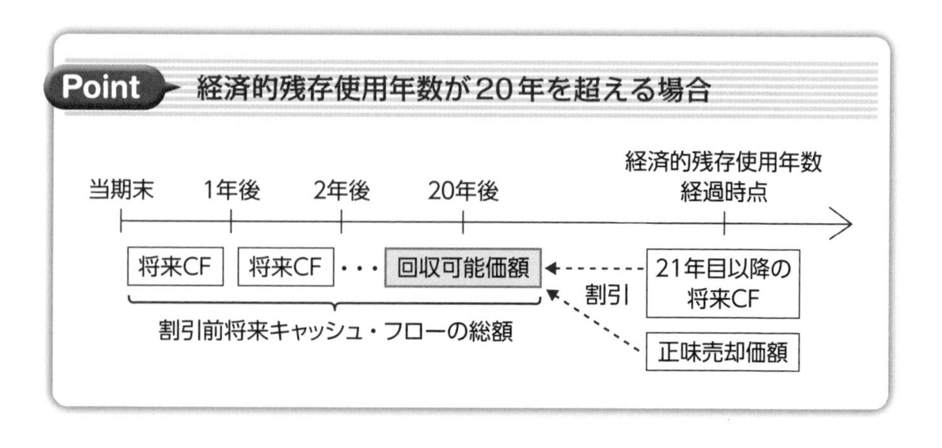

例題　割引前将来キャッシュ・フロー②

減損の判定における割引前将来キャッシュ・フローの総額を算定しなさい。なお、割引率は５％とする。また、計算上、円未満の端数が生じた場合は、四捨五入すること。

［資　料］

1．資産の経済的残存使用年数25年、20年経過時点の正味売却価額は3,000円、25年経過時点の正味売却価額は2,500円である。

2．経済的残存使用年数までの各期の割引前将来キャッシュ・フローは250円である。

解答

割引前将来キャッシュ・フローの総額：8,041円＊1

＊1　250円×20年＋3,041円＊2＝8,041円

＊2　①　20年経過時点の正味売却価額：3,000円

②　20年経過時点の使用価値：3,041円

$$\frac{250円}{1.05}+\frac{250円}{1.05^2}+\frac{250円}{1.05^3}+\frac{250円}{1.05^4}+\frac{250円+2,500円}{1.05^5}=3,041円$$

（円未満四捨五入）

③　20年経過時点の回収可能価額：①3,000円＜②3,041円
→3,041円

参考 のれんの減損損失

のれんの減損損失

のれんがある場合、のれんにも減損会計を適用します。

のれんの分割

複数の事業に係るのれんがある場合には、のれんの帳簿価額を各事業の時価などを基準にして分割します。

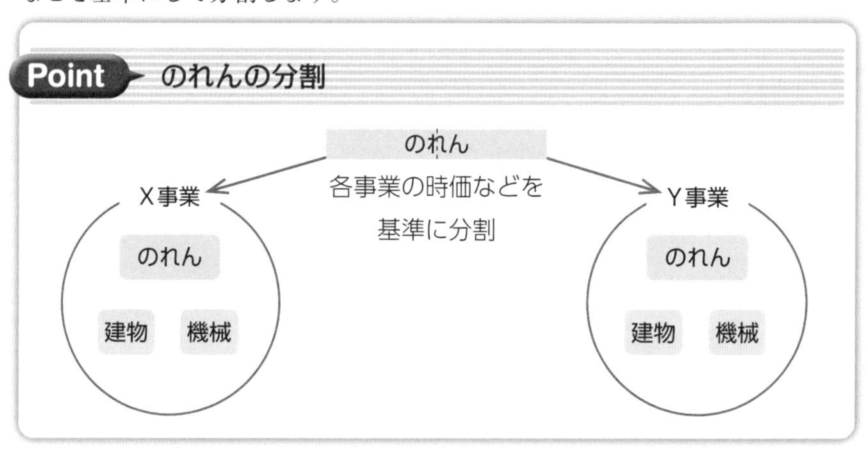

例題 のれんの分割

次の資料に基づいて、のれんを分割しなさい。のれんはX事業部およびY事業部に係るものである。

［資　料］

1．のれんの未償却残高は750千円である。
2．のれんが認識された時点におけるX事業部の時価は2,700千円、Y事業部の時価は675千円である。
3．のれんの帳簿価額は各事業部の時価を基準に分割すること。

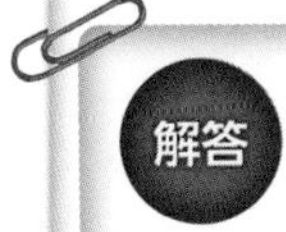

解答 **X事業部に係るのれん：600千円**
Y事業部に係るのれん：150千円

X事業部に係るのれん：$750千円 \times \frac{2,700千円}{2,700千円 + 675千円} = 600千円$

Y事業部に係るのれん：$750千円 \times \frac{675千円}{2,700千円 + 675千円} = 150千円$

のれんに係る資産のグルーピング

のれんがある場合の減損処理方法には、**のれんを含むより大きな単位でグルーピングする方法**（原則）と、**のれんの帳簿価額を各資産または資産グループに配分する方法**（容認）があります。

Point のれんに係る資産のグルーピング

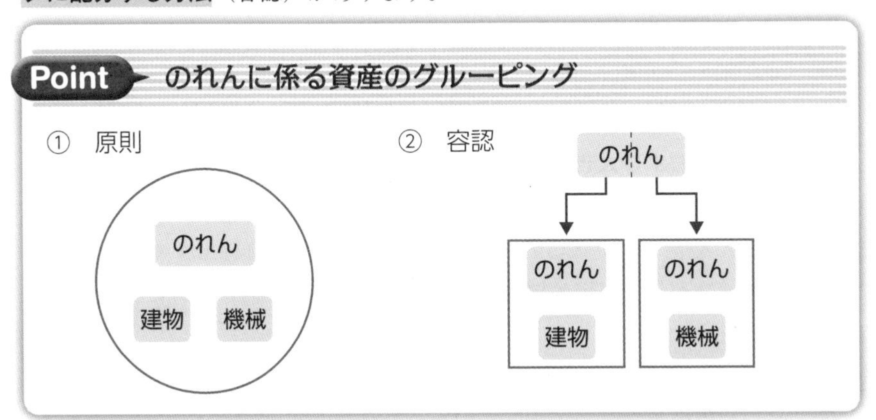

共用資産に係る資産のグルーピングと同様です。本書では学習上の重要性を考慮し、原則法であるのれんを含むより大きな単位でグルーピングする方法を取り扱います。

より大きな単位でグルーピングする方法（原則）

のれんに減損の兆候がある場合、減損の兆候の把握、減損損失を認識するかどうかの判定および減損損失の測定は、まず、資産または資産グループごとに行い、その後、より大きな単位で行います。

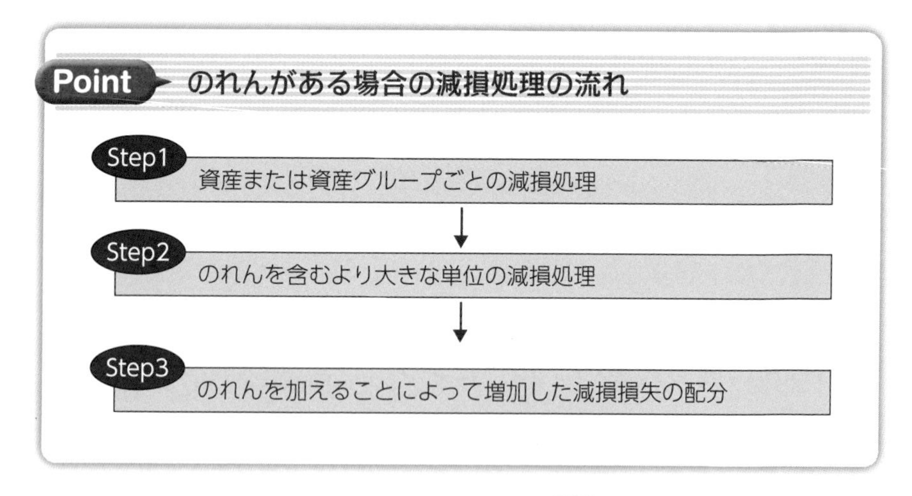

(1) 資産または資産グループごとの減損処理 Step1

まず、のれんを含めずに、資産または資産グループごとに減損の兆候の把握、減損損失の認識、測定を行います。

(2) のれんを含むより大きな単位の減損処理 Step2

① 減損損失の認識

のれんを含むより大きな単位から得られる割引前将来キャッシュ・フローの総額が、減損損失控除前の帳簿価額合計を下回る場合に、減損損失を認識します。

② 減損損失の測定

(イ) より大きな単位から測定された減損損失

減損損失を認識すべきであると判定された、より大きな単位については、減損損失控除前の帳簿価額合計を回収可能価額まで減額し、当該減少額を減損損失として当期の損失とします。

より大きな単位での減損損失
＝減損損失控除前の帳簿価額合計－回収可能価額

(ロ) のれんの減損損失（減損損失の増加額）

より大きな単位から測定された減損損失から資産または資産グループごとの減損損失を控除した額がのれんの減損損失になります。

のれんの減損損失＝
より大きな単位から測定された減損損失－資産または資産グループごとの減損損失

(3) 減損損失超過額の配分 Step3

のれんを加えることによって算定される減損損失の増加額は、原則としてのれんに配分します。ただし、のれんに配分される減損損失が、のれんの帳簿価額を超過することが明らかな場合には、のれんの帳簿価額をゼロとして当該超過額を各資産または資産グループに合理的な基準により配分します。

共用資産には、正味売却価額（処分価値）がいくらかあるので、基本的には正味売却価額まで減額し、ゼロまで減らす処理は行いませんでした。しかし、超過収益力を表すのれんは、減損が生じた時点で価値がなくなるので、ゼロまで減らします。

減損損失超過額の配分方法

各資産または資産グループに対するのれんの減損損失超過額の配分方法には、各資産または資産グループの帳簿価額の比率などにより配分する方法と、各資産または資産グループの帳簿価額と回収可能価額の差額の比率などにより配分する方法があります。

どちらの方法を採用するかは、問題文の指示に従いましょう。

例題 **のれんの減損損失**

次の資料に基づいて、X事業部における資産グループA、B、C、のれんの減損処理後の帳簿価額を答えなさい。のれんを含めて減損損失を認識する場合には、のれんを加えることによって算定された減損損失の増加額をのれんに対する減損損失とする。

また、のれんの減損損失超過額を、各資産グループの帳簿価額の比率により配分しなさい。なお、各資産グループの帳簿価額が回収可能価額を下回らないように配分すること。

[資　料]

1．X事業部の資産グループA、B、Cおよびのれんの帳簿価額と割引前将来キャッシュ・フロー

（単位：千円）

	A	B	C	小計	のれん	合計
帳簿価額	630	900	1,260	2,790	600	3,390
割引前将来キャッシュ・フロー	−	1,110	360	−	−	−

2．資産グループBおよび資産グループCに減損の兆候がある。また、のれんにも減損の兆候がある。

3．資産グループCの回収可能価額は300千円であり、資産グループA、Bの回収可能価額は不明である。

4．のれんを含むより大きな単位での割引前将来キャッシュ・フローは2,250千円であり、回収可能価額は1,524千円である。

5．のれんの回収可能価額は不明である。

解答

（単位：千円）

	A	B	C	のれん
減損処理後の帳簿価額	**504**	**720**	**300**	**0**

(1)　資産グループA、B、C

①　減損の兆候の把握および減損損失の認識の判定

(イ)　資産グループA：減損の兆候がない→減損損失を認識しない

(ロ)　資産グループB：帳簿価額＜割引前将来CF→減損損失を認識しない

(ハ)　資産グループC：帳簿価額＞割引前将来CF→減損損失を認識する

②　減損損失の測定（資産グループC）

帳簿価額1,260千円－回収可能価額300千円＝減損損失960千円

共用資産と同様に、まずは、のれんを考慮せずに、各資産グループごとに減損処理を行います。

⑵ 資産グループにのれんを加えたより大きな単位

① 減損損失の認識の判定

帳簿価額合計3,390千円＞割引前将来CF2,250千円→減損損失を認識する

② より大きな単位から測定された減損損失

減損損失控除前の帳簿価額3,390千円－回収可能価額1,524千円

＝減損損失1,866千円

⑶ のれんの減損損失（減損損失の増加額）の測定

1,866千円－960千円＝906千円

⑷ のれんの減損損失超過額

のれんの減損損失906千円－のれんの帳簿価額600千円＝306千円

共用資産と異なり、減損損失の増加額は、のれんの帳簿価額を限度としてのれんに配分します。

⑸ 資産グループA、Bへの配分額

のれんの減損損失超過額を各資産グループの帳簿価額の比率により配分します。

資産グループA：$306千円 \times \dfrac{A630千円}{A630千円 + B900千円}$
＝126千円→配分後帳簿価額504千円

資産グループB：$306千円 \times \dfrac{B900千円}{A630千円 + B900千円}$
＝180千円→配分後帳簿価額720千円

資産グループCは、すでに回収可能価額まで減額しているため、のれんの減損損失超過額を配分しません。

（単位：千円）

	A	B	C	小計	のれん	合計
帳簿価額	630	900	1,260	2,790	600	3,390
減損損失	126	180	960	1,266	600	1,866
減損処理後の帳簿価額	504	720	300	1,524	0	1,524

Chapter 9 のまとめ

□ 減損損失の認識の判定方法

割引前将来キャッシュ・フローの総額が帳簿価額を下回る場合には、減損損失を認識する。

□ 回収可能価額、正味売却価額、使用価値の意味

回収可能価額	正味売却価額と使用価値のいずれか高い方の金額のこと
正味売却価額	資産または資産グループの時価から処分費用見込額を控除した金額のこと
使用価値	資産または資産グループの継続的使用と使用後の処分によって生じると見込まれる将来キャッシュ・フローの現在価値のこと

□ 減損損失の測定および会計処理

帳簿価額を回収可能価額まで減額し、当該減少額を減損損失として当期の損失とする。

減損損失＝帳簿価額－回収可能価額

□ 共用資産の減損処理（原則による方法）

Step1 資産または資産グループごとの減損処理

↓

Step2 共用資産を含むより大きな単位の減損処理

↓

Step3 共用資産を加えることによって増加した減損損失の配分

索引

数字

あ行

か行

さ行

た行

な行

は行

ま行

や行

ら行

わ行

memo

〈執　筆〉TAC出版開発グループ
資格書籍に特化した執筆者グループ。会計士試験・司法試験等、難関資格の合格者が集結し、会計系から法律系まで幅広く、資格試験対策書の執筆・校閲をオールマイティにこなす。TAC税理士講座とタッグを組み、「みんなが欲しかった！　税理士　簿記論の教科書＆問題集」「みんなが欲しかった！　税理士　財務諸表論の教科書＆問題集」を執筆。主な著書に「みんなが欲しかった！　簿記の教科書日商１級」ほか。
〈装　幀〉Malpu Design

2025年度版
みんなが欲しかった！　税理士　簿記論の教科書＆問題集
2　資産会計編

（2014年度版　2013年11月30日　初版　第１刷発行）
2024年８月９日　初　版　第１刷発行

編著者　ＴＡＣ株式会社（税理士講座）
発行者　多田敏男
発行所　TAC株式会社　出版事業部（TAC出版）
〒101-8383
東京都千代田区神田三崎町3-2-18
電話 03(5276)9492(営業)
FAX 03(5276)9674
https://shuppan.tac-school.co.jp
印刷　株式会社　光邦
製本　東京美術紙工協業組合

ISBN 978-4-300-11289-2
N.D.C. 336

書籍の正誤に関するご確認とお問合せについて

書籍の記載内容に誤りではないかと思われる箇所がございましたら、以下の手順にてご確認とお問合せをしてくださいますよう、お願い申し上げます。
なお、正誤のお問合せ以外の**書籍内容に関する解説および受験指導などは、一切行っておりません。**
そのようなお問合せにつきましては、お答えいたしかねますので、あらかじめご了承ください。

1 「Cyber Book Store」にて正誤表を確認する

TAC出版書籍販売サイト「Cyber Book Store」の
トップページ内「正誤表」コーナーにて、正誤表をご確認ください。

CYBER BOOK STORE TAC出版書籍販売サイト

URL:https://bookstore.tac-school.co.jp/

2 1の正誤表がない、あるいは正誤表に該当箇所の記載がない ⇒ 下記①、②のどちらかの方法で文書にて問合せをする

★ご注意ください★

お電話でのお問合せは、お受けいたしません。
①、②のどちらの方法でも、お問合せの際には、「お名前」とともに、
「対象の書籍名(○級・第○回対策も含む)およびその版数(第○版・○○年度版など)」
「お問合せ該当箇所の頁数と行数」
「誤りと思われる記載」
「正しいとお考えになる記載とその根拠」
を明記してください。
なお、回答までに1週間前後を要する場合もございます。あらかじめご了承ください。

① ウェブページ「Cyber Book Store」内の「お問合せフォーム」より問合せをする

【お問合せフォームアドレス】

https://bookstore.tac-school.co.jp/inquiry/

② メールにより問合せをする

【メール宛先 TAC出版】

syuppan-h@tac-school.co.jp

※土日祝日はお問合せ対応をおこなっておりません。
※正誤のお問合せ対応は、該当書籍の改訂版刊行月末日までといたします。

乱丁・落丁による交換は、該当書籍の改訂版刊行月末日までといたします。なお、書籍の在庫状況等により、お受けできない場合もございます。
また、各種本試験の実施の延期、中止を理由とした本書の返品はお受けいたしません。返金もいたしかねますので、あらかじめご了承くださいますようお願い申し上げます。

TACにおける個人情報の取り扱いについて
■お預かりした個人情報は、TAC(株)で管理させていただき、お問合せへの対応、当社の記録保管にのみ利用いたします。お客様の同意なしに業務委託先以外の第三者に開示、提供することはございません(法令等により開示を求められた場合を除く)。その他、個人情報保護管理者、お預かりした個人情報の開示等及びTAC(株)への個人情報の提供の任意性については、当社ホームページ(https://www.tac-school.co.jp)をご覧いただくか、個人情報に関するお問い合わせ窓口(E-mail:privacy@tac-school.co.jp)までお問合せください。

(2022年7月現在)

この冊子には、問題集の問題と解答・解説がとじこまれています。

別冊ご利用時の注意

この色紙を残したまま冊子をていねいに抜き取り、ご利用ください。また、抜き取りの際の損傷についてのお取替えはご遠慮願います。

問題集
みんなが欲しかった！ 税理士
簿記論の教科書&問題集 2

みんなが欲しかった！　税理士
簿記論の教科書＆問題集 ②

問題

Chapter 2　現金・預金

問題1　現金過不足・小口現金

基礎　6分　解答>>>48P

当社の下記の【資料】に基づいて、次の各問に答えなさい（事業年度は4月1日～3月31日）。

問1　仮払金に関する決算整理仕訳を示しなさい。

問2　決算整理後残高試算表を示しなさい。

【資料1】

決算整理前残高試算表　（単位：円）

借方科目	金額	貸方科目	金額
現金預金	216,409,220	未払金	16,581,188
仮払金	1,600,000	雑収入	2,351,920
給料手当	150,358,660		
交際費	60,802,348		
旅費交通費	26,395,120		
消耗品費	980,480		
雑損失	172,840		

【資料2】

決算整理前残高試算表の仮払金勘定1,600,000円の内訳は以下のとおりである。

(1)　旅費の仮払金

当期の3月21日から3月29日の従業員の出張費用が未精算である。

仮払額　400,000円　　発生額　480,000円

(2)　営業所に対する小口現金

小口現金として毎月1日に残高が1,200,000円となるように営業所に払い出しているが、当月の精算は、未済である。営業所からの報告によれば、3月分の小口現金使用高は以下のとおりであった。

取引先との懇親、食事代（交際費）　280,000円

事務用品の購入費（消耗品費）　100,000円

臨時人件費（給料手当）　480,000円

なお、現金の有高は、332,000円であった。現金の過不足について原因を追及したが不明であったので、雑損失または雑収入（営業外損益）で処理する。

問題2 当座借越

基礎 3分 解答>>>49P

次の取引の仕訳を示しなさい。なお、当社の当座預金の残高は200,000円であるが、当社は銀行と当座借越契約（二勘定制で処理）を結んでおり、借越限度額は1,600,000円である。

(1) 得意先であるA社から売掛金720,000円の当座振込のあった旨、銀行から通知を受けた。

(2) B社に対する買掛金1,200,000円を小切手を振り出して支払った。

(3) C社に商品600,000円を販売し、代金として同社振出しの小切手を受け取り、ただちに当座預金とした。

問題3 定期預金

基礎 5分 解答>>>50P

次の【資料】をもとに、当期の貸借対照表における現金及び預金並びに長期性預金の金額を答えなさい。

なお、決算日はX5年３月31日である。

【資　料】

決算整理前残高試算表（単位：円）

現　金　預　金	800,000	

現金預金勘定の内訳は当座預金500,000円と定期預金300,000円である。これらについて以下の事実が判明した。

・当座預金

決算日現在の当座預金に関する銀行の証明書残高は600,000円であった。調査の結果、当社の帳簿残高500,000円との不一致の原因は次のように判明した。

① 取引先への買掛金の支払いのために作成した小切手70,000円が未渡しであった。

② 取引先から売掛金の決済金額50,000円が振り込まれていたが、未処理であった。

③ 本日預け入れた20,000円について、銀行側では翌日の受入記帳とされた。

・定期預金

定期預金300,000円の内訳は以下のとおりである。

① 定期預金（３年物）120,000円（預入日：X3年４月１日）

② 定期預金（５年物）180,000円（預入日：X2年４月１日）

問題4 銀行勘定調整(1)

基礎 5分 解答>>>52P

下記の【資料】に基づいて、決算整理後残高試算表を示しなさい。

【資料1】決算整理前残高試算表

決算整理前残高試算表 （単位：円）

現金預金	3,040,000	支払手形	8,400,000
売掛金	6,920,000	買掛金	7,440,000
営業費	17,760,000		

【資料2】決算整理事項

期末預金残高を調べたところ、当社の当座預金の残高は2,440,000円であったが、銀行から取り寄せた決算日（３月31日）現在の当座預金の残高証明書の金額は400,000円となっており、当社の当座預金勘定残高とは一致しなかった。その原因を調べたところ、次のことが判明した。

なお、取引銀行とは当座借越契約を結んでおり、貸方残高は短期借入金に振り替えるものとする。

(1) 当期中の売掛金回収分のうち920,000円が当社では1,280,000円と記帳され、しかも貸借反対に仕訳されていた。

(2) 営業費1,120,000円の支払いのために振り出した小切手について、当社はすでに記帳済みであったが、銀行からはまだ支払われていなかった。

(3) 買掛金支払いのために振り出した小切手1,600,000円が銀行から支払われていたが、当社では振り出した際に貸借反対に仕訳していた。

(4) 当社が振り出した約束手形2,160,000円が、支払期日に決済された旨の通知を受けたが未処理であった。

問題5 銀行勘定調整(2)

応用 7分 解答>>>53P

当社の下記の【資料】に基づいて、修正および決算整理後残高試算表を作成しなさい。

【資料1】修正および決算整理前の残高試算表（X12年3月31日）

（単位：千円）

借方科目	金額	貸方科目	金額
現金預金	413,190		
売掛金	1,262,715		
営業費	7,630		

【資料2】修正事項および決算整理事項等

期末預金残高を調べたところ、当社の当座預金の帳簿残高は7,060千円の貸方残高であるが、取引銀行における当社の残高証明書の金額は1,915千円のマイナスであった。この差異原因等を調査した結果、次のことが判明した。なお、取引銀行とは当座借越契約を結んでおり、貸方残高は負債勘定（短期借入金）に振り替えるものとする。

(1) X12年3月31日に得意先から売掛代金4,825千円の振込があったが、当社では未記帳であった。

(2) 仕入先に買掛金の支払いのために振出した記帳済みの小切手のうち未取付分が2,520千円あった。

(3) 残りの差額は営業費の支払いであり、[各自推定]千円が当社で未記帳であった。

Chapter 3 手形・債権

問題1 不渡手形

基礎　5分　解答>>>57P

次の取引について当社の仕訳を示しなさい。なお、営業外手形については、考慮不要である。

1(1)　当社はA社に商品80,000円（売価）を売り上げ、代金としてA社振出の約束手形を受け取った。

(2)　上記(1)の約束手形が、支払期日に不渡りとなった。

2(1)　当社は、仕入先B社に対する買掛金80,000円の決済として、A社振出の約束手形80,000円を裏書譲渡した。

(2)　当社は、上記(1)の約束手形が支払期日に不渡りとなったため、当座決済により買い戻した。

3(1)　当社は、A社振出の約束手形80,000円を取引銀行で割り引き、割引料13,880円を差し引かれた残額66,120円を当座預金とした。

(2)　当社は、上記(1)の約束手形が支払期日に不渡りとなったため、当座決済により買い戻した。

問題2 保証債務

基礎　6分　解答>>>58P

次の取引の仕訳を示しなさい。なお、商品売買取引については、三分法により処理すること。

(1)　所有手形の裏書譲渡により商品296,000千円を仕入れた。なお、手形の裏書きにともなう保証債務は額面の２％を計上する。

(2)　上記(1)の裏書手形（296,000千円）が満期日に決済された。

(3)　前期に取得した約束手形48,000千円を割り引き、割引料4,000千円が差し引かれ、残額が当座預金に入金された。なお、手形の割引にともなう保証債務は額面の２％を計上する。

(4)　上記(3)の割引手形（48,000千円）が満期日に不渡りとなったため、当座決済により買い戻した。

問題3 為替手形

基礎 8分 解答>>>59P

次の取引について各社の仕訳を示しなさい。手形代金の入出金には各社とも当座預金口座が用いられているものとする。なお、仕訳が必要ない場合には、借方科目欄に「仕訳なし」と記入すること。

1(1) A社はB社より商品300,000円を仕入れ、代金のうち100,000円については、売掛金のある得意先C社の引き受けを得て、同社を名宛人とする為替手形を振り出し、残額はB社宛ての約束手形を振り出した。

(2) 上記(1)の為替手形が決済された。

(3) 上記(1)の約束手形が決済された。

2 A社はD社に商品50,000円を売り上げ、D社の引き受けを得て、自己を指図人とする為替手形を振り出した。

3 A社の東京本店は仕入先E社に対する買掛金60,000円を支払うため、自社の神奈川支店を名宛人とする為替手形（神奈川支店の引き受け済み）を振り出した。

問題4 営業外手形

次の取引について、答案用紙の空欄に適切な勘定科目または金額を記入しなさい。記入の必要がない場合には、空欄のままにしておくこと。

【資　料】

A社は、自動車販売会社のB社から、商品配送用に車両運搬具を20,000千円で購入した。なお、購入代金のうち2,000千円は小切手を振り出し、14,000千円は約束手形を振り出し、残額は翌月支払うこととした。

問題5 金融手形

基礎 2分 解答>>>63P

次の取引の仕訳を示しなさい。

(1) 約束手形2,000,000円を振り出して同額の借入れをした。利息18,000円を差し引かれ、手取金は当座預金とした。

(2) 箱根商店に対し2,400,000円の貸付けを行い、同店振出の同額の約束手形を受け取り、利息12,000円を差し引いた残額を現金で支払った。

問題6 売掛金の売却（ファクタリング）

基礎　5分　解答>>>64P

次の【資料】に基づいて、行うべき修正仕訳を答えなさい。

【資　料】

当社はX2年１月10日に売掛金3,400,000円をファクタリング会社に償還請求権なし（ノンリコース）の条件で譲渡し、本日手取額が当座預金に入金されたが、譲渡時に売掛金全額が当座預金へ入金したものとして誤って会計処理していた。なお、ファクタリング会社に支払う買取手数料（「その他営業外費用」として処理）は、譲渡した売掛金の回収期日にかかわらず債権金額に対して５％に設定されている。

Chapter 4 金銭債権の評価

貸倒引当金(1)

基礎　5分　解答>>>65P

下記の【資料】に基づいて、次の各問に答えなさい。

問1　(1)破産更生債権等、(2)貸倒懸念債権および(3)一般債権に対する貸倒見積高を算定しなさい。

問2　決算整理後残高試算表を示しなさい。

【資料1】決算整理前残高試算表

決算整理前残高試算表　（単位：円）

借方科目	金額	貸方科目	金額
売掛金	400,000	貸倒引当金	6,800
貸付金	260,000		

【資料2】期末債権について

1　A社に対する債権（貸付金20,000円）はすべて破産更生債権等勘定に振り替える。なお、当該債権についてはその回収可能性を考慮し、債務保証額4,000円を控除した額を貸倒見積高とする。

2　B社に対する債権（売掛金32,000円および貸付金8,000円）は貸倒懸念債権に該当するため、債権残高の50%を貸倒見積高とする。

3　上記以外はすべて一般債権に該当する。一般債権の貸倒見積高は、債権残高に対し貸倒実績率を乗じて求める。なお、一般債権の平均回収期間は1年未満であり、貸倒実績率は次の(1)～(3)の平均値とする。また、決算整理前残高試算表における貸倒引当金は、すべて一般債権に係るものである。

(1)　前々々期末の債権残高に対する前々期の貸倒損失額の割合
(2)　前々期末の債権残高に対する前期の貸倒損失額の割合
(3)　前期末の債権残高に対する当期の貸倒損失額の割合

	前々々期	前々期	前期	当期
期末債権残高	560,000円	600,000円	640,000円	各自推定
貸倒損失額	7,920円	19,600円	16,200円	17,920円

問題 2

貸倒引当金(2)

基礎　10分　解答>>>67P

下記の【資料】に基づいて、次の各問に答えなさい。

問1　破産更生債権等への振替仕訳を示しなさい。

問2　⑴破産更生債権等、⑵貸倒懸念債権および⑶一般債権に対する貸倒見積高を算定しなさい。

問3　決算整理後残高試算表（一部）を作成しなさい。

【資料１】決算整理前残高試算表（一部）

（単位：千円）

借方		貸方	
科目	金額	科目	金額
受取手形	2,496,800	貸倒引当金	6,400
売掛金	952,000		
不渡手形	20,000		

【資料２】当社の修正事項および決算整理事項等

当社は、金銭債権を「破産更生債権等」、「貸倒懸念債権」および「一般債権」に区分し、その区分ごとに貸倒見積高の算定を行い、貸倒引当金を設定する。なお、繰入れは差額補充法により処理することとする。また、決算整理前残高試算表の貸倒引当金は、すべて一般債権に係るものである。

⑴　破産更生債権等は期首には存在しなかったが、当期に得意先Ａ社が破産の申立てを行い倒産した。Ａ社に関する債権等の資料は以下のとおりである。なお、Ａ社に対する債権は回収に長期を要すると考えられるため、「破産更生債権等」として振替処理を行い、担保処分見込額（4,800千円）を債権額から控除し、その残額相当を貸倒見積高として計上する。

①　売 掛 金　12,000千円

②　受取手形　22,800千円（内訳：Ａ社振出で当社手持ちの約束手形14,800千円、Ｃ社振出でＡ社が裏書し当社が受け入れた約束手形8,000千円）

③　不渡手形　20,000千円（Ａ社振出で当社が銀行で割り引いた手形について、銀行が支払期日に当社の当座預金口座より引き落としたものである）

⑵　得意先Ｂ社は経営破綻の状態に至ってないが、債務の弁済に重大な問題が生じていると考えられる。受取手形および売掛金（30,000千円）から担保処分見込額（10,000千円）を差し引き、その残額の50％相当について貸倒見積高を計上する。

⑶　一般債権の貸倒見積高の算定は、一般債権である営業債権（受取手形および売掛金）に対し貸倒実績率0.2％を乗じて求める。

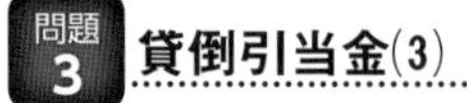

問題3　貸倒引当金⑶

基礎　10分　解答>>>69P

下記の【資料】に基づいて、次の各問に答えなさい。

問1　一般債権について、⑴貸倒実績率、⑵貸倒見積高および⑶決算整理仕訳を示しなさい。

問2　貸倒懸念債権について、⑴貸倒見積高および⑵決算整理仕訳を示しなさい。

問3　破産更生債権等について、⑴貸倒見積高および⑵決算整理仕訳を示しなさい。

問4　決算整理後残高試算表を示しなさい。

問5　翌期における貸倒時の仕訳を示しなさい。

【資　料】

1　当期

⑴

決算整理前残高試算表　（単位：円）

借方科目	金額	貸方科目	金額
受取手形	1,200,000	貸倒引当金	32,000
売掛金	3,600,000	預り保証金	160,000
貸付金	2,000,000		

⑵　決算整理前残高試算表における貸倒引当金は、すべて一般債権に係るものである。

⑶　当期末における債権の状況および貸倒見積高の算定方法は、次のとおりである。なお、貸倒引当金については、差額補充法により会計処理を行う。

区　分	債務者	勘定科目	帳簿価額	備　考
一般債権	A　社	売掛金	2,800,000円	⑷
	B　社	受取手形	1,200,000円	
貸倒懸念債権	C　社	売掛金	800,000円	⑸、⑹
破産更生債権等	D　社	貸付金	2,000,000円	⑸、⑹、⑺

⑷　一般債権の平均回収年数は1年未満であり、次の表に基づいて貸倒実績率を算定する。なお、貸倒実績率は期末債権残高に対する翌期1年間（算定期間）の貸倒損失発生の割合とし、当期に適用する貸倒実績率は過去3算定年度に係る貸倒実績率の平均値とする。

（単位：円）

	前々々期	前々期	前　期	当　期
債権の期末残高 (貸倒損失発生額)	480,000	0 (5,760)		
債権の期末残高 (貸倒損失発生額)		520,000	0 (4,160)	
債権の期末残高 (貸倒損失発生額)			440,000	0 (4,400)

(5) 担保として提供を受けている資産は、次のとおりである。

① C社：営業保証金160,000円　② D社：土地第一抵当権1,600,000円

(6) C社およびD社の支払能力を評価した結果、債権金額から被担保債権額を控除した残額について、次の割合をもって貸倒引当金を設定する。

① C社：50%　② D社：100%

(7) D社に対する貸付金については、決算にあたり破産更生債権等勘定への振替処理を行う。

2 翌期

前期末における債権のうちA社に対する売掛金2,800,000円、C社に対する売掛金800,000円およびD社に対する貸付金2,000,000円が回収不能となった。なお、D社土地に対する第一抵当権を実行し、現金1,600,000円を受け入れた。

また、当期発生したE社に対する売掛金800,000円が回収不能となった。

問題4 貸倒引当金(4)

応用　8分　解答>>>72P

下記の【資料】に基づいて、各時点の仕訳（【資料２】(1)〜(4)、決算整理）および試算表（決算整理前残高試算表、決算整理後残高試算表）を示しなさい。

【資料１】前期末繰越試算表

繰越試算表（単位：円）

借方科目	金額	貸方科目	金額
売掛金	14,400	貸倒引当金	1,560

（注１） 売掛金のうち2,400円は貸倒懸念債権に分類され、1,200円の貸倒引当金を設定している。

（注２） 売掛金のうち12,000円は一般債権に分類され、360円の貸倒引当金を設定している。

【資料２】当期中の取引

(1) 前期末に貸倒懸念債権に分類された売掛金2,400円のうち800円は現金で回収したが、残額は貸し倒れた。

(2) 前期末に一般債権に分類された売掛金12,000円のうち11,800円は現金で回収したが、残額は貸し倒れた。

(3) 商品200,000円を掛けで売り上げた（三分法により処理する。）。

(4) 上記(3)の掛け代金のうち180,000円を現金で回収した。

【資料３】決算整理事項

期末売掛金残高の内容を吟味したところ2,000円は破産更生債権等に分類されることが判明したため、振替処理を行い、債権残高の全額を貸倒見積高とする。なお、残額はすべて一般債権であり、貸倒実績率は３%である。

問題5 貸倒引当金(5)

基礎 8分 解答>>>74P

下記の【資料】に基づいて、次の各問に答えなさい。なお、当期はX3年4月1日からX4年3月31日までである。

問1 条件緩和後の利払いを免除した場合

(1) 前期の残高勘定を示しなさい。

(2) 当期の決算整理後残高試算表を示しなさい。

問2 条件緩和後の利率を4％とした場合

(1) 前期の残高勘定を示しなさい。

(2) 当期の決算整理後残高試算表を示しなさい。

(注) 1 資料以外のことは考慮する必要はない。

2 貸付金のX3年3月31日における割引現在価値の算定は、将来の各時点におけるキャッシュ・フローを割り引いた金額の合計額とすること。

3 計算過程で千円未満の端数が生じた場合には四捨五入すること。

【資　料】

甲社に対して、X1年4月1日に次の条件により10,000千円の貸付けを行った。しかし、甲社の業績不振によりX3年3月31日に貸付けの条件を緩和したため、当該貸付金を前期末より貸倒懸念債権に分類して、キャッシュ・フロー見積法による貸倒見積高の算定を行っている。

（貸付条件）

1 返済日：X5年3月31日

2 利　率：年10％

3 利払日：毎年3月31日の年1回後払い

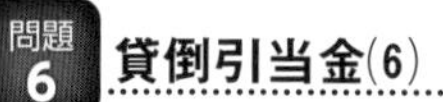

問題6 貸倒引当金(6)

応用 3分 解答>>>77P

下記の【資料】に基づいて、決算整理後残高試算表を示しなさい。なお、当期はX2年4月1日からX3年3月31日までである。また、計算過程で千円未満の端数が生じた場合には四捨五入すること。

【資　料】

1　決算整理前残高試算表

決算整理前残高試算表　　（単位：千円）

貸付金	120,000	受取利息	（　　）

2　決算整理前残高試算表の貸付金は乙社に対して次の条件により貸し付けたものである。

⑴　貸付日：X1年4月1日

⑵　返済日：X4年3月31日（一括返済）

⑶　金　利：年5％

⑷　利払日：毎年3月31日

3　当期末において乙社から貸付金について支払条件の緩和を求められていたため、下記に示した条件緩和案に応じることとした。なお、当期の利息については適正に受取済みである。

⑴　返済日：X5年3月31日（1年延長）

⑵　金　利：年2％（翌期から適用）

4　上記の条件緩和案を受け、当該貸付金を貸倒懸念債権に区分することとし、キャッシュ・フロー見積法により貸倒引当金を設定することとした。

Chapter 5 有価証券

問題1 売買目的有価証券

基礎 5分 解答>>>79P

下記の【資料】に基づいて、前期および当期の決算整理後残高試算表を示しなさい（決算日は3月末日の年1回）。なお、売買目的有価証券に係る損益は有価証券運用損益勘定で処理すること。

【資　料】

1　前期

9月22日　A社株式3,600千円を売買目的として取得した。

3月31日　A社株式の期末時価は3,400千円である。なお、売買目的有価証券については、洗替方式を採用している。

2　当期

4月 1日　期首

7月 7日　A社より配当金領収証50千円を受け取った。

11月30日　B社社債（額面総額5,000千円、利率は年3％、利払日は3月末と9月末の年2回）を4,930千円で売買目的として取得し、経過利息25千円とともに支払った。

12月20日　A社株式の半分を2,020千円で売却した。

3月31日　B社社債の利払日となった。また、A社株式の時価は1,675千円、B社社債の期末時価は4,958千円である。

問題2 満期保有目的の債券(1)

基礎 4分 解答>>>81P

当社の当期（X3年4月1日～X4年3月31日）に関する下記の【資料】に基づいて、次の各問に答えなさい。千円未満の端数が生じた場合には切り捨てること。

問1　金利調整差額の償却について利息法を採用した場合のX4年3月31日における⑴仕訳を示すとともに、⑵償却原価の金額を求めなさい。

問2　金利調整差額の償却について定額法を採用した場合のX4年3月31日における⑴仕訳を示すとともに、⑵償却原価の金額を求めなさい。

【資　料】

当社が保有する有価証券は、すべてA社社債である。当期首に、A社社債（額面金額：90,000千円、取得価額：82,170千円、償還期間：3年、実効利子率：年10％、クーポン利子率：年6.5％、利払日：毎年3月31日）を発行と同時に満期保有目的で取得した。

取得価額と額面金額との差額は金利調整差額であると認められるため、償却原価法を適用する。

問題3 満期保有目的の債券(2)

基礎 4分 解答>>>82P

当社（決算日は3月末日の年1回）は、B社社債を満期まで保有する目的で、X1年4月1日に下記の条件により取得した。よって、答案用紙に示した各日における仕訳を示しなさい。なお、税効果会計は考慮しなくてもよい。また、計算の結果、勘定科目の金額に千円未満の端数が生じた場合には四捨五入することとし、収支は現金によるものとする。

取得価額：18,800千円
額面金額：20,000千円
償還日：X4年3月31日
実効利子率：年7.26%
クーポン利子率：年5％
利払日：9月末日と3月末日の年2回

なお、取得価額と額面金額の差額はすべて金利調整差額と考えられるため、利息法に基づく償却原価法を採用し、金利調整差額の償却は利払日に行う。

問題4 満期保有目的の債券(3)

応用 3分 解答>>>83P

当社の当期（X13年4月1日～X14年3月31日）に関する下記の**【資料】**に基づいて、(1)決算整理前残高試算表の空欄の金額を算定するとともに、(2)決算整理後残高試算表を示しなさい。

【資　料】

(1)

決算整理前残高試算表　（単位：千円）

投資有価証券	各自推定	有価証券利息	各自推定

(2) 決算整理前残高試算表の投資有価証券は、すべてX11年4月1日に、満期保有目的で取得したA社社債（額面金額：10,000千円、取得価額：9,750千円、償還日：X16年3月31日、クーポン利子率：年4.5%、利払日：9月末と3月末）である。

取得価額と額面金額との差額については、金利調整差額であると認められるため、定額法による償却原価法を適用するが、当期においては未処理である。なお、クーポンに関する処理は適正に行われている。

問題5 子会社株式および関連会社株式

基礎 1分 解答>>>85P

下記の【資料】に基づいて、(1)決算整理仕訳および(2)決算整理後残高試算表を示しなさい。なお、仕訳なしの場合は「仕訳なし」と記入すること。

【資　料】

(1)

決算整理前残高試算表　(単位：千円)

関係会社株式	4,000	

(2) 関係会社株式の期末時価は3,700千円である。

問題6 その他有価証券(1)

基礎 5分 解答>>>86P

下記の【資料】に基づいて、次の各問に答えなさい。

問1　決算整理前残高試算表の投資有価証券の金額を算定しなさい。

問2　決算整理後残高試算表を示しなさい。

問3　翌期首の振戻処理を示すとともに、振戻処理後の投資有価証券の金額を算定しなさい。

【資　料】

(1)

決算整理前残高試算表　(単位：千円)

投資有価証券	問1	

(2) 決算整理前残高試算表の投資有価証券の内訳は以下のとおりである。これらはすべて当期に購入したものであり、「その他有価証券」に該当する。

銘　柄	取得原価	期末時価
P社株式	900千円	1,200千円
S社株式	1,500千円	1,050千円

(3) 評価差額については、全部純資産直入法（税効果会計を適用）により処理を行う。なお、法定実効税率は30%とする。また、繰延税金資産と繰延税金負債の相殺は行わないこととする。

問題7 その他有価証券(2)

基礎　5分　解答>>>88P

下記の【資料】に基づいて、次の各問に答えなさい。

問1　決算整理前残高試算表の投資有価証券の金額を算定しなさい。

問2　決算整理後残高試算表を示しなさい。

問3　翌期首の振戻処理を示しなさい。

【資　料】

(1)　決算整理前残高試算表　（単位：千円）

投資有価証券	問1	

(2)　決算整理前残高試算表の投資有価証券の内訳は以下のとおりである。これらはすべて当期に購入したものであり、「その他有価証券」に該当する。

銘　柄	取得原価	期末時価
P社株式	900千円	1,200千円
S社株式	1,500千円	1,050千円

(3)　評価差額については、部分純資産直入法（税効果会計を適用）により処理を行う。なお、法定実効税率は30%とし、繰延税金資産と繰延税金負債の相殺は行わないこととする。また、繰延税金資産に係る振戻処理は決算で行う。

問題8 その他有価証券(3)

基礎　5分　解答>>>90P

当社は甲社社債を下記の条件でX1年10月1日に取得し、「その他有価証券」として保有している。よって、全部純資産直入法を採用した場合の当期（X1年4月1日～X2年3月31日）の決算整理で行うべき仕訳を示しなさい。

取得価額：14,100千円
額面金額：15,000千円
満期日：X4年9月30日
クーポン利子率：年5％
利払日：9月末日の年1回

取得価額と額面金額との差額は金利調整差額と考えられるため、定額法による償却原価法を適用する。なお、法定実効税率は30%として税効果会計を適用する。また、X2年3月31日における時価は14,200千円である。

問題 9 有価証券の減損処理

基礎 3分 解答>>>91P

下記の【資料】に基づいて、決算整理後残高試算表を示しなさい。

【資料1】

決算整理前残高試算表　　　　（単位：千円）

投資有価証券	240,000	
関係会社株式	36,000	

【資料2】

(1) 投資有価証券は、すべて甲社株式（保有株式数4,000株）であり、「その他有価証券」として取得したものである。甲社株式の期末時価は1株あたり26千円で、著しく下落しており、回復の見込みはない。

(2) 関係会社株式は、すべて乙社株式（保有株式数6,000株）であり、市場価格はない。乙社株式の純資産額は、1株あたり2.5千円で著しく低下している。

問題 10 配当金の処理

基礎 2分 解答>>>92P

下記の【資料】に基づいて、次の各場合における当社の配当金受取時の仕訳を示しなさい。なお、収支は現金預金とする。

問1　当社がA社株式を売買目的として保有していた場合

問2　当社がA社株式を子会社および関連会社株式として保有していた場合

【資　料】

A社は株主総会で配当を決議した。これにより、当社は配当100千円（その他資本剰余金40千円およびその他利益剰余金60千円を財源とする。）を受け取った。

問題11 保有目的区分の変更

応用　5分　解答>>>93P

下記の【資料】に基づいて、次の各問における保有目的区分の変更時の仕訳を示しなさい。なお、決算日は3月31日の年1回である。なお、勘定科目については、下記の枠内のものを使用すること。

問1　売買目的有価証券からその他有価証券への保有目的区分の変更であった場合
問2　その他有価証券から売買目的有価証券への保有目的区分の変更であった場合
問3　売買目的有価証券から関係会社株式への保有目的区分の変更であった場合
問4　その他有価証券から関係会社株式への保有目的区分の変更であった場合
問5　関係会社株式からその他有価証券への保有目的区分の変更であった場合

有価証券運用損益	有価証券	繰延税金資産
その他有価証券評価差額金	関係会社株式	投資有価証券
繰延税金負債	投資有価証券評価損益	

（留意事項）

① 売買目的有価証券については、切放方式を採用している。
② その他有価証券については、全部純資産直入法で処理し、税効果会計を適用する。
③ 法定実効税率は30％とする。
④ 資料として与えられているもの以外は考慮しなくてもよい。

【資　料】

前期に有価証券（株式）を2,000千円で取得したが、当期中において当該有価証券の保有目的区分の変更を行っている。当該有価証券に係る時価の推移は、次のとおりである。

前期末の時価：1,800千円
振替時の時価：1,400千円
当期末の時価：1,600千円

問題 12 **売買契約の認識** 応用 15分 解答>>>95P

X社は、当期（X1年4月1日から始まる1年間）においてY社株式を取得し、その他有価証券（全部純資産直入法で処理し、税効果会計を適用する。）に区分した。当期におけるY社株式の売買状況は、次に示すとおりである。

約定日	取引	株数	時価	売買手数料
5月1日	購入	1,000株	@113.8千円	200千円
11月7日	購入	100株	@113千円	100千円
1月10日	売却	350株	@120千円	180千円
3月30日	購入	400株	@124千円	140千円

Y社株式は上場株式であり、約定日後3営業日に受渡しが行われている。当期末における時価は1株120千円であり、払出単価は移動平均法により計算している。法定実効税率は30%である。

そこで、有価証券の売買契約の認識について、売買約定日に有価証券の発生または消滅を認識するいわゆる約定日基準を採用した場合における、以下の仕訳を示しなさい。なお、解答にあたって使用する勘定科目については、次の枠内に掲げた勘定科目をすべて使用すること。

現金預金	未収金	投資有価証券
未払金	繰延税金負債	その他有価証券評価差額金
支払手数料	投資有価証券売却損益	

(1) X2年1月10日における売却に係る仕訳
(2) X2年1月13日における売却代金の受取りに係る仕訳
(3) X2年3月30日における購入に係る仕訳
(4) X2年3月31日における決算整理仕訳
(5) X2年4月1日における振戻処理
(6) X2年4月2日における購入代金の支払いに係る仕訳

Chapter 6　デリバティブ取引

問題1　デリバティブ取引(1)

基礎　7分　解答>>>99P

下記の【資料】に基づいて、次の各問に答えなさい。答案用紙の（　　）に記入すべき金額がない場合は「——」を記入すること。なお、当期は、X4年3月31日に終了する1年間である。

問1　当期の損益計算書（一部）を作成しなさい。

問2　答案用紙にある貸借対照表の勘定科目の金額を答えなさい。

【資料1】決算整理前残高試算表（一部）

決算整理前残高試算表

X4年3月31日　（単位：千円）

借方科目	金額	貸方科目	金額
現金預金	250,000	仮受金	各自推定
支払利息	5,500	借入金	150,000
先物損益	各自推定		

【資料2】決算整理事項等

1　債券先物取引

(1)　X3年1月1日において、債券先物市場でX3年6月限月の債券先物3,000口を売り建てている。なお、契約時の債券先物価格は@100千円であり、前期末時点における債券先物価格は@97千円である。委託証拠金については無視すること。

(2)　X3年5月15日にX3年6月限月の債券先物3,000口を@96千円で買い建て、差金決済を行ったが、決済日の会計処理が行われていない。

2　金利スワップ取引

(1)　X3年4月1日において、銀行から変動金利による借入れ150,000千円を期間5年で行った。なお、利払日は毎年3月31日である。

(2)　当該借入れと同時に変動金利リスクを避けるため、Y社と想定元本150,000千円、期間5年、金利交換日毎年3月31日、3％の固定金利支払、変動金利受取のスワップ契約を締結した。

(3)　金利交換日（X4年3月31日）における変動金利は3.5％であった。また、当該受払額について、期中は仮受金として処理している。

(4)　期末における金利スワップ契約の時価は3,500千円（正味の債権）であった。

問題 2 デリバティブ取引(2)

応用 7分 解答>>>101P

下記の【資料】に基づいて、次の各問に答えなさい。答案用紙の（　　）に記入すべき金額がない場合は「――」を記入すること。なお、当期はX3年３月31日を決算日とする１年間である。また、ヘッジ取引はすべてヘッジ会計の要件を満たしている。

問１　X2年度の貸借対照表（一部）と損益計算書（一部）を作成しなさい。

問２　仮にA社社債について時価ヘッジを採用した場合における、X2年度の貸借対照表（一部）と損益計算書（一部）を作成しなさい。

【資　料】

1(1)　X2年11月１日にA社社債を52,500千円（500千口、@105円）で取得しており、その他有価証券として保有している。なお、同日にA社社債の価格変動リスクをヘッジするため、債券先物市場において債券先物500千口の売建取引を行っている。

(2)　A社社債および債券先物の時価は以下のとおりである。

	A社社債	債券先物
X2年11月１日	@105円	@112円
X3年３月31日	@102円	@110円

(3)　その他有価証券の評価差額については全部純資産直入法による。

2　ヘッジ会計の適用にあたっては、繰延ヘッジを採用する。

3　税効果会計は無視する。

問題3 金利スワップ（特例処理）

金利スワップに関する取引は、以下のとおりである。

これをふまえ、X3年3月31日における**問1～問3**の仕訳を示しなさい。

(1) X2年10月1日に、Z銀行より5年、6カ月TIBOR＋0.5%で8,000,000円の借入れを行った。同日、変動金利を固定金利に変換するために、Y銀行と以下の条件で金利スワップ契約（想定元本：8,000,000円）を締結した。

① 契約内容：当社はY銀行に想定元本に対して3%の固定金利を支払い、Y銀行から6カ月TIBOR＋0.5%の変動金利を受け取る。期間は5年。

② 借入金および金利スワップ契約の利払い：3月末日および9月末日（いずれも後払い）

(2) 当期末における金利スワップの時価は18,000円（正味の債権）であった。

(3) 支払金利は支払日から6カ月前の水準が適用される。X2年9月30日の6カ月TIBORは2.6%であった。

(4) 金利スワップの対象となっている借入金はヘッジ会計の要件を充たしており、金利スワップの想定元本と借入金の元本が同一であり、金利の受渡条件および満期も全く同じであるため、金利スワップの特例処理を適用する。

(5) Z銀行からの資金の借入れ（長期借入金で処理）を除き、期中取引に係る記帳はまだ行われていない。金銭の受け払いは当座預金口座を用いる。

問1 Z銀行に対する借入金に係る利息の支払い

問2 金利スワップ契約による固定金利と変動金利の差額の受け渡し

問3 金利スワップの評価

Chapter 7 有形固定資産

問題1 有形固定資産

基礎 4分 解答>>>106P

当社の当期（自X1年4月1日　至X2年3月31日）に関する下記の【資料】に基づいて、(1)決算整理仕訳および(2)決算整理後残高試算表を示しなさい。

【資料1】

決算整理前残高試算表　（単位：千円）

土　　　地	200,000	
建 設 仮 勘 定	300,000	

【資料2】決算整理事項等

(1) 決算整理前残高試算表の土地200,000千円は、当期に商品用倉庫を建築するために取得したものである。

(2) 決算整理前残高試算表の建設仮勘定の金額は、上記(1)の土地に商品用倉庫を建築し、さらに駐車場を併設するために工事業者へ支払った工事代金の前払額である。当該建設に係る工事業者からの見積金額は、以下のとおりである。

（単位：千円）

	内　　容	金　　額
土地関連費用	整地費用（造成および改良費用）	20,000
	路面アスファルト舗装費用	44,000
建築関連費用	建物（金属造り）建築費用	312,000
	電気設備費用	16,000
	給排水設備費用	8,000
見 積 合 計		400,000

この工事は、X2年3月に完成し引渡しを受けたが、X2年4月から使用を開始する予定である。なお、工事業者からの実際の請求額は、見積金額のとおりであり、残額については翌期に支払う予定である。

問題2 減価償却(1)・記帳方法(1)

基礎 10分 解答>>>107P

下記の【資料】に基づいて、次の各問に答えなさい。

問1　(1)決算整理仕訳および(2)決算整理後残高試算表を示しなさい。

問2　仮に直接控除法で記帳した場合の、(1)決算整理前残高試算表、(2)決算整理仕訳および(3)決算整理後残高試算表を示しなさい。

【資　料】

(1) 当期はX3年4月1日からX4年3月31日までの1年間。

(2) 決算整理前残高試算表

決算整理前残高試算表　（単位：千円）

借方科目	金額	貸方科目	金額
建　　物	400,000	建物減価償却累計額	97,200
備　　品	160,000	備品減価償却累計額	70,000
車　　両	80,000	車両減価償却累計額	24,000

(3) 決算整理事項

有形固定資産について減価償却を行う。

種　類	償却方法	耐用年数	残存価額	備　　考
建　物	定額法	38年	10%	償却率0.027
備　品	定率法	8年	ゼロ	償却率0.250
車　両	級数法	5年	10%	X2年4月1日に取得したものである。

問題3 減価償却(2)・記帳方法(2)

下記の【資料】に基づいて、次の各場合における(1)決算整理前残高試算表、(2)決算整理仕訳および(3)決算整理後残高試算表を示しなさい。

問1　間接控除法を採用した場合

問2　直接控除法を採用した場合

【資　料】

(1) 当期はX10年4月1日からX11年3月31日までである。

(2) 減価償却に関する資料は下記のとおりである。当期に取得したものは月割りで計算すること。なお、建物、機械、備品の残存価額は取得原価の10%、車両の残存価額は0円とする。

種　類	取得原価	償却方法	耐用年数	償却率	取得日	備考
建　物	2,800,000円	定　額　法	20年	——	X1年4月	——
機　械	1,200,000円	生産高比例法	20年	——	X10年5月	(注1)
車　両	800,000円	定　率　法	8年	0.25	X9年4月	(注2)
備　品	560,000円	級　数　法	6年	——	X8年4月	——

(注1) 鉱石採掘機械であり、物理的には20年使用できるが、採掘終了時に除却するため生産高比例法により償却している。鉱石の推定埋蔵量は300万トン、当期の採掘量は20万トンである。

(注2) 車両のうち240,000円は当期の10月1日に取得したものである。

問題4 減価償却(3)

応用 15分 解答>>>114P

下記の【資料】に基づいて、次の各問に答えなさい。なお、会計期間は1年、当期はX6年4月1日からX7年3月31日までである。

問1 当期の損益計算書（一部）と貸借対照表（一部）を作成しなさい。

問2 工具器具備品を取得してから7年目に計上する工具器具備品の減価償却費の金額を計算しなさい。

【資料1】

決算整理前残高試算表 （単位：円）

建物	各自推定	建物減価償却累計額	300,000
土地	600,000	備品減価償却累計額	150,000
備品	450,000	機械減価償却累計額	各自推定
機械	225,000		
工具器具備品	30,000		

【資料2】

(1) 建物は土地とともにX2年4月1日に取得したものである。建物の減価償却は耐用年数40年、残存価額は0円として定額法により行っている。

(2) 備品は定率法、償却率20%で減価償却している。

(3) 機械はX4年4月1日に取得したものであり、耐用年数5年、残存価額は0円として級数法によって減価償却している。

(4) 工具器具備品は当期首に取得したものである。耐用年数10年、定率法償却率 各自推定 、保証率0.06552、改定償却率0.250で200%定率法によって減価償却している。

(5) 当期以前の減価償却はすべて適切に行われている。

(6) 円未満の端数は四捨五入すること。

問題5 売却

基礎 6分 解答>>>117P

問1 当社（3月決算）の下記の【資料】に基づいて、決算整理後残高試算表を示しなさい。なお、按分計算は月割計算により行うこと。

【資料1】

決算整理前残高試算表 （単位：円）

車両	885,760	仮受金	160,000

【資料2】

(1) 車両については､残存価額を０円として､耐用年数10年の定率法（償却率は0.2）で減価償却を行っている。

(2) 当期の６月30日に、車両（期首帳簿価額245,760円）を売却したが、売却代金160,000円を仮受金勘定に計上しているため、修正を行う。

問2 当社（３月決算）の下記の**【資料】**に基づいて、決算整理後残高試算表を示しなさい。なお、按分計算は月割計算により行うこと。

【資料1】

決算整理前残高試算表　（単位：円）

車	両	645,760		

【資料2】

(1) 車両については､残存価額を０円として､耐用年数10年の定率法（償却率は0.2）で減価償却を行っている。

(2) 当期の６月30日に、車両（期首帳簿価額245,760円）を売却したが、売却代金240,000円をもって車両勘定を減額しているため、修正を行う。

除却

当社（３月決算）の下記の**【資料】**に基づいて、決算整理後残高試算表を示しなさい。なお、按分計算は月割計算により行うこと。

【資料1】

決算整理前残高試算表　（単位：円）

仮　払　金		200	減価償却累計額	18,000
備　　　品		50,000		

【資料2】

(1) 備品については、残存価額を０円として、耐用年数10年の定率法（償却率は0.200）で減価償却を行っている。

(2) 当期の９月30日に、備品の一部（取得原価10,000円、期首帳簿価額6,400円）を廃棄したが、会計処理は行っていない。また、これに関して廃棄費用を支払ったが、支出額200円を仮払金勘定に計上しているため、修正を行う。

問題7 焼失

当社（決算日は3月31日）の下記の【資料】に基づいて、次の各問に答えなさい。なお、日数計算は、すべて月割りで計算すること。

問1　建物の焼失および保険金の受領に係る修正仕訳を示しなさい。

問2　決算整理後残高試算表を示しなさい。

【資料1】決算整理前残高試算表

決算整理前残高試算表　（単位：千円）

建　　物	680,000	建物減価償却累計額	254,400
		雑　収　入	20,000

【資料2】決算整理事項等

(1)　建物については、耐用年数を30年とする定額法（残存価額は取得原価の10%）で減価償却を行っている。

(2)　9月30日に建物（取得原価40,000千円、期首減価償却累計額24,000千円）が火災により焼失したため保険会社に保険金の請求をした（保険契約額は32,000千円）。その後、保険会社より上記保険金のうち20,000千円を支払う旨の通知を受け、1月20日に保険会社より上記保険金を現金で受け取った。

当社はこの一連の取引について、保険会社からの保険金受領額を雑収入に計上したのみである。

問題8 買換え

当社は当期（決算日は3月末日）の11月30日に、車両（取得原価30,000千円、期首減価償却累計額18,000千円）を下取り（下取価額10,000千円）に出し、定価46,000千円の新車を購入し、差額代金を小切手を振り出して支払った。また、適正評価額と下取価額との差額は新車の値引として処理している。よって、次の各問の場合によるこの一連の取引について仕訳を示しなさい。

なお、車両については、耐用年数5年で定額法（残存価額は0円）により減価償却計算を行い、間接控除法で処理している。また、按分計算は月割計算により行うこととする。

問1　売却車両の適正評価額が10,000千円の場合

問2　売却車両の適正評価額が6,000千円の場合

問題9 耐用年数の変更(1)

基礎　2分　解答>>>126P

下記の【資料】に基づいて、決算整理後残高試算表を示しなさい（決算は年１回の３月決算）。

【資　料】

(1)　決算整理前残高試算表

決算整理前残高試算表　（単位：千円）

機　　械	5,600		

(2)　決算整理事項

機械（取得原価8,000千円）は、すべて前期末まで３年経過したものであり、耐用年数10年、残存価額を０円とする定額法により減価償却を行ってきたが、当初予測できなかった著しい陳腐化が生じたため、当期首において耐用年数を８年に短縮することとした。なお、機械は直接控除法で処理している。

(3)　償却率

10年	8年	5年
0.100	0.125	0.200

問題10 耐用年数の変更(2)

応用　2分　解答>>>127P

下記の【資料】に基づいて、決算整理後残高試算表を示しなさい（決算は年１回の３月決算）。

【資　料】

(1)　決算整理前残高試算表

決算整理前残高試算表　（単位：千円）

機　　械	8,000	機械減価償却累計額	2,160

(2)　決算整理事項

機械（取得原価8,000千円、減価償却累計額2,160千円、前期末まで３年経過）は、耐用年数10年、残存価額を取得原価の10%とする定額法により減価償却を行ってきたが、当初予測できなかった著しい陳腐化が生じたため、当期首において耐用年数を８年に短縮することとした。

問題 11 償却方法の変更(1)

基礎 2分 解答>>>128P

下記の【資料】に基づいて、決算整理後残高試算表を示しなさい。

【資料１】決算整理前残高試算表

決算整理前残高試算表　　　　(単位：千円)

車　　両	各自推定

【資料２】決算整理事項

決算整理前残高試算表上の車両（取得価額256,000千円、耐用年数10年、期首までの経過年数２年、残存価額は０円）については、前期まで定率法（年償却率0.200）により減価償却してきたが、当期より定額法（残存価額は０円）に変更することとした。

償却方法の変更(2)

基礎 2分 解答>>>129P

下記の【資料】に基づいて、決算整理後残高試算表を示しなさい。

【資料１】決算整理前残高試算表

決算整理前残高試算表　　　　(単位：千円)

車　　両	各自推定

【資料２】決算整理事項

決算整理前残高試算表上の車両（取得価額256,000千円、耐用年数10年、期首までの経過年数２年、残存価額は０円）については、前期まで定額法により減価償却をしてきたが、当期より定率法（耐用年数８年の定率法償却率0.250、残存価額は０円）に変更することとした。

資本的支出と収益的支出(1)

基礎 6分 解答>>>130P

下記の【資料】に基づいて、次の各問に答えなさい。

問１　当期からの減価償却計算で残存耐用年数を使用する場合の、答案用紙に示す各時点の仕訳および残高試算表を示しなさい。

問２　当期からの減価償却計算で当初耐用年数を使用する場合の、決算整理仕訳を示しなさい。

【資　料】

(1)　前期末の残高勘定

残		高	(単位：千円)
3/31 建　　物	960,000	3/31 建物減価償却累計額	720,000

(2)　当期首に建物（取得原価960,000千円、減価償却累計額720,000千円、前期末まで30年経過）について大規模な改修を行い、改修費180,000千円を小切手を振り出して支払った。なお、改修の結果、建物の耐用年数は20年間延長し、当期首から30年間使用できることとなったため、改修費のうち延長年数に相当する金額を資本的支出として処理する。

当該建物については、耐用年数40年、残存価額を0円とする定額法により減価償却を行っている。なお、資本的支出についても、残存価額を0円とする定額法により減価償却を行う。

問題14　資本的支出と収益的支出(2)

応用　6分　解答>>>132P

当期（自X19年4月1日　至X20年3月31日）に関する下記の**【資料】**に基づいて、決算整理後残高試算表を作成しなさい。

【資料1】

決算整理前残高試算表		(単位：千円)
建　　物	2,235,500	

【資料2】有形固定資産の減価償却方法等

種　類	取得原価	期首帳簿価額	償却方法	残存価額	耐用年数	取得年月日
建物X	2,040,000千円	1,122,000千円	定額法	10%	30年	X4年4月1日
建物Y	1,020,000千円	943,500千円	定額法	10%	30年	X16年10月1日

(注) 当期首に建物Xについて大規模な改修を行った。この結果、改修後の残存耐用年数は延長されて25年になったと考えられる。改修費のうち延長年数相当額を資本的支出（残存価額はゼロ）とすべきであるが、改修費の全額を建物勘定に計上している。なお、残存耐用年数により改修後の償却計算を行うこと。

問題15 圧縮記帳(1)

基礎 5分 解答>>>134P

X3年8月1日、国庫補助金150,000千円を現金で受け入れ、自己資金90,000千円と合わせて機械240,000千円を購入し、現金で支払った。以上の仕訳を示すとともに、決算整理の仕訳を示しなさい。なお、決算日は3月末日であり、減価償却は定額法（残存価額0円、定額法償却率0.200）、圧縮記帳は直接減額方式によること。

問題16 圧縮記帳(2)

基礎 5分 解答>>>135P

当社は不動産賃貸業を営む企業である（決算日は3月末日）。当社は当期の7月21日に、国からの補助金20,000,000円に自己資金を加えてアパートAを88,000,000円（税込み）で取得し、居住用として賃貸している。このアパートの当期の減価償却費の額を答えなさい。

なお、この補助金については返還不要が確定しており、当該アパートについて20,000,000円の圧縮記帳を積立金方式により行っている。

当該アパートの減価償却は、残存価額をゼロとした償却率0.020の定額法で行い、間接法で記帳している。また、消費税率は10%とし、税抜方式で処理している。

問題17 圧縮記帳(3)

応用 5分 解答>>>136P

次の各問に答えなさい。

問1 X4年10月10日、国庫補助金195,000千円を現金で受け入れ、自己資金75,000千円と合わせて機械270,000千円を購入し、現金で支払った。以上の仕訳を示すとともに、決算整理の仕訳を示しなさい。なお、決算日は3月末日、減価償却は定率法（残存価額は0円、定率法償却率20%）、間接法により記帳、圧縮記帳は積立金方式による。

問2 問1の仕訳について税効果会計を適用した場合の、(1)補助金受入れ、固定資産の取得(2)決算整理の仕訳をそれぞれ示しなさい。なお、法人税率は30%とする。

Chapter 8 リース会計

問題1 リース会計(1)

基礎 5分 解答>>>140P

下記の【資料】に基づいて、次の各問に答えなさい。

問1　X2年3月31日に行うリース料の支払いに関する仕訳を示しなさい。なお、第1回目のリース料に含まれている利息相当額は、3,444千円とする。

問2　【資料】のリース取引が所有権移転ファイナンス・リース に該当する場合における X2年3月31日に計上する減価償却費の金額を求めなさい。なお、機械装置の残存価額は0円とする。

問3　【資料】のリース取引が所有権移転外ファイナンス・リースに該当する場合における X2年3月31日に計上する減価償却費の金額を求めなさい。

【資　料】

X1年4月1日にEリース社と機械装置のリース契約を締結した。リース期間は5年、リース料は年額12,000千円で、毎年度末（3月31日）に支払う契約である。当社はこの取引をファイナンス・リース取引として資産・負債に計上するため、X1年4月1日に次の仕訳を行った（単位：千円）。

(リース資産)	49,200	(リース債務)	49,200

当該機械装置の経済的耐用年数は6年であり、減価償却の方法は定額法によるものとする。

問題2 リース会計(2)

基礎　3分　解答>>>141P

下記の【資料】に基づいて、次の各問に答えなさい。

問1　X2年３月31日に行うリース料の支払いに関する仕訳

問2　X3年３月31日に行うリース料の支払いに関する仕訳

【資　料】

X1年４月１日にEリース社と機械装置のリース契約を締結した。リース期間は５年、リース料は年額45,000千円で、毎年度末（３月31日）に支払う契約である。当社はこの取引をファイナンス・リース取引として資産・負債に計上するため、X1年４月１日に次の仕訳を行った（単位：千円）。

（リース資産）	184,500	（リース債務）	184,500

なお、毎期の利息相当額については、期首リース債務残高の７％になるように利息法を用いて算定する（千円未満の端数は切り捨てて計算すること）。

問題3 リース会計(3)

応用　6分　解答>>>143P

当社の前期末（X10年３月31日）および当期（X10年４月１日からX11年３月31日）の資料に基づいて、**【資料３】**の当期末における残高勘定および損益勘定の空欄①～⑥に入る適切な金額を求めなさい。なお、計算過程で千円未満の端数が生じた場合は切り捨てること。

【資料１】前期末

1　前期末の残高勘定

残　高　（単位：千円）

リース資産	各自推定	未払費用	各自推定
		リース債務	各自推定
		減価償却累計額	各自推定

2　車両はX9年４月１日に所有権移転ファイナンス・リースにより調達したものであり、減価償却計算は残存価額を０円として定額法により行っている。

3　リース契約の内容

(1)　リース料は年額1,200千円の前払い（毎年４月１日に支払い）

(2)　リース料総額4,800千円のうち利息相当額は180千円

(3)　リース期間：４年、リース物件の経済的耐用年数：５年

(4)　各期の利息配分額は、年利率2.6％の利息法により算定する。

【資料2】当期の期中取引

X10年４月１日にリース料を支払った。

【資料3】当期末

残　　高　　（単位：千円）

リ ー ス 資 産	①	未 払 費 用	②
		リ ー ス 債 務	③
		減価償却累計額	④

損　　益　　（単位：千円）

減 価 償 却 費	⑤		
支 払 利 息	⑥		

A社は、X23年12月１日に備品について以下の条件でファイナンス・リース契約を締結し、同日より事業の用に供している。支払リース料は支払時に全額を営業費に計上している。

よって、⑴リース資産取得、⑵リース料の支払いに関する決算修正、⑶減価償却費の計上（リース資産減価償却費勘定を使用）、それぞれの仕訳を示しなさい。

① リース期間：５年（リース期間中は解約不能）
② リース物件の経済的耐用年数：６年
③ 所有権移転条項および割安購入選択権は付されておらず、特別仕様でもない。
④ リース料：月額40,000円　X23年12月末を第１回目とし以降毎月末に支払う。
⑤ A社の見積現金購入価額：2,200,000円（貸手の購入価額は明らかでない）
⑥ リース料総額の現在価値：1,800,000円
⑦ 利息相当額の配分方法は、重要性が乏しいことから定額法（利息相当額の総額をリース期間中の各期にわたり定額で配分する方法）を採用する。
⑧ 減価償却方法は定額法、記帳方法は直接控除法を採用する。
⑨ A社の会計期間は、４月１日から３月31日までである。

当社の当期（自X20年４月１日　至X21年３月31日）に関する下記の資料に基づいて、**【資料３】**の決算整理後残高試算表の空欄①～⑤に入る適切な金額を求めなさい。

なお、計算過程で千円未満の端数が生じた場合は、そのつど四捨五入すること。

【資料1】決算整理前残高試算表

決算整理前残高試算表　　　　（単位：千円）

営業費	49,500		

【資料2】決算整理事項等

当社は、X20年4月1日に所有権移転外ファイナンス・リース取引により備品を調達している。解約不能のリース期間は5年、見積現金購入価額は73,890千円、リース料は月額1,371千円、支払日は半年ごとの後払い（毎年3月31日および9月30日）、リース料総額は82,260千円、リース物件の経済的耐用年数は6年である。当社は期中においてはリース料の支払額を営業費として計上していたが、決算において修正を行う。なお、リース資産の減価償却は定額法で行うこととし、利息相当額の算定に当たっての適用利子率は年4％とする。

【資料3】

決算整理後残高試算表　　　　（単位：千円）

リース資産	①	リース債務	⑤
営業費	②	減価償却累計額	各自推定
減価償却費	③		
支払利息	④		

問題6 リース会計(6)

基礎　5分　解答>>>150P

下記の**【資料】**に基づいて、決算整理後残高試算表を示しなさい。なお、当期はX9年4月1日からX10年3月31日までである。解答に当たって千円未満の端数が生じた場合には四捨五入すること。

【資料1】決算整理前残高試算表

決算整理前残高試算表　　　　（単位：千円）

リース資産	各自推定	リース債務	各自推定
支払利息	各自推定		

【資料2】決算整理事項等

X9年4月1日、備品について、次の条件により所有権移転外ファイナンス・リース契約を締結し、使用を開始した。なお、当該リース取引については適正に処理済みである。

(1)　解約不能のリース期間：5年

(2)　リース料：年額1,000千円、リース料総額5,000千円（毎年3月31日の支払い）

(3)　借手の見積現金購入価額：4,000千円（借手において貸手のリース物件の購入

価額は明らかではない）

⑷ リース料総額の現在価値4,100千円（借手は貸手の計算利子率を知りえない）

⑸ リース物件（備品）の経済的耐用年数：６年

⑹ 借手の減価償却方法：定額法（直接控除法により記帳している）

⑺ リース料総額の現在価値が、見積現金購入価額と等しくなる利子率：7.93％

⑻ リース料総額の現在価値の算定のために用いた利子率（借手の追加借入利子率）：７％

問題7 リース会計⑺

応用 8分 解答>>>152P

当社の下記の【資料】に基づいて、決算整理後残高試算表を示しなさい。なお、当期はX9年４月１日からX10年３月31日までである。解答にあたって千円未満の端数が生じた場合には四捨五入すること。

【資料１】決算整理前残高試算表

決算整理前残高試算表　（単位：千円）

現金預金	150,000	減価償却累計額	168,750
機械	300,000		

【資料２】決算整理事項等

1．【資料１】の機械は当期首より５年前に取得したものであり、耐用年数8年、残存価額10%、定額法により減価償却を行っていたものである。当該機械についてX9年４月１日にセール・アンド・リースバック取引を行ったが未処理である。

2．セール・アンド・リースバック取引の条件（ファイナンス・リース取引に該当する。）

⑴ 売却価額：147,000千円

⑵ リース期間：X9年４月１日から３年間（解約不能）

⑶ リース料：毎年１回３月31日に均等払い
　年額52,269千円、総額156,807千円

⑷ 計算利子率：3.3%

⑸ リース資産の所有権は、リース期間終了後、当社に無償で移転される。

3．リースバックされた機械については、経済的耐用年数3年、残存価額30,000千円、定額法により減価償却を行う。

4．X10年３月31日にリース料を支払っているが、未処理である。

5．セール・アンド・リースバック取引により計上されるリース債務、長期前払費用または長期前受収益は長短分類しないものとする。

リース会計(8)

応用 10分 解答>>>154P

甲社は機器をリースする業者である。甲社のX5年度（X5年4月1日～X6年3月31日）におけるリース取引に関する**【資料1】**と**【資料2】**に基づいて、答案用紙の(1)～(5)について計算しなさい。

リース取引に関する収益の計上方法として、所有権移転ファイナンス・リース取引については、リース取引開始日に売上高と売上原価を計上する方法、所有権移転外ファイナンス・リース取引については、リース料受取時に売上高と売上原価を計上する方法で処理している。

なお、解答にあたり端数が生じた場合は、計算のつど百円の位を四捨五入して千円単位で示すこと。

【資料1】機器の購入

機器の購入は以下のとおりである。購入代金は6カ月後に支払っている。

機器名	購入日	金額
X	X4年10月1日	40,250千円
Y	X4年10月1日	203,100千円

【資料2】リース取引

リース取引については以下のとおりである。

機器名	リース料（6カ月）	経済的耐用年数	解約不能リース期間
X	7,400千円	3年	3年
Y	37,400千円	5年	3年

《留意事項》

1　機器購入日とリース取引開始日は同日である。

2　リース料は6カ月ごとの後払いを受けている。

3　解約不能リース期間と契約期間は、同一である。

4　ファイナンス・リース取引の判定にあたって、現在価値基準（リース料総額の現在価値≧見積現金購入価額×90%）あるいは経済的耐用年数基準（解約不能リース期間≧経済的耐用年数×75%）のいずれか一つの基準に該当するものをファイナンス・リース取引としている。

　なお、借手の見積現金購入価額と貸手の購入価額および借手と貸手の経済的耐用年数の見積りは同じとする。

5　Xについては、所有権移転条項が付いている。そのほか割安購入選択権や特別仕様のものはない。

6　利息相当額は利息法により処理する。甲社の計算利子率は年６％である。

7　各回（割引率３％）の年金現価係数は以下のとおりである。

回	年金現価係数
1	0.9709
2	1.9135
3	2.8286
4	3.7171
5	4.5797
6	5.4172
7	6.2303
8	7.0197
9	7.7861
10	8.5302

Chapter 9 固定資産の減損会計

問題1 減損会計(1)

基礎 4分 解答>>>158P

下記の【資料】に基づいて、次の各問に答えなさい。

問1 必要となる決算整理仕訳を示しなさい。

問2 貸借対照表および損益計算書を示しなさい。

【資料1】決算整理前残高試算表

決算整理前残高試算表　　　（単位：千円）

土　　地	159,000	

【資料2】当期に関する事項

土地159,000千円は遊休地（将来キャッシュ・フローは0円と見込まれる。）であり、土地の価格が著しく下落したため減損の兆候が見られる。この土地は来期60,000千円で売却することが取締役会で決定されている。

これによって計上される減損損失額は税効果会計上の一時差異に該当する。なお、税効果会計の適用に当たっては、法定実効税率を30%とする。

問題2 減損会計(2)

基礎   6分 解答>>>160P

商品販売業を営むA社に関する下記の【資料】に基づいて、答案用紙に示した仕訳を行いなさい。

【資料1】X11年度（X11年4月1日からX12年3月31日）

(1) 決算に当たり、減損の兆候のある甲店舗について減損損失の認識の判定を行ったところ、減損損失を認識すべきであると判定されたため、減損会計を適用する。

(2) 甲店舗の減価償却等に関する資料は以下のとおりである。なお、減価償却の記帳方法は間接控除法を採用している。

	取得原価	耐用年数	償却方法	残存割合	取得年月日
建　物	30,000千円	18年	定額法	10%	X1年4月1日
器具備品	15,000千円	9年	定額法	10%	X8年4月1日
土　地	67,500千円	——	——	——	X1年4月1日

(3) 甲店舗の継続的使用と使用後の処分によって生ずると見込まれる将来キャッシュ・フローの現在価値は60,000千円である。

(4) 甲店舗を構成する資産の時価の合計は55,500千円であり、その処分費用見込額は1,500千円である。

(5) 減損損失の配分については、減損損失認識時の構成資産の帳簿価額に基づいて比例配分する。

【資料2】X12年度

甲店舗の建物および器具備品の減価償却の計算については、次のとおりとする。

(1) 償却方法および残存価額は減損処理前と同様とする。

(2) 耐用年数は経済的残存耐用年数5年を用いる。

問題3 減損会計(3)

基礎 3分 解答>>>162P

A社は、共用資産に減損の兆候があったので、共用資産を含む、より大きな単位で減損損失を計上することとした。次の資料に基づいて、減損損失の金額を計算する場合、共用資産の減損処理後の帳簿価額はいくらになるかを示しなさい。

【資　料】各資産グループに関する事項

(1) 事業甲に属する資産グループごとの減損損失の計算

（単位：千円）

	資産グループA	資産グループB	資産グループC
(1)帳簿価額	1,500	3,000	1,800
(2)割引前将来キャッシュ・フロー	2,100	3,300	1,500
(3)回収可能価額	1,950	2,850	1,200
減損損失	(　　　)	(　　　)	(　　　)

資産グループA、B、Cの各々に減損の兆候があった。

(2) 共用資産を含む、より大きな単位での減損損失の計算

（単位：千円）

	資産グループ A・B・C	共用資産	共用資産を含む資産グループの合計
(1)帳簿価額	6,300	1,875	(　　　)
(2)割引前将来キャッシュ・フロー			6,900
(3)回収可能価額			6,000
減損損失	(　　　)	(　　　)	(　　　)

(3) その他

共用資産の正味売却価額は270千円である。

問題4 減損会計(4)

応用 10分 解答>>>164P

当社は東京に本社を、仙台、名古屋、大阪に支店を有しており、減損会計の適用にあたり、各支店を独立したキャッシュ・フローを生成する最小単位として資産のグルーピングを行う。なお、本社に属する資産は共用資産として認識する。そこで、以下の【資料1】および【資料2】に基づいて【資料3】のアからオに該当する数値を算定しなさい。

【資料1】各資産グループに関する事項

（単位：千円）

	仙台支店	名古屋支店	大阪支店
減損の兆候	無し	有り	有り
グルーピングした資産の帳簿価額の合計	176,400	117,600	126,000
グルーピングした資産から生ずる割引前将来キャッシュ・フロー	――	119,940	87,500
グルーピングした資産から生ずる割引後将来キャッシュ・フロー	――	――	75,600
グルーピングした資産の正味売却価額の合計	――	――	73,126

【資料2】共用資産に関する事項

(1) 共用資産の減損の兆候の識別、減損損失の認識および測定にあたっては、各資産グループごとに個別に行い、その後、共用資産を含めたより大きな単位で行う。

(2) 各資産グループに共用資産を加えたことによる減損損失の増加額は、原則として共用資産に配分する。

(3) 共用資産に配分される減損損失が、共用資産の帳簿価額と正味売却価額の差額を超過する場合には、当該超過額を各資産グループ（すでに減損損失が測定されている資産グループを除く）の帳簿価額の比率に基づいて比例配分する。

(4) 各資産グループに共用資産を含めたより大きな単位については、減損の兆候ありと識別された。

(5) 共用資産の帳簿価額は120,000千円であり、正味売却価額は102,000千円である。

(6) 各資産グループに共用資産を含めた、より大きな単位から生ずる割引前将来キャッシュ・フローは530,000千円である。

(7) 各資産グループに共用資産を含めた、より大きな単位での回収可能価額は458,000千円である。

【資料3】減損損失の計上額

（単位：千円）

	仙台支店	名古屋支店	大阪支店	本　　社	合　　計
減損損失	ア	イ	ウ	エ	オ

問題5 減損会計(5)

応用　8分　解答>>>166P

下記の【資料】に基づいて、次の各問に答えなさい。

問1　決算整理後残高試算表を作成しなさい。

問2　翌期の減価償却費の金額を答えなさい。

【資料1】決算整理前残高試算表

決算整理前残高試算表　（単位：千円）

建　　　物	315,000	減価償却累計額	179,550
土　　　地	84,000		

【資料2】当期に関する事項

(1) 決算整理前残高試算表の土地および建物は、一体として賃貸用不動産（以下「資産グループ」）として使用している。当期末において当該資産グループに減損の兆候が見られたため、減損損失の認識の判定を行うこととした。なお、減損損失を認識すべきと判定された場合には減損会計の適用を行うこと。また、減損損失は各資産の帳簿価額に基づいて比例配分する。

(2) 建物は取得後19年経過しており、耐用年数30年の定額法（残存価額10%）により減価償却している。

(3) 資産グループの経済的残存使用年数は5年と見積もられ、その期間における将来キャッシュ・フローは以下のとおりである。

（単位：千円）

	1年目	2年目	3年目	4年目	5年目
賃貸料収入	30,000	30,000	30,000	30,000	30,000

(4) 資産グループの正味売却価額は以下のとおりである。

（単位：千円）

正味売却価額	当期末	5年後
建　　物	90,000	0
土　　地	60,000	45,000
合　　計	150,000	45,000

(5) 現在価値を算定する際の割引率は５％であり、割引率５％の現価係数および年金現価係数は以下のとおりである。

（単位：千円）

	1年後	2年後	3年後	4年後	5年後
現価係数	0.95	0.91	0.86	0.82	0.78
年金現価係数	0.95	1.86	2.72	3.54	4.32

【資料３】翌期に関する事項

(1) 償却方法は減損処理前と同様とする。
(2) 残存価額は０円に変更する。
(3) 耐用年数は経済的残存耐用年数５年を用いる。

解答・解説

Chapter 2

現金・預金

解答1 現金過不足・小口現金

	日付	時間	学習メモ
1回目	／	／6分	
2回目	／	／6分	
3回目	／	／6分	

問1

(単位：円)

	借方科目	金額	貸方科目	金額
(1)	旅費交通費	480,000	仮払金	400,000
			未払金	80,000
(2)	交際費	280,000	仮払金	1,200,000
	消耗品費	100,000		
	給料手当	480,000		
	現金預金	332,000		
	雑損失	8,000		

問2

決算整理後残高試算表 (単位：円)

現金預金	(216,741,220)	未払金	(16,661,188)
給料手当	(150,838,660)	雑収入	(2,351,920)
交際費	(61,082,348)		
旅費交通費	(26,875,120)		
消耗品費	(1,080,480)		
雑損失	(180,840)		

解説

(1) 旅費の発生額に対する不足額80,000円は未精算なので、未払金勘定で処理します。

(2)① 決算日なので、仮払金勘定（小口現金）の残額は現金預金勘定に振り替えます。

② 設定額が1,200,000円、使用した合計額が860,000円なので、あるべき現金有高は340,000円となりますが、実際有高が332,000円なので、差額8,000円は雑損失となります。

出題論点

・小口現金（仮払金処理）
・現金過不足

学習のポイント

・仮払金処理の場合、支払報告時に残額を適当な勘定科目に振り替える点をおさえましょう。
・使用する勘定科目を問題文から判断する必要がある点に注意しましょう。

当座借越

	日付	時間	学習メモ
1回目	／	／3分	
2回目	／	／3分	
3回目	／	／3分	

（単位：円）

	借方科目	金額	貸方科目	金額
(1)	当座預金	720,000	売掛金	720,000
(2)	買掛金	1,200,000	当座預金	920,000
			当座借越	280,000
(3)	当座借越	280,000	売上	600,000
	当座預金	320,000		

解説

(2) 当座借越：

買掛金支払額1,200,000円－当座預金残高（200,000円＋720,000円）＝280,000円

出題論点

・当座借越（二勘定制）

学習のポイント

・当座借越残高がある場合に現金を預け入れたときは、当座借越を返した後の残額が当座預金となる点に注意しましょう。

解答3 定期預金

	日付	時間	学習メモ
1回目	／	／5分	
2回目	／	／5分	
3回目	／	／5分	

現金及び預金	長期性預金
740,000円	180,000円

解説

1 当座預金について

不一致の原因のうち、当社で仕訳が必要なのは①、②です。

① 未渡小切手

(当座預金)	70,000	(買掛金)	70,000

② 振込未通知

(当座預金)	50,000	(売掛金)	50,000

当座預金の期末残高：500,000円＋70,000円＋50,000円＝620,000円
当座預金は全額が流動資産（現金及び預金）に分類されます。

2　定期預金について

①の定期預金は預入日がX3年4月1日の3年物定期預金なので、満期日はX6年3月31日です。よって、満期日が決算日の翌日から起算して1年以内であるため、流動資産（現金及び預金）に分類されます。

一方②の定期預金は預入日がX2年4月1日の5年物定期預金なので、満期日はX7年3月31日となります。よって、満期日が決算日の翌日から起算して1年超であるため、固定資産（長期性預金）に分類されます。

以上より、現金及び預金と長期性預金の金額は以下のようになります。

・現金及び預金：当座預金620,000円＋①定期預金120,000円＝740,000円
・長期性預金：②定期預金180,000円

出題論点

・定期預金

学習のポイント

・貸借対照表上、流動・固定の分類が必要となるので、満期日がいつなのか資料をよく確認しましょう。

本試験の出題例

・未渡小切手は比較的よく出題されており、基本論点として、買掛金の支払いに関する未渡小切手なら買掛金の減少を取り消し、販管費の支払いに関する未渡小切手なら未払金を計上するという処理があります。

解答4 銀行勘定調整(1)

	日付	時間	学習メモ
1回目	／	／5分	
2回目	／	／5分	
3回目	／	／5分	

決算整理後残高試算表　(単位：円)

現金預金	(600,000)	支払手形	(6,240,000)
売掛金	(4,720,000)	買掛金	(4,240,000)
営業費	(17,760,000)	(短期借入金)	(720,000)

解説

1 売掛金回収誤記帳

① 適正な仕訳

(現金預金)	920,000	(売掛金)	920,000

② 当社が行った仕訳

(売掛金)	1,280,000	(現金預金)	1,280,000

③ 修正仕訳（①－②）

(現金預金)	2,200,000	(売掛金)	2,200,000

2 未取付小切手（銀行側減算）

当社での振出および記帳は済んでいますが、未だ支払先が銀行に持ち込んでいないために、銀行からの支払いが済んでいない（未決済である）ことから、未取付小切手と判断します。

仕　訳　な　し

3 買掛金支払誤記帳

① 適正な仕訳

(買掛金)	1,600,000	(現金預金)	1,600,000

② 当社が行った仕訳

(現金預金)	1,600,000	(買掛金)	1,600,000

③　修正仕訳（①－②）

（買　掛　金）	3,200,000	（現　金　預　金）	3,200,000

4　未記帳

（支　払　手　形）	2,160,000	（現　金　預　金）	2,160,000

5　銀行勘定調整表（参考）

銀行勘定調整表

帳簿残高	2,440,000	証明書残高	400,000
(1) 誤記帳	＋2,200,000	(2) 未取付小切手	△1,120,000
(3) 誤記帳	△3,200,000		
(4) 未記帳	△2,160,000		
修正後残高	△　720,000	修正後残高	△　720,000

6　短期借入金への振替え

（現　金　預　金）	720,000	（短　期　借　入　金）	720,000

出題論点

・銀行勘定調整
・当座借越の短期借入金への振替え

学習のポイント

・銀行側の調整か企業側の調整かを明確に区別できるようにしましょう。
・当座借越の科目名を短期借入金で処理するという指示に注意しましょう。

解答5　銀行勘定調整(2)

	日付	時間	学習メモ
1回目	／	／7分	
2回目	／	／7分	
3回目	／	／7分	

修正および決算整理後残高試算表　　（単位：千円）

借方科目	金額	貸方科目	金額
現金預金	（　420,250）	短期借入金	（　4,435）
売掛金	（　1,257,890）		
営業費	（　9,830）		

解説（仕訳の単位：千円）

1　修正仕訳

企業側での当座預金の加算または減算の調整について、修正仕訳を行います。なお、銀行側での調整については、仕訳は必要ありません。

(1)　振込未記帳　→　当社側加算

（現金預金）	4,825	（売掛金）	4,825

(2)　未取付小切手　→　銀行側減算

(3)　営業費未記帳　→　当社側減算

（営業費）	2,200 *	（現金預金）	2,200

＊　下記２　銀行勘定調整表より

2　銀行勘定調整表

銀行勘定調整表を作成し、貸借の差額から営業費の支払額を算定します。

(1)　銀行勘定調整表

銀行勘定調整表　　（単位：千円）

当座預金の帳簿残高	△	7,060	証明書残高	△	1,915
1(1)　振込未記帳	＋	4,825	1(2)　未取付小切手	△	2,520
1(3)　営業費未記帳	（△	2,200）			
修正後残高	△	4,435	修正後残高	△	4,435

(2)　負債勘定への振替

当座預金（当座借越）が貸方残高となることから、負債勘定（短期借入金）に振り替えます。

（現金預金）	4,435 *	（短期借入金）	4,435

＊　上記(1)の修正後残高

3　当座借越の短期借入金への振替（参考）

⑴　前T／Bの現金預金

前T／Bの現金預金は、当座預金（当座借越7,060千円）および当座預金以外の現金預金（現金、普通預金、定期預金など）420,250千円で構成されており、当座借越7,060千円が相殺されています。

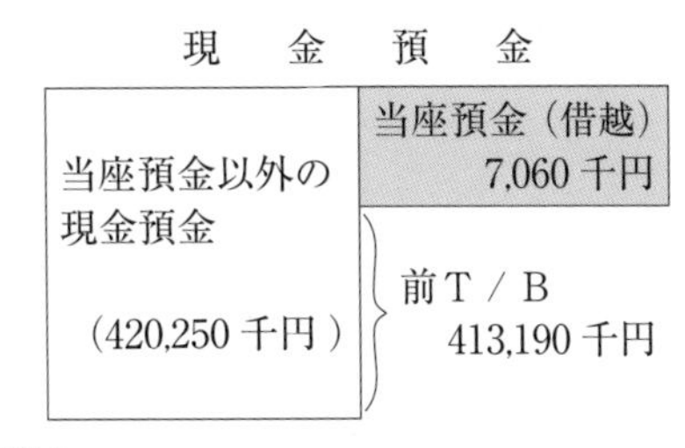

⑵　後T／Bの現金預金

後T／Bの現金預金は、当座預金分（当座借越）が短期借入金に振り替えられたため、当座預金以外の現金預金420,250千円のみとなります。

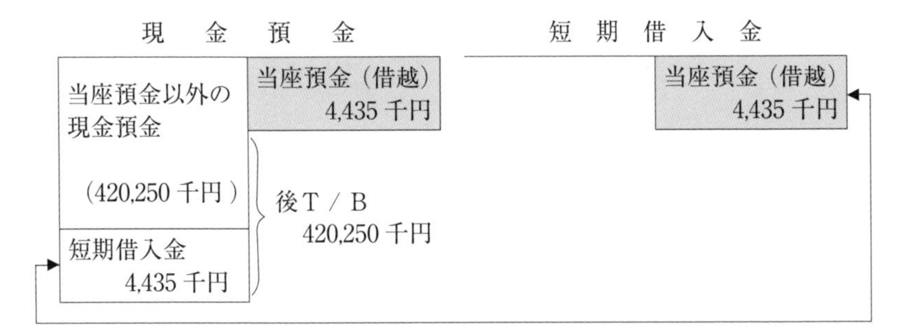

4　後T／Bの各金額の算定

⑴　現金預金：420,250千円

⑵　売掛金：前T／B 1,262,715千円－4,825千円＝1,257,890千円

⑶　営業費：前T／B 7,630千円＋2,200千円＝9,830千円

⑷　短期借入金：4,435千円

出題論点

・現金預金の修正
・銀行勘定調整表
・当座預金（当座借越）、貸方残高の短期借入金への振替

学習のポイント

・仕訳を行うのは、企業側で現金預金の加算または減算の調整をする場合のみです。企業側の調整か銀行側の調整かを明確に区別できるようにしましょう。
・銀行勘定調整表は下書きしましょう。ケアレスミスの防止にも役立ちます。
・当座借越の貸方勘定は負債勘定（短期借入金）に振り替える旨の指示に注意しましょう。

Chapter 3

手形・債権

解答1 不渡手形

	日付	時間	学習メモ
1回目	／	／5分	
2回目	／	／5分	
3回目	／	／5分	

1　自己所有の手形が不渡りとなった場合　(単位：円)

	借方科目	金額	貸方科目	金額
(1)	受取手形	80,000	売上	80,000
(2)	不渡手形	80,000	受取手形	80,000

2　裏書譲渡した手形が不渡りとなった場合　(単位：円)

	借方科目	金額	貸方科目	金額
(1)	買掛金	80,000	受取手形	80,000
(2)	不渡手形	80,000	当座預金	80,000

3　割り引きした手形が不渡りとなった場合　(単位：円)

	借方科目	金額	貸方科目	金額
(1)	当座預金	66,120	受取手形	80,000
	手形売却損	13,880		
(2)	不渡手形	80,000	当座預金	80,000

出題論点

・不渡手形

学習のポイント

・自己所有の手形か裏書譲渡もしくは割り引きした手形かで会計処理が異なる点に注意しましょう。

保証債務

	日付	時間	学習メモ
1回目	／	／6分	
2回目	／	／6分	
3回目	／	／6分	

（単位：千円）

	借方科目	金額	貸方科目	金額
(1)	仕入	296,000	受取手形	296,000
	保証債務費用※	5,920	保証債務	5,920
(2)	保証債務	5,920	保証債務取崩益	5,920
(3)	当座預金	44,000	受取手形	48,000
	手形売却損	4,000		
	保証債務費用※	960	保証債務	960
(4)	不渡手形	48,000	当座預金	48,000
	保証債務	960	保証債務取崩益	960

※「手形売却損」でも可。

解説

(1) 保証債務の計上
296,000千円×2％＝5,920千円

(3) 保証債務の計上
48,000千円×2％＝960千円

出題論点

・保証債務

学習のポイント

・保証債務の計上は、裏書譲渡もしくは割引をした場合に行う点、および保証債務の取崩しは、手形が決済もしくは不渡りになった場合に行う点をおさえましょう。

解答3 為替手形

	日付	時間	学習メモ
1回目	／	／8分	
2回目	／	／8分	
3回目	／	／8分	

（単位：円）

			借方科目	金額	貸方科目	金額
1	(1)	A社	仕入	300,000	売掛金	100,000
					支払手形	200,000
		B社	受取手形	300,000	売上	300,000
		C社	買掛金	100,000	支払手形	100,000
	(2)	A社	仕訳なし			
		B社	当座預金	100,000	受取手形	100,000
		C社	支払手形	100,000	当座預金	100,000
	(3)	A社	支払手形	200,000	当座預金	200,000
		B社	当座預金	200,000	受取手形	200,000
		C社	仕訳なし			
2	A社		受取手形	50,000	売上	50,000
	D社		仕入	50,000	支払手形	50,000
3	A社		買掛金	60,000	支払手形	60,000
	E社		受取手形	60,000	売掛金	60,000

解説

1　為替手形と約束手形

本問では、為替手形による取引と約束手形による取引が同時に行われています。それぞれの取引について、各社の債権と債務の状況を明確に捉えるようにしましょう。

(1)　手形が振り出されたとき

①　A社

A社は為替手形と約束手形の振出人です。為替手形の場合、C社（名宛人）に対する売掛金の減少して処理します。一方、約束手形の場合、B社に対する支払手形の増加として処理します。

②　B社

B社は為替手形の場合、指図人であり、約束手形の場合、名宛人となっています。どちらも手形代金を受け取る権利が生じるため、受取手形の増加として処理します。

③　C社

C社は為替手形の名宛人です。A社（振出人）に対する買掛金が減少し、B社（指図人）に対して手形代金を支払う義務が生じるため、支払手形の増加として処理します。

⑵　為替手形が決済されたとき

①　A社

振出人には、受取手形も支払手形もないため、為替手形が決済されてもなんの仕訳もしません。

②　B社

受け取った為替手形が決済された場合は、受取手形の減少として処理します。

③　C社

引き受けた為替手形が決済されたときは、支払手形の減少として処理します。

⑶　約束手形が決済されたとき

①　A社

振り出した約束手形が決済された場合は、支払手形の減少として処理します。

②　B社

受け取った約束手形が決済された場合は、受取手形の減少として処理します。

2　自己受為替手形

⑴　A社

自己受為替手形の振出人は指図人となります。そこで、受取手形の増加として処理します。

⑵　D社

自己受為替手形の名宛人には、引き受けにより、手形代金を支払う義務が生じます。そこで、支払手形の増加として処理します。

3　自己宛為替手形

⑴　A社

自己宛為替手形の振出人は名宛人となります。そこで、支払手形の増加として処理します。

⑵　E社

自己宛為替手形の指図人には、受け取りにより、手形代金を受け取る権利が生じます。そこで、受取手形の増加として処理します。

出題論点

・為替手形
・自己受為替手形、自己宛為替手形

学習のポイント

・当事者間の関係を明確にして仕訳をしましょう。

解答4 営業外手形

	日付	時間	学習メモ
1回目	／	／4分	
2回目	／	／4分	
3回目	／	／4分	

1　A社の仕訳　(単位：千円)

借方科目	金額	貸方科目	金額
車両運搬具	20,000	当座預金	2,000
		営業外支払手形	14,000
		未払金	4,000

2　B社の仕訳　(単位：千円)

借方科目	金額	貸方科目	金額
現金	2,000	売上	20,000
受取手形	14,000		
売掛金	4,000		

解説

1　A社

小切手を振り出しているため、当座預金を減額します。また、車両の購入は商品売買以外の取引となるため、手形債務については営業外支払手形、翌月の支払分は未払金となります。

2　B社

他人振出の小切手は現金として処理します。また、車両の販売は商品売買取引として処理するため（自動車販売会社にとって自動車は商品となります）、手形債権については受取手形、翌月の受取分は売掛金となります。

出題論点

・営業外手形

学習のポイント

・本問では、Ａ社にとっては商品売買以外の取引ですが、Ｂ社にとっては商品売買取引となるため、Ａ社では営業外支払手形と処理をしても、Ｂ社では受取手形として処理をする点に注意しましょう。

解答5 金融手形

	日付	時間	学習メモ
1回目	／	／2分	
2回目	／	／2分	
3回目	／	／2分	

（単位：円）

	借方科目	金額	貸方科目	金額
(1)	当座預金	1,982,000	手形借入金	2,000,000
	支払利息	18,000		
(2)	手形貸付金	2,400,000	現金	2,388,000
			受取利息	12,000

出題論点

・金融手形

学習のポイント

・手形借入金勘定・手形貸付金勘定で処理することに注意しましょう。

売掛金の売却（ファクタリング）

	日付	時間	学習メモ
1回目	／	／5分	
2回目	／	／5分	
3回目	／	／5分	

（単位：円）

借方科目	金額	貸方科目	金額
その他営業外費用	170,000	当座預金	170,000

解説

1　X2年1月10日の当社の仕訳

資料より、売掛金の譲渡時に全額が当座預金に入金したものとして処理したとあるので以下のように仕訳しています。

（当座預金）3,400,000　（売掛金）3,400,000

2　あるべき仕訳

資料より売掛金譲渡時にはファクタリング会社に債権金額に対して5％の手数料を支払っているとあるので、あるべき仕訳は以下のようになります。なお本問では資料より、買取手数料（売上債権売却損）は「その他営業外費用勘定」を用いて処理します。

（当座預金）3,230,000　（売掛金）3,400,000
（その他営業外費用）170,000 *

＊　買取手数料3,400,000円×5％＝170,000円

3　修正仕訳

以上より修正仕訳は以下のようになります。

（その他営業外費用）170,000　（当座預金）170,000

出題論点

・売掛金の売却（ファクタリング）

学習のポイント

・受取手形の割引との処理の違いを確認しましょう。

Chapter 4

金銭債権の評価

貸倒引当金(1)

	日付	時間	学習メモ
1回目	／	／5分	
2回目	／	／5分	
3回目	／	／5分	

問1

(1)破産更生債権等	(2)貸倒懸念債権	(3)一般債権
16,000 円	20,000 円	18,000 円

問2

決算整理後残高試算表　　　　（単位：円）

売掛金	400,000	貸倒引当金	（ 54,000）
貸付金	（ 240,000）		
破産更生債権等	（ 20,000）		
貸倒引当金繰入額	（ 47,200）		

解説

1　貸倒実績率の算定

$$\left(\frac{19{,}600円}{560{,}000円}+\frac{16{,}200円}{600{,}000円}+\frac{17{,}920円}{640{,}000円}\right)\div 3算定年度=0.03$$ ⇨貸倒実績率３％

2　貸倒見積高の算定

(1)　破産更生債権等20,000円－債務保証額4,000円＝16,000円

(2)　貸倒懸念債権（売掛金32,000円＋貸付金8,000円）×50％＝20,000円

(3)　一般債権

決算整理前残高試算表に計上されている売上債権から破産更生債権等と貸倒懸念債権に区分される債権を差し引いて一般債権に区分される金額を求めます。

① 売掛金400,000円＋貸付金（260,000円－破産更生債権等20,000円）
－貸倒懸念債権（売掛金32,000円＋貸付金8,000円）＝600,000円

② 貸倒見積高：600,000円×３％＝18,000円

3　決算整理仕訳

(1) 破産更生債権等

① 破産更生債権等への振替え

（破産更生債権等）	20,000	（貸付金）	20,000

② 貸倒引当金の設定

（貸倒引当金繰入額）	16,000	（貸倒引当金）	16,000

(2) 貸倒懸念債権

（貸倒引当金繰入額）	20,000	（貸倒引当金）	20,000

(3) 一般債権

（貸倒引当金繰入額）	11,200 *	（貸倒引当金）	11,200

＊ 18,000円－前Ｔ／Ｂ貸倒引当金6,800円＝11,200円

出題論点

・貸倒引当金（貸倒見積高の算定）

学習のポイント

・前々々期の貸倒損失額はダミーの資料になっています。一般債権の貸倒実績率に関する資料の読取りには注意しましょう。
・決算整理前残高試算表に計上されている債権が、どの債権区分となるかを的確に区別できるようにしましょう。

解答2 貸倒引当金(2)

	日付	時間	学習メモ
1回目	／	／10分	
2回目	／	／10分	
3回目	／	／10分	

問1

(単位：千円)

借方科目	金額	貸方科目	金額
破産更生債権等	46,800	売掛金	12,000
		受取手形	14,800
		不渡手形	20,000

問2

(1)破産更生債権等	(2)貸倒懸念債権	(3)一般債権
42,000 千円	10,000 千円	6,784 千円

問3

決算整理後残高試算表 (単位：千円)

借方	金額	貸方	金額
受取手形	(2,482,000)	貸倒引当金	(58,784)
売掛金	(940,000)		
破産更生債権等	(46,800)		
貸倒引当金繰入額	(52,384)		

解説 (仕訳の単位：千円)

1 破産更生債権等への振替え（問1）

当社が保有しているC社振出の約束手形8,000千円は、振出人であるC社が手形債務者となるため、この手形債権は、A社に対するものではなく、C社に対するものです（次図参照）。したがって、この手形債権は、A社の倒産にかかわらず振出人のC社から回収できるため、破産更生債権等に振り替える必要はありません。

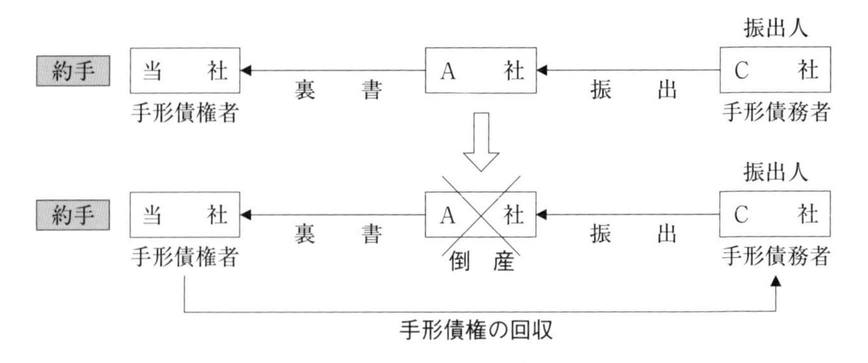

2　貸倒見積高（問2）

⑴　破産更生債権等（A社）

債権残高：売掛金12,000千円＋受取手形14,800千円＋不渡手形20,000千円
＝46,800千円

貸倒見積高：46,800千円－担保処分見込額4,800千円＝42,000千円

⑵　貸倒懸念債権（B社）

貸倒見積高：（30,000千円－担保処分見込額10,000千円）×50％＝10,000千円

⑶　一般債権

債権残高：前T／B（受取手形2,496,800千円－破産更生債権等14,800千円
＋売掛金952,000千円－破産更生債権等12,000千円）
－貸倒懸念債権30,000千円＝3,392,000千円

貸倒見積高：3,392,000千円×貸倒実績率0.2％＝6,784千円

3　貸倒引当金繰入額の計上

⑴　破産更生債権等

（貸倒引当金繰入額）	42,000	（貸　倒　引　当　金）	42,000

⑵　貸倒懸念債権

（貸倒引当金繰入額）	10,000	（貸　倒　引　当　金）	10,000

⑶　一般債権

（貸倒引当金繰入額）	384 *	（貸　倒　引　当　金）	384

＊　6,784千円－前T／B 6,400千円＝384千円

出題論点

・貸倒引当金（貸倒見積高の算定）
・裏書譲渡された手形の債権区分

学習のポイント

・本問のように、たとえ得意先が倒産しても、債権の内容によっては回収が可能な場合がある点に注意しましょう。
・決算整理事項として破産更生債権等への振替えを行った場合、決算整理後残高試算表の売上債権の金額が決算整理前残高試算表と異なってくる点に注意しましょう。

解答3 貸倒引当金(3)

	日付	時間	学習メモ
1回目	／	／10分	
2回目	／	／10分	
3回目	／	／10分	

問1 一般債権

(1) 貸倒実績率 1 %

(2) 貸倒見積高 40,000 円

(3) 決算整理仕訳

（単位：円）

借方科目	金額	貸方科目	金額
貸倒引当金繰入額	8,000	貸倒引当金	8,000

問2 貸倒懸念債権

(1) 貸倒見積高 320,000 円

(2) 決算整理仕訳

(単位：円)

借方科目	金額	貸方科目	金額
貸倒引当金繰入額	320,000	貸倒引当金	320,000

問3 破産更生債権等

(1) 貸倒見積高 400,000 円

(2) 決算整理仕訳

(単位：円)

借方科目	金額	貸方科目	金額
破産更生債権等	2,000,000	貸付金	2,000,000
貸倒引当金繰入額	400,000	貸倒引当金	400,000

問4

決算整理後残高試算表

(単位：円)

借方	金額	貸方	金額
受取手形	(1,200,000)	貸倒引当金	(760,000)
売掛金	(3,600,000)	預り保証金	160,000
(破産更生債権等)	(2,000,000)		
貸倒引当金繰入額	(728,000)		

問5

① 一般債権

(単位：円)

借方科目	金額	貸方科目	金額
貸倒引当金	40,000	売掛金	2,800,000
貸倒損失	2,760,000		

② 貸倒懸念債権

(単位：円)

借方科目	金額	貸方科目	金額
預り保証金	160,000	売掛金	800,000
貸倒引当金	320,000		
貸倒損失	320,000		

③　破産更生債権等

（単位：円）

借方科目	金額	貸方科目	金額
現金	1,600,000	破産更生債権等	2,000,000
貸倒引当金	400,000		

④　当期に発生したＥ社に対する売掛金

（単位：円）

借方科目	金額	貸方科目	金額
貸倒損失	800,000	売掛金	800,000

解説

問１　一般債権（貸倒実績率法）

⑴　貸倒実績率

貸倒損失5,760円÷前々々期末残高480,000円＝0.012
貸倒損失4,160円÷前々期末残高520,000円＝0.008
貸倒損失4,400円÷前期末残高440,000円＝0.01
合計0.03÷３算定年度＝0.01→貸倒実績率１％

⑵　貸倒見積高：（売掛金2,800,000円＋受取手形1,200,000円）×１％＝40,000円

⑶　貸倒引当金繰入額：40,000円－32,000円＝8,000円

問２　貸倒懸念債権（財務内容評価法）

貸倒見積高：（800,000円－回収可能額160,000円）×50％＝320,000円

問３　破産更生債権等（財務内容評価法）

貸倒見積高：（2,000,000円－回収可能額1,600,000円）×100％＝400,000円

破産更生債権等勘定への振替処理の指示があるため、貸付金勘定から破産更生債権等勘定へ振り替えます。

問４　決算整理後残高試算表の作成

決算整理前残高試算表の金額に、**問１**から**問３**の仕訳を反映して作成します。

問５

①　一般債権は総括引当法により貸倒見積高を算定しているため、貸倒時における貸倒引当金の取崩しは一般債権に係る貸倒引当金40,000円を取り崩すことになります。

②　担保を実行し、預り保証金を取り崩します。また、貸倒懸念債権は個別引当法により貸倒見積高を算定しているため、貸倒時における貸倒引当金の取崩しは当該債

権に係る貸倒引当金（C社分320,000円のみ）を取り崩すことになります。

③　破産更生債権等は個別引当法により貸倒見積高を算定しているため、貸倒時における貸倒引当金の取崩しは当該債権に係る貸倒引当金（D社分400,000円のみ）を取り崩すことになります。

④　当期に発生した売掛金が貸し倒れた場合には、「貸倒損失」として処理します。

出題論点

・貸倒引当金（貸倒見積高の算定）
・貸倒処理

学習のポイント

・債権の区分に応じた会計処理をおさえましょう。
・売掛金の貸倒れは、前期に発生した分が貸し倒れたのか、当期に発生した分が貸し倒れたのかの違いにより会計処理が異なるので注意しましょう。

解答4 貸倒引当金(4)

	日付	時間	学習メモ
1回目	／	／8分	
2回目	／	／8分	
3回目	／	／8分	

（単位：円）

	借方科目	金額	貸方科目	金額
(1)	現金	800	売掛金	2,400
	貸倒引当金	1,200		
	貸倒損失	400		
(2)	現金	11,800	売掛金	12,000
	貸倒引当金	200		
(3)	売掛金	200,000	売上	200,000
(4)	現金	180,000	売掛金	180,000

決算整理前残高試算表　（単位：円）

借方	金額	貸方	金額
売掛金	（20,000）	貸倒引当金	（160）
貸倒損失	（400）	売上	200,000

（単位：円）

	借方科目	金額	貸方科目	金額
決算整理	破産更生債権等	2,000	売掛金	2,000
	貸倒引当金繰入額	2,000	貸倒引当金	2,000
	貸倒引当金	160	貸倒引当金戻入益	160
	貸倒引当金繰入額	540	貸倒引当金	540

決算整理後残高試算表　（単位：円）

借方	金額	貸方	金額
売掛金	（18,000）	貸倒引当金	（2,540）
破産更生債権等	（2,000）	売上	200,000
貸倒損失	（400）	貸倒引当金戻入益	（160）
貸倒引当金繰入額	（2,540）		

解説

1　資料の把握

決算整理後残高試算表に貸倒引当金戻入益が計上されているため、洗替法と判断します。なお、仕訳を行う際の勘定科目は、決算整理後残高試算表で用いられている勘定科目を用います。

2　当期中の取引

貸倒懸念債権は個別引当法により貸倒見積高を算定しているため、貸倒時における貸倒引当金の取崩しは当該債権に係る貸倒引当金1,200円のみ取り崩すことになります。一般債権に係る貸倒引当金が160円残っていたとしても、その分まで取り崩すことはしません。

3　決算整理仕訳

(1)　破産更生債権等

①　破産更生債権等への振替

(破産更生債権等)	2,000	(売掛金)	2,000

②　貸倒引当金の設定

(貸倒引当金繰入額)	2,000 *	(貸倒引当金)	2,000

＊　2,000円×100％＝2,000円

(2) 一般債権

(貸倒引当金)	160	(貸倒引当金戻入益)	160 *1
(貸倒引当金繰入額)	540 *2	(貸倒引当金)	540

＊1 前T／B貸倒引当金
＊2 18,000円×3％＝540円

出題論点

・貸倒引当金（貸倒見積高の算定・洗替法）
・貸倒処理

学習のポイント

・期首から決算日までの流れをおさえましょう。
・具体的な指示が与えられていない場合、答案用紙などから会計処理を判断します。

解答5 貸倒引当金(5)

	日付	時間	学習メモ
1回目	／	／8分	
2回目	／	／8分	
3回目	／	／8分	

問1

(1)

残　　高　　(単位：千円)

日付	摘　要	金　額	日付	摘　要	金　額
3/31	貸付金	10,000	3/31	貸倒引当金	1,736

(2)

決算整理後残高試算表　(単位：千円)

貸付金	10,000	貸倒引当金	(910)
		受取利息	(826)

問2

(1)

残　　　高　（単位：千円）

日付	摘　要	金　額	日付	摘　要	金　額
3/31	貸　付　金	10,000	3/31	貸倒引当金	1,041

(2)

決算整理後残高試算表　（単位：千円）

貸　付　金	10,000	貸倒引当金	(545)
		受取利息	(896)

解説（仕訳の単位：千円）

問1　利払いを免除した場合

(1)　前期末（X3年3月31日）

(貸倒引当金繰入額)	1,736	(貸倒引当金)	1,736 *

*　①　将来キャッシュ・フロー

利息が免除されているため、将来キャッシュ・フローは元本のみになります。

X4年3月31日→なし

X5年3月31日→元本10,000千円

②　割引現在価値

当初約定利子率の10%で割り引きます（単位：千円）。

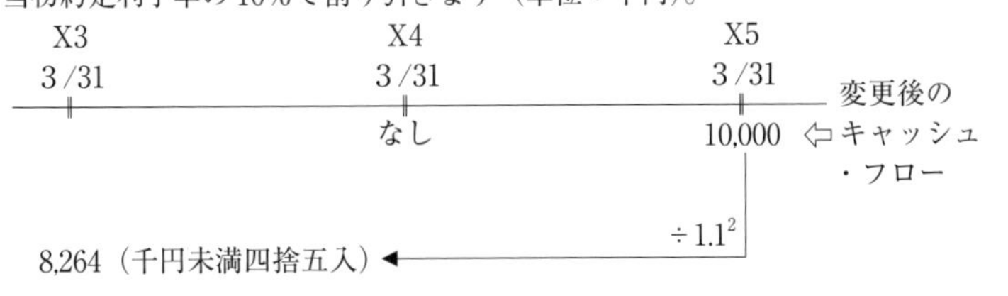

③　貸倒見積高（貸倒引当金の前期繰越高）

貸付金の金額と割引現在価値の差額を貸倒見積高として計上します。

10,000千円－8,264千円＝1,736千円

(2)　当期末（X4年3月31日）

(貸倒引当金)	826	(受取利息)	826 *

*　（貸付金10,000千円－貸倒引当金1,736千円）× 10% = 826千円（千円未満四捨五入）

問２　利率を４％とした場合

(1)　前期末（X3年３月31日）

（貸倒引当金繰入額）	1,041	（貸　倒　引　当　金）	1,041 *

＊　①　将来キャッシュ・フロー

減免後の利率に基づいて算定された利息も将来キャッシュ・フローに含めます。

X4年３月31日→10,000千円×条件緩和後利子率４％＝利息400千円

X5年３月31日→元本10,000千円＋利息（10,000千円×４％）＝10,400千円

②　割引現在価値

当初約定利子率の10%で割り引きます（単位：千円）。

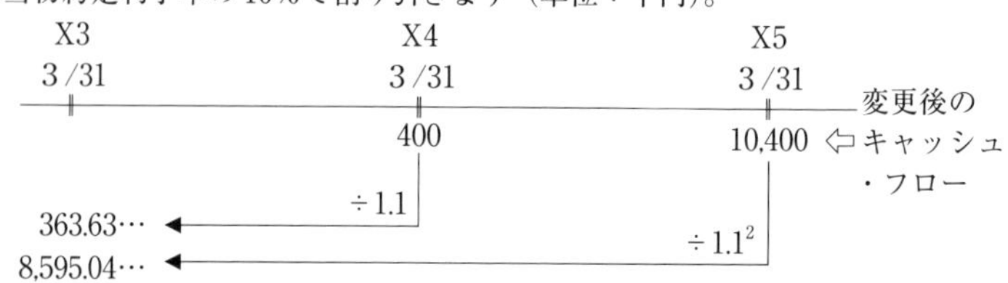

合計　8,958.67…⇨ 8,959（千円未満四捨五入）

③　貸倒見積高（貸倒引当金の前期繰越高）

10,000千円－8,959千円＝1,041千円

(2)　当期末（X4年３月31日）

（現　金　預　金）	400 *2	（受　取　利　息）	896 *1
（貸　倒　引　当　金）	496 *3		

＊1　（貸付金10,000千円－貸倒引当金1,041千円）×10%＝896千円（千円未満四捨五入）

＊2　10,000千円×４％＝400千円

＊3　貸借差額

（参考）

貸倒引当金の取崩額の計算において、次のように計算することもできます。

問１

貸付金10,000千円÷1.1＝現在価値9,091千円（千円未満四捨五入）

貸倒引当金1,736千円－（貸付金10,000千円－現在価値9,091千円）＝827千円

したがって、(2)の解答は次のようになります（端数処理で１ずれます）。

(2)

決算整理後残高試算表　（単位：千円）

貸　付　金	10,000	貸倒引当金	（　909）
		受取利息	（　827）

問2

（貸付金10,000千円＋利息400千円）÷ 1.1 ＝現在価値9,455千円（千円未満四捨五入）
貸倒引当金1,041千円－（貸付金10,000千円－現在価値9,455千円）＝496千円

（現金預金）	400	（受取利息）	896
（貸倒引当金）	496		

したがって、(2)の解答は次のようになります。

(2)

決算整理後残高試算表　（単位：千円）

貸付金	10,000	貸倒引当金	（545）
		受取利息	（896）

出題論点

・キャッシュ・フロー見積法（利息が免除された場合）
・キャッシュ・フロー見積法（利子率のみが緩和された場合）

学習のポイント

・キャッシュ・フロー見積法の計算過程をおさえましょう。
・割引計算には当初の約定利子率を用いることに注意しましょう。

 解答6 貸倒引当金(6)

	日付	時間	学習メモ
1回目	／	／3分	
2回目	／	／3分	
3回目	／	／3分	

決算整理後残高試算表　（単位：千円）

貸付金	120,000	貸倒引当金	（6,694）
貸倒引当金繰入額	（6,694）	受取利息	（6,000）

解説（仕訳の単位：千円）

1　利息の受取り（前Ｔ／Ｂ受取利息）

支払条件の緩和前に当期の利息は受け取っているため、計算に用いる利子率は当初約定利子率となります。

（現　金　預　金）	6,000	（受　取　利　息）	6,000 *

＊　元本 120,000 千円×当初約定利子率５％＝6,000 千円

2　貸倒引当金の設定

（貸倒引当金繰入額）	6,694	（貸　倒　引　当　金）	6,694 *

＊　①　将来キャッシュ・フロー

条件の緩和により、返済日がX4年３月31日からX5年３月31日に延長しているため、割引現在価値はX5年３月31日までに生じる将来キャッシュ・フローに基づいて算定します。

X4年３月31日→120,000千円×条件緩和後利子率２％＝利息2,400千円

X5年３月31日→元本120,000千円＋利息(120,000千円×２％）＝122,400千円

②　割引現在価値

当初約定利子率の５％で割り引きます（単位：千円)。

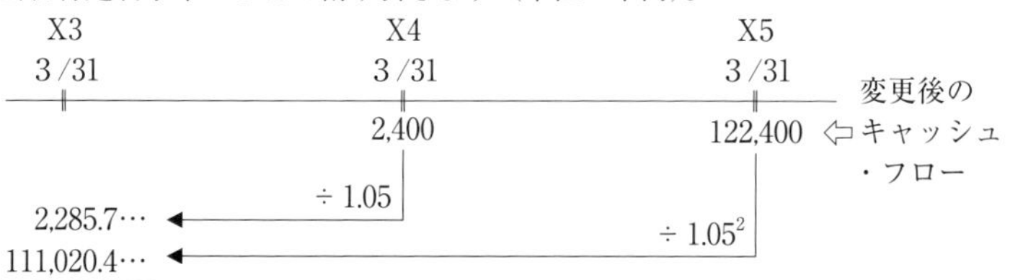

合計 113,306.1…⇨ 113,306（千円未満四捨五入）

③　貸倒見積高

120,000千円－113,306千円＝6,694千円

出題論点

・キャッシュ・フロー見積法（利子率および返済日が緩和された場合）

学習のポイント

・条件緩和前に受け取る利息は、当初の利率で計算する点に注意しましょう。

・キャッシュ・フロー見積法による貸倒引当金を設定する場合、タイムテーブルを下書きし、利息の受取額や元本の回収額が将来のいつの時点のものなのか把握できるようにしましょう。

有価証券

解答1 売買目的有価証券

	日付	時間	学習メモ
1回目	／	／5分	
2回目	／	／5分	
3回目	／	／5分	

1　前期

決算整理後残高試算表　(単位：千円)

有価証券（3,400）	
有価証券運用損益（200）	

2　当期

決算整理後残高試算表　(単位：千円)

有価証券（6,633）	有価証券運用損益（423）

解説（仕訳の単位：千円）

本問では、答案用紙に有価証券運用損益勘定のみが記載されていることから、売買目的有価証券に関する損益は、有価証券運用損益勘定を用います。

1　前期

(1)　9月22日（A社株式・取得）

(有価証券)	3,600	(現金預金)	3,600

(2)　3月31日（A社株式・期末評価）

(有価証券運用損益)	200 *	(有価証券)	200

*　帳簿価額：3,600千円
　期末時価：3,400千円　△200千円

2　当期

(1)　4月1日（A社株式・振戻処理）

(有価証券)	200	(有価証券運用損益)	200

(2) 7月7日（A社株式・配当金領収証受取り）

(現金預金)	50	(有価証券運用損益)	50

(3) 11月30日（B社社債・取得）

債券を利払日と利払日の間に取得したので経過利息が生じます。

(有価証券)	4,930	(現金預金)	4,955
(有価証券運用損益)	25		

(4) 12月20日（A社株式・売却）

(現金預金)	2,020	(有価証券)	1,800 *1
		(有価証券運用損益)	220 *2

＊1 3,600千円 × $\frac{1}{2}$ = 1,800千円

＊2 貸借差額

(5) 3月31日

① B社社債・利払い

(現金預金)	75	(有価証券運用損益)	75 *

＊ 5,000千円 × 3％ × $\frac{1}{2}$ = 75千円

② A社株式・B社社債の期末評価

(有価証券運用損益)	97 *	(有価証券)	97

＊ 帳簿価額：A社株式（3,600千円 − 1,800千円）+ B社社債4,930千円 = 6,730千円
期末時価：A社株式1,675千円 + B社社債4,958千円 = 6,633千円
△97千円

出題論点

・売買目的有価証券の期末評価

学習のポイント

・売買目的有価証券の期末評価は時価で行い、帳簿価額と時価との差額を損益とする点をおさえましょう。

・売買有価証券に関連する損益は、有価証券運用損益勘定で処理できる点をおさえましょう。

解答2 満期保有目的の債券(1)

	日付	時間	学習メモ
1回目	／	／4分	
2回目	／	／4分	
3回目	／	／4分	

問1 利息法

(1)

(単位：千円)

	借方科目	金額	貸方科目	金額
X4年3月31日	現金預金	5,850	有価証券利息	8,217
	投資有価証券	2,367		

(2) 償却原価 84,537 千円

問2 定額法

(1)

(単位：千円)

	借方科目	金額	貸方科目	金額
X4年3月31日	現金預金	5,850	有価証券利息	5,850
	投資有価証券	2,610	有価証券利息	2,610

(2) 償却原価 84,780 千円

解説

問1 利息法（X4年3月31日）

(1) 仕訳

① 利息配分額：82,170千円×実効利子率10％＝8,217千円

② クーポン利息受取額：90,000千円×クーポン利子率6.5％＝5,850千円

③ 金利調整差額償却額：8,217千円－5,850千円＝2,367千円

(2) 償却原価

82,170千円＋2,367千円＝84,537千円

問２　定額法（X4年３月31日）

⑴　仕訳

①　クーポン利息受取額：90,000千円×クーポン利子率6.5％＝5,850千円

②　金利調整差額償却額：(90,000千円－82,170千円)×$\frac{12カ月}{36カ月}$＝2,610千円

⑵　償却原価

82,170千円＋2,610千円＝84,780千円

出題論点

・満期保有目的の債券の期末評価
・償却原価法（利息法と定額法の比較）

学習のポイント

・利息法および定額法の計算過程をおさえましょう。
・金利調整差額償却額の仕訳は、同じX4年３月31日の仕訳ですが、利息法は期中仕訳として、定額法は決算整理仕訳として行っている点をおさえましょう（クーポン利息の計算は、利息法・定額法ともに期中仕訳です）。

解答3　満期保有目的の債券⑵

	日付	時間	学習メモ
1回目	／	／4分	
2回目	／	／4分	
3回目	／	／4分	

（単位：千円）

	借方科目	金額	貸方科目	金額
X1年9月30日	現金	500	有価証券利息	682
	投資有価証券	182		
X2年3月31日	現金	500	有価証券利息	689
	投資有価証券	189		

解説

1　X1年9月30日（利払日）

利払日が年2回のため、月割計算が必要になります。

(1)　利息配分額：$18{,}800千円 \times 7.26\% \times \dfrac{6カ月}{12カ月} = 682千円$（千円未満四捨五入）

(2)　クーポン利息受取額：$20{,}000千円 \times 5\% \times \dfrac{6カ月}{12カ月} = 500千円$

(3)　金利調整差額償却額：682千円－500千円＝182千円

2　X2年3月31日（利払日＝決算日）

利息法では、決算日と利払日が同じでも決算整理仕訳ではなく、期中仕訳として償却原価法の処理を行います。

(1)　利息配分額：$(18{,}800千円 + 182千円) \times 7.26\% \times \dfrac{6カ月}{12カ月} = 689千円$（千円未満四捨五入）

(2)　クーポン利息受取額：$20{,}000千円 \times 5\% \times \dfrac{6カ月}{12カ月} = 500千円$

(3)　金利調整差額償却額：689千円－500千円＝189千円

出題論点

・満期保有目的の債券の期末評価
・償却原価法（利息法・利払日年2回の場合）

学習のポイント

・利息法は利払日ごとに償却額を算定する点をおさえましょう。

満期保有目的の債券(3)

	日付	時間	学習メモ
1回目	／	／3分	
2回目	／	／3分	
3回目	／	／3分	

⑴　決算整理前残高試算表の投資有価証券　9,850 千円

決算整理前残高試算表の有価証券利息　450 千円

⑵　決算整理後残高試算表

決算整理後残高試算表（単位：千円）

投資有価証券	（9,900）	有価証券利息	（500）

解説（仕訳の単位：千円）

1　**前々期**

⑴　X11年4月1日（取得）

（投資有価証券）	9,750	（現金預金）	9,750

⑵　X12年3月31日（金利調整差額の償却）

（投資有価証券）	50	（有価証券利息）	50 *

＊（額面金額10,000千円－取得価額9,750千円）×$\frac{12カ月}{60カ月}$＝50千円

2　**前期**

⑴　X13年3月31日（金利調整差額の償却）

（投資有価証券）	50	（有価証券利息）	50 *

＊（額面金額10,000千円－取得価額9,750千円）×$\frac{12カ月}{60カ月}$＝50千円

3　**当期**

⑴　X13年9月30日（利払日）

（現金預金）	225	（有価証券利息）	225 *

＊　10,000千円×4.5％×$\frac{6カ月}{12カ月}$＝225千円

⑵　X14年3月31日（利払日）

（現金預金）	225	（有価証券利息）	225 *

＊　10,000千円×4.5％×$\frac{6カ月}{12カ月}$＝225千円

⑶　決算整理前残高試算表

決算整理前残高試算表（単位：千円）

投資有価証券	9,850	有価証券利息	450

(4) 決算整理（金利調整差額の償却）

定額法の場合は、償却原価法の会計処理は利払日ではなく決算整理で行います。

（投資有価証券）	50	（有価証券利息）	50 *

＊（額面金額10,000千円－取得価額9,750千円）×$\frac{12カ月}{60カ月}$＝50千円

出題論点

・満期保有目的の債券の期末評価
・償却原価法（定額法）

学習のポイント

・定額法では金利調整差額償却額の計算を決算整理で行うため、決算整理前残高試算表にはクーポン利息のみ計上されている点をおさえましょう。

解答 5 子会社株式および関連会社株式

	日付	時間	学習メモ
1回目	／	／1分	
2回目	／	／1分	
3回目	／	／1分	

(1) 決算整理 （単位：千円）

借方科目	金額	貸方科目	金額
仕訳なし			

(2) 決算整理後残高試算表

決算整理後残高試算表 （単位：千円）

関係会社株式（	4,000）	

解説

関係会社株式は時価評価せず、取得原価で評価します。そのため、期末に決算整理は行いません。

出題論点

・関係会社株式の期末評価

学習のポイント

・子会社株式および関連会社株式は取得原価で評価する点をおさえましょう。

解答6 その他有価証券(1)

	日付	時間	学習メモ
1回目	／	／5分	
2回目	／	／5分	
3回目	／	／5分	

問1 決算整理前残高試算表の投資有価証券 | 2,400 | 千円

問2

決算整理後残高試算表 (単位：千円)

繰延税金資産	(135)	繰延税金負債	(90)
投資有価証券	(2,250)		
その他有価証券評価差額金	(105)		

問3 翌期首の振戻処理

（単位：千円）

	借方科目	金額	貸方科目	金額
P社株式	繰延税金負債	90	投資有価証券	300
	その他有価証券評価差額金	210		
S社株式	投資有価証券	450	繰延税金資産	135
			その他有価証券評価差額金	315

振戻処理後の投資有価証券 | 2,400 | 千円

解説（仕訳の単位：千円）

問1 決算整理前残高試算表

その他有価証券は、すべて当期に購入しているので、決算整理前残高試算表の投資有価証券の金額は取得原価となります。

問2 決算整理後残高試算表

全部純資産直入法を採用しているため、評価差額はその他有価証券評価差額金として純資産の部に計上します。

(1) P社株式

（投資有価証券）	300 *1	（繰延税金負債）	90 *2
		（その他有価証券評価差額金）	210 *3

＊1 評価差額：取得原価 900千円 → 期末時価1,200千円　＋300千円（評価差益）
＊2 繰延税金負債：評価差益300千円×30%＝90千円
＊3 その他有価証券評価差額金：300千円－90千円＝210千円

(2) S社株式

（繰延税金資産）	135 *2	（投資有価証券）	450 *1
（その他有価証券評価差額金）	315 *3		

＊1 評価差額：取得原価1,500千円 → 期末時価1,050千円　△450千円（評価差損）
＊2 繰延税金資産：評価差損450千円×30%＝135千円
＊3 その他有価証券評価差額金：450千円－135千円＝315千円

問3 翌期首の振戻処理

前期末に行った仕訳の反対仕訳を行います。

出題論点

・その他有価証券の期末評価（全部純資産直入法）

学習のポイント

・全部純資産直入法の会計処理をおさえましょう。
・その他有価証券評価差額金については税効果会計を適用する点に注意しましょう。

解答7 その他有価証券(2)

	日付	時間	学習メモ
1回目	／	／5分	
2回目	／	／5分	
3回目	／	／5分	

問1 決算整理前残高試算表の投資有価証券 2,400 千円

問2

決算整理後残高試算表 （単位：千円）

借方	金額	貸方	金額
繰延税金資産	(135)	繰延税金負債	(90)
投資有価証券	(2,250)	その他有価証券評価差額金	(210)
投資有価証券評価損益	(450)	法人税等調整額	(135)

問3 翌期首の振戻処理

（単位：千円）

	借方科目	金額	貸方科目	金額
P社株式	繰延税金負債	90	投資有価証券	300
	その他有価証券評価差額金	210		
S社株式	投資有価証券	450	投資有価証券評価損益	450

解説 （仕訳の単位：千円）

問１　決算整理前残高試算表

その他有価証券は、すべて当期に購入しているので、決算整理前残高試算表の投資有価証券の金額は取得原価となります。

問２　決算整理後残高試算表

部分純資産直入法を採用しているため、評価差益の場合には、その他有価証券評価差額金として純資産の部に計上します。一方、評価差損の場合には、投資有価証券評価損益として当期の損失に計上します。

(1)　P社株式

（投資有価証券）	300 *1	（繰延税金負債）	90 *2
		（その他有価証券評価差額金）	210 *3

＊１　評価差額：取得原価　900千円
期末時価1,200千円　＋300千円（評価差益）

＊２　繰延税金負債：評価差益300千円×30％＝90千円

＊３　その他有価証券評価差額金：300千円－90千円＝210千円

(2)　S社株式

（投資有価証券評価損益）	450	（投資有価証券）	450 *1
（繰延税金資産）	135 *2	（法人税等調整額）	135

＊１　評価差額：取得原価1,500千円
期末時価1,050千円　△450千円（評価差損）

＊２　繰延税金資産：評価差損450千円×30％＝135千円

問３　翌期首の振戻処理

S社株式については、繰延税金資産に係る振戻処理は期末に行う旨の指示により投資有価証券の振戻処理のみ行います。

出題論点

・その他有価証券の期末評価（部分純資産直入法）

学習のポイント

・部分純資産直入法の会計処理をおさえましょう。
・評価差損の場合の税効果会計に関する振戻処理は問題文の指示に従います。

その他有価証券(3)

	日付	時間	学習メモ
1回目	／	／5分	
2回目	／	／5分	
3回目	／	／5分	

（単位：千円）

借方科目	金額	貸方科目	金額
未収有価証券利息	375	有価証券利息	375
投資有価証券	150	有価証券利息	150
繰延税金資産	15	投資有価証券	50
その他有価証券評価差額金	35		

解説

甲社社債は、市場価格のあるその他有価証券のうち、取得差額が金利調整差額と認められる債券であるため、償却原価と時価との差額を評価差額として処理します。

⑴ クーポン利息見越額：$15{,}000\text{千円} \times 5\% \times \dfrac{6\text{カ月}}{12\text{カ月}} = 375\text{千円}$

⑵ 償却原価法

金利調整差額償却額：$(15{,}000\text{千円} - 14{,}100\text{千円}) \times \dfrac{6\text{カ月}}{36\text{カ月}} = 150\text{千円}$

⑶ 時価評価

① 評価差額：期末償却原価；14,100千円＋150千円＝14,250千円
　　　　　　期末時価；14,200千円
　　　　　　→ △50千円（評価差損）

② 税効果相当額（繰延税金資産）：50千円×30％＝15千円

③ その他有価証券評価差額金：50千円－15千円＝35千円

出題論点

・その他有価証券の期末評価（債券の場合）

学習のポイント

・取得原価と時価ではなく、償却原価と時価を比較する点に注意しましょう。

解答 9

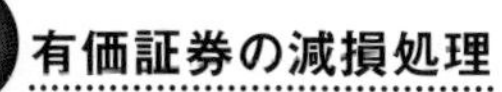

有価証券の減損処理

	日付	時間	学習メモ
1回目	／	／3分	
2回目	／	／3分	
3回目	／	／3分	

決算整理後残高試算表　（単位：千円）

投資有価証券	（104,000）
関係会社株式	（15,000）
投資有価証券評価損	（136,000）
関係会社株式評価損	（21,000）

解説　（仕訳の単位：千円）

1　甲社株式（強制評価減）

（投資有価証券評価損）	136,000	（投資有価証券）	136,000 *

＊　取得原価：240,000千円
　　期末時価：@26千円×4,000株＝104,000千円
　　△136,000千円（減損処理）

2　乙社株式（実価法）

（関係会社株式評価損）	21,000	（関係会社株式）	21,000 *

＊　取得原価：36,000千円
　　実質価額：@2.5千円×6,000株＝15,000千円
　　△21,000千円（減損処理）

出題論点

・有価証券の減損処理

学習のポイント

・強制評価減と実価法の計算過程をおさえましょう。

解答10 配当金の処理

	日付	時間	学習メモ
1回目	／	／2分	
2回目	／	／2分	
3回目	／	／2分	

問1

(単位：千円)

借方科目	金額	貸方科目	金額
現金預金	100	受取配当金※	100

※　有価証券運用損益でも可。

問2

(単位：千円)

借方科目	金額	貸方科目	金額
現金預金	100	関係会社株式	40
		受取配当金	60

解説

その他資本剰余金を財源とする配当を受け取った場合、保有株式が売買目的有価証券の場合には受取配当金（有価証券運用損益）を計上しますが、売買目的有価証券以外の場合、取得原価を減額します。

出題論点

・配当金の処理（売買目的有価証券とそれ以外の場合の比較）

学習のポイント

・配当金の問題では、保有株式が「売買目的有価証券か否か」と剰余金配当の財源が「その他利益剰余金かその他資本剰余金か」の2点に注意しましょう。

	日付	時間	学習メモ
1回目	／	／5分	
2回目	／	／5分	
3回目	／	／5分	

問1 (単位：千円)

借方科目	金額	貸方科目	金額
投資有価証券	1,400	有価証券	1,800
有価証券運用損益	400		

問2 (単位：千円)

借方科目	金額	貸方科目	金額
有価証券	1,400	投資有価証券	2,000
投資有価証券評価損益	600		

問3 (単位：千円)

借方科目	金額	貸方科目	金額
関係会社株式	1,400	有価証券	1,800
有価証券運用損益	400		

問4 (単位：千円)

借方科目	金額	貸方科目	金額
関係会社株式	2,000	投資有価証券	2,000

問5 (単位：千円)

借方科目	金額	貸方科目	金額
投資有価証券	2,000	関係会社株式	2,000

解説 （仕訳の単位：千円）

問1 売買目的有価証券からその他有価証券への振替え

（投資有価証券）	1,400 *1	（有価証券）	1,800 *2
（有価証券運用損益）	400 *3		

＊1 振替時の時価
＊2 帳簿価額（前期末の時価）。売買目的有価証券については切放方式を採用していることに注意します。
＊3 貸借差額

問2 その他有価証券から売買目的有価証券への振替え

（有価証券）	1,400 *1	（投資有価証券）	2,000 *2
（投資有価証券評価損益）	600 *3		

＊1 振替時の時価
＊2 帳簿価額（取得原価）。その他有価証券については洗替方式のみであることに注意します。
＊3 貸借差額

問3 売買目的有価証券から関係会社株式への振替え

（関係会社株式）	1,400 *1	（有価証券）	1,800 *2
（有価証券運用損益）	400 *3		

＊1 振替時の時価
＊2 帳簿価額（前期末の時価）。売買目的有価証券については切放方式を採用していることに注意します。
＊3 貸借差額

問4 その他有価証券から関係会社株式への振替え

その他有価証券から関係会社株式への振替えは、変更後の関係会社株式の評価方法に従います。

（関係会社株式）	2,000 *	（投資有価証券）	2,000

＊ 帳簿価額（取得原価）。その他有価証券については洗替方式のみであることに注意します。

問5 関係会社株式からその他有価証券への振替え

（投資有価証券）	2,000 *	（関係会社株式）	2,000

＊ 帳簿価額（取得原価）

出題論点

・保有目的区分の変更

学習のポイント

・保有目的区分の変更は、原則として「変更前の保有目的」の評価基準に従うという点をおさえましょう。問２はこの例外で、変更後の保有目的区分に係る処理に準じ、評価差額は損益として計上します。

解答12 売買契約の認識

	日付	時間	学習メモ
1回目	／	／15分	
2回目	／	／15分	
3回目	／	／15分	

(1) X2年１月10日における売却に係る仕訳　(単位：千円)

借方科目	金額	貸方科目	金額
未収金	41,820	投資有価証券	39,900
支払手数料	180	投資有価証券売却損益	2,100

(2) X2年１月13日における売却代金の受取りに係る仕訳　(単位：千円)

借方科目	金額	貸方科目	金額
現金預金	41,820	未収金	41,820

(3) X2年３月30日における購入に係る仕訳　(単位：千円)

借方科目	金額	貸方科目	金額
投資有価証券	49,740	未払金	49,740

⑷ X2年3月31日における決算整理仕訳 (単位：千円)

借方科目	金額	貸方科目	金額
投資有価証券	2,760	繰延税金負債	828
		その他有価証券評価差額金	1,932

⑸ X2年4月1日における振戻処理 (単位：千円)

借方科目	金額	貸方科目	金額
繰延税金負債	828	投資有価証券	2,760
その他有価証券評価差額金	1,932		

⑹ X2年4月2日における購入代金の支払いに係る仕訳 (単位：千円)

借方科目	金額	貸方科目	金額
未払金	49,740	現金預金	49,740

解説 (仕訳の単位：千円)

⑴ X1年5月1日（約定日）

(投資有価証券)	114,000 *	(未払金)	114,000

* @113.8千円×1,000株+200千円=114,000千円

⑵ X1年5月4日（受渡日）

(未払金)	114,000	(現金預金)	114,000

⑶ X1年11月7日（約定日）

(投資有価証券)	11,400 *	(未払金)	11,400

* @113千円×100株+100千円=11,400千円

単価の付替計算：$\frac{114{,}000\text{千円}+11{,}400\text{千円}}{1{,}000\text{株}+100\text{株}}$=@114千円

⑷ X1年11月10日（受渡日）

(未払金)	11,400	(現金預金)	11,400

(5) X2年1月10日（約定日）

（未収金）	41,820 *2	（投資有価証券）	39,900 *1
（支払手数料）*4	180	（投資有価証券売却損益）	2,100 *3

＊1　@114千円×350株＝39,900千円
＊2　@120千円×350株－180千円＝41,820千円
＊3　差額
＊4　問題文の指示により、与えられた勘定科目はすべて使用する必要があるため、売却手数料を「支払手数料」勘定で処理する方法だと判断します。

(6) X2年1月13日（受渡日）

（現金預金）	41,820	（未収金）	41,820

(7) X2年3月30日（約定日）

（投資有価証券）	49,740 *	（未払金）	49,740

＊　@124千円×400株＋140千円＝49,740千円

単価の付替計算：$\dfrac{(114{,}000\text{千円}+11{,}400\text{千円}-39{,}900\text{千円})+49{,}740\text{千円}}{(1{,}000\text{株}+100\text{株}-350\text{株})+400\text{株}}$
＝@117.6千円

(8) X2年3月31日（決算整理）

（投資有価証券）	2,760 *1	（繰延税金負債）	828 *2
		（その他有価証券評価差額金）	1,932 *3

＊1　帳簿価額@117.6千円×1,150株＝135,240千円
　　期末時価@120千円×1,150株＝138,000千円　＋2,760千円
＊2　2,760千円×30%＝828千円
＊3　差額

(9) X2年4月1日（振戻処理）

（繰延税金負債）	828	（投資有価証券）	2,760
（その他有価証券評価差額金）	1,932		

(10) X2年4月2日（受渡日）

（未払金）	49,740	（現金預金）	49,740

出題論点

・売買契約の認識（約定日基準）

学習のポイント

・約定日基準の場合、約定日に買手は有価証券の発生を認識し、売手は有価証券の消滅を認識します。

Chapter 6

デリバティブ取引

解答1 デリバティブ取引(1)

	日付	時間	学習メモ
1回目	／	／7分	
2回目	／	／7分	
3回目	／	／7分	

問1

損 益 計 算 書
自X3年4月1日　至X4年3月31日
（単位：千円）

⋮

Ⅳ 営業外収益		
先物利益	（	3,000 ）
金利スワップ差益	（	3,500 ）
Ⅴ 営業外費用		
先物損失	（	―― ）
金利スワップ差損	（	―― ）
支払利息	（	4,750 ）

問2

勘定科目	金額
現金預金	262,000千円
借入金	150,000千円
金利スワップ資産	3,500千円

解説（仕訳の単位：千円）

1　空欄推定

(1)　先物損益

（@100千円－@97千円）×3,000口＝9,000千円

(2) 仮受金

150,000千円×3.5%－150,000千円×3％＝750千円

【資料2】 2の金利スワップ取引の中で金利交換日での受払額を仮受金として処理しているとあるので、仮受金は変動金利と固定金利の差額であることがわかります。

2 債券先物取引

(1) 再振替仕訳

前T/Bより、期首に再振替仕訳が行われていると、判断できます。

借方	金額	貸方	金額
(先物損益)	9,000 *	(先物取引差金)	9,000

＊ (@100千円－@97千円)×3,000口＝9,000千円

(2) 決済日(未処理)

未処理である差金決済の処理をします。

借方	金額	貸方	金額
(現金預金)	12,000	(先物損益)	12,000 *

＊ (@100千円－@96千円)×3,000口＝12,000千円

3 金利スワップ取引

(1) 期中仕訳の修正

① 実際に行った仕訳

借方	金額	貸方	金額
(現金預金)	750	(仮受金)	750

前T/B 仮受金：150,000千円×3.5%－150,000千円×3％＝750千円

② あるべき仕訳

借方	金額	貸方	金額
(現金預金)	750	(支払利息)	750

③ 修正仕訳(②－①)

借方	金額	貸方	金額
(仮受金)	750	(支払利息)	750

(2) 決算整理仕訳

金利スワップ取引から生じた正味の債権の時価評価をします。

借方	金額	貸方	金額
(金利スワップ資産)	3,500	(金利スワップ差損益)	3,500

4 貸借対照表の金額

現金預金：250,000千円＋12,000千円＝262,000千円

金利スワップ資産：3,500千円(金利スワップの時価)

5　**損益計算書の金額**

先物損益：△9,000千円＋12,000千円＝3,000千円（先物利益）

支払利息：5,500千円－750千円＝4,750千円

金利スワップ差損益：3,500千円（金利スワップ差益）

出題論点

・債券先物取引
・金利スワップ取引

学習のポイント

・債券先物取引は決済日に差金決済の処理を行う点をおさえましょう。
・金利スワップ取引は期末に正味の債権の時価評価を行う点をおさえましょう。

解答2　デリバティブ取引(2)

	日付	時間	学習メモ
1回目	／	／7分	
2回目	／	／7分	
3回目	／	／7分	

問1

貸借対照表
X3年3月31日
（単位：千円）

先物取引差金	（1,000）	先物取引差金	（――）
投資有価証券	（51,000）	その他有価証券評価差額金	（――）
その他有価証券評価差額金	（1,500）	繰延ヘッジ損益	（1,000）
繰延ヘッジ損益	（――）		

損　益　計　算　書
自X2年4月1日　至X3年3月31日
（単位：千円）

⋮

Ⅳ　営業外収益
　　投資有価証券評価益　（　——　）
Ⅴ　営業外費用
　　投資有価証券評価損　（　——　）

問2

貸　借　対　照　表
X3年3月31日
（単位：千円）

先物取引差金	（　1,000）	先物取引差金	（　——　）
投資有価証券	（　51,000）	その他有価証券評価差額金	（　——　）
その他有価証券評価差額金	（　——　）	繰延ヘッジ損益	（　——　）
繰延ヘッジ損益	（　——　）		

損　益　計　算　書
自X2年4月1日　至X3年3月31日
（単位：千円）

⋮

Ⅳ　営業外収益
　　投資有価証券評価益　（　——　）
Ⅴ　営業外費用
　　投資有価証券評価損　（　500　）

解説（仕訳の単位：千円）

問1　繰延ヘッジによる処理

1　A社社債

社債の仕訳と先物取引の仕訳を分けて考えます。

(1)　債券取得および債券先物売建時（X2年11月1日）

①　A社社債に係る仕訳

（投資有価証券）	52,500 *	（現金預金）	52,500

*　@105円×500千口＝52,500千円（取得原価）

② 債券先物に係る仕訳

債券先物売建時においては、デリバティブ取引として認識すべき額が0円なので、仕訳はしません。

仕　訳　な　し

(2) 決算整理仕訳（X3年3月31日）

① A社社債に係る仕訳

（その他有価証券評価差額金）	1,500 *	（投　資　有　価　証　券）	1,500

＊ （@102円－@105円）×500千口＝△1,500千円

② 債券先物に係る仕訳

本来であれば、損益を認識しますが、ヘッジ対象であるA社社債にかかる損益が認識されるまで繰延ヘッジ損益として繰り延べます。

（先　物　取　引　差　金）	1,000 *	（繰　延　ヘ　ッ　ジ　損　益）	1,000

＊ （@112円－@110円）×500千口＝1,000千円

2 貸借対照表の金額

その他有価証券評価差額金：△1,500千円（借方）

投資有価証券：52,500千円－1,500千円＝51,000千円

先物取引差金：1,000千円

繰延ヘッジ損益：1,000千円（貸方）

問2 時価ヘッジによる処理

1 A社社債

(1) 債券取得および債券先物売建時（X2年11月1日）

① A社社債に係る仕訳

（投　資　有　価　証　券）	52,500 *	（現　金　預　金）	52,500

＊ @105円×500千口＝52,500千円（取得原価）

② 債券先物に係る仕訳

債券先物売建時においては、デリバティブ取引として認識すべき額が0円なので、仕訳はしません。

仕　訳　な　し

(2) 決算整理仕訳（X3年3月31日）

① A社社債に係る仕訳

本来であれば、その他有価証券評価差額金としますが、時価ヘッジでは投資

有価証券評価損益とします。

（投資有価証券評価損益）	1,500 *	（投資有価証券）	1,500

＊　（@ 102 円－@ 105 円）× 500 千口＝△ 1,500 千円（評価損）

②　債券先物に係る仕訳

（先物取引差金）	1,000 *	（投資有価証券評価損益）	1,000

＊　（@ 112 円－@ 110 円）× 500 千口＝ 1,000 千円

2　貸借対照表の金額

先物取引差金：1,000 千円

投資有価証券：52,500 千円 － 1,500 千円＝ 51,000 千円

3　損益計算書の金額

投資有価証券評価損益：1,000 千円 － 1,500 千円＝△ 500 千円（評価損）

出題論点

・繰延ヘッジと時価ヘッジの比較

学習のポイント

・繰延ヘッジと時価ヘッジで、ヘッジ対象とヘッジ手段のどちらの会計処理が変わるのかをおさえましょう。

解答3　金利スワップ（特例処理）

	日付	時間	学習メモ
1回目	／	／10分	
2回目	／	／10分	
3回目	／	／10分	

問１　Ｚ銀行に対する借入金に係る利息の支払い

（単位：円）

借方科目	金額	貸方科目	金額
支払利息	124,000	当座預金	124,000

問2　金利スワップ契約による固定金利と変動金利の差額の受け渡し　(単位：円)

借方科目	金額	貸方科目	金額
当座預金	4,000	支払利息	4,000

問3　金利スワップの評価　(単位：円)

借方科目	金額	貸方科目	金額
仕訳なし			

解説

問1　借入金に係る利息の支払い

$$8{,}000{,}000\text{円} \times (2.6\% + 0.5\%) \times \frac{6\text{カ月}}{12\text{カ月}} = 124{,}000\text{円}$$

問2　金利スワップ契約による固定金利と変動金利の差額の受け渡し

$$8{,}000{,}000\text{円} \times \{(2.6\% + 0.5\%) - 3.0\%\} \times \frac{6\text{カ月}}{12\text{カ月}} = 4{,}000\text{円}$$

問3　特例処理の場合、利息の受け払いに関する処理のみで、時価評価は行いません。

出題論点

・金利スワップの特例処理

学習のポイント

・特例処理の方が簡便です。
・TIBOR（東京銀行間取引金利）は時々出題されます。

有形固定資産

解答1 有形固定資産

	日付	時間	学習メモ
1回目	／	／4分	
2回目	／	／4分	
3回目	／	／4分	

(1)

（単位：千円）

借方科目	金額	貸方科目	金額
土地	20,000	建設仮勘定	300,000
構築物	44,000	未払金	100,000
建物	312,000		
建物付属設備※	24,000		

※　決算整理後残高試算表より、建物付属設備勘定を用いて仕訳を行います。

(2)

決算整理後残高試算表　（単位：千円）

建物	（312,000）	未払金	（100,000）
構築物	（44,000）		
建物付属設備	（24,000）		
土地	（220,000）		

解説

(1)　路面アスファルト舗装費用は、構築物に該当します。なお、構築物とは、土地の上に定着する工作物や土木設備で建物以外のものをいいます。

(2)　本問における工事の完成・引渡しはX2年3月ですが、使用開始はX2年4月からなので、当期においては、減価償却を行いません。減価償却を行うのは、使用開始以後です。

出題論点

・有形固定資産の分類
・建設仮勘定

学習のポイント

・代表的な有形固定資産の取得については、しっかり分類できるようにしましょう。その際に支出した費用がある場合、何のために支出した費用か、考えながら学習するとわかりやすいです。
・建設仮勘定が問題に出てきた場合、完成・引渡しがあるか否か注意しながら、問題を読みましょう。

解答2 減価償却(1)・記帳方法(1)

	日付	時間	学習メモ
1回目	／	／10分	
2回目	／	／10分	
3回目	／	／10分	

問1

(1) 決算整理仕訳

① 建物 (単位：千円)

借方科目	金額	貸方科目	金額
建物減価償却費	9,720	建物減価償却累計額	9,720

② 備品 (単位：千円)

借方科目	金額	貸方科目	金額
備品減価償却費	22,500	備品減価償却累計額	22,500

③ 車両 (単位：千円)

借方科目	金額	貸方科目	金額
車両減価償却費	19,200	車両減価償却累計額	19,200

(2)

決算整理後残高試算表　(単位：千円)

建物	(400,000)	建物減価償却累計額	(106,920)
備品	(160,000)	備品減価償却累計額	(92,500)
車両	(80,000)	車両減価償却累計額	(43,200)
建物減価償却費	(9,720)		
備品減価償却費	(22,500)		
車両減価償却費	(19,200)		

問2

(1)

決算整理前残高試算表　(単位：千円)

建物	(302,800)		
備品	(90,000)		
車両	(56,000)		

(2) 決算整理仕訳

① 建物　(単位：千円)

借方科目	金額	貸方科目	金額
建物減価償却費	9,720	建物	9,720

② 備品　(単位：千円)

借方科目	金額	貸方科目	金額
備品減価償却費	22,500	備品	22,500

③ 車両　(単位：千円)

借方科目	金額	貸方科目	金額
車両減価償却費	19,200	車両	19,200

(3)

決算整理後残高試算表　(単位：千円)

建物	(293,080)		
備品	(67,500)		
車両	(36,800)		
建物減価償却費	(9,720)		
備品減価償却費	(22,500)		
車両減価償却費	(19,200)		

解説

1　当期償却費

(1)　建物減価償却費：400,000千円 × 0.9 × 0.027 = 9,720千円

　定額法償却率が与えられている場合は、償却率を用いて減価償却費を算定します。

$400{,}000千円 \times 0.9 \times \frac{1年}{38年} = 9{,}473.684\cdots$とはしないように注意してください。

(2)　備品減価償却費：(160,000千円 − 70,000千円) × 0.250 = 22,500千円

(3)　総項数：$\frac{5 \times (5+1)}{2} = 15$

　車両減価償却費：$80{,}000千円 \times 0.9 \times \frac{当期項数4}{総項数15} = 19{,}200千円$

5				
4	4			
3	3	3		
2	2	2	2	
1	1	1	1	1
償却済	当期			

2　直接控除法による決算整理前残高試算表

(1)　建物：400,000千円 − 期首累計額97,200千円 = 302,800千円

(2)　備品：160,000千円 − 期首累計額70,000千円 = 90,000千円

(3)　車両：80,000千円 − 期首累計額24,000千円 = 56,000千円

出題論点

・有形固定資産の記帳方法

・有形固定資産の償却方法

学習のポイント

- ここでは、有形固定資産の記帳方法について学習します。間接控除法と直接控除法のどちらを採用しても、計上される減価償却費は同じになる点にも注意しましょう。
- 減価償却の計算をする際には、残存価額や月割計算に注意しましょう。
- 級数法を解答する際には、項数を図表化して、総項数と当期の項数を把握するようにしましょう。
- 決算整理仕訳の勘定科目には、決算整理後残高試算表の表示にあわせて、建物減価償却費、備品減価償却費、車両減価償却費をそれぞれ使います。

解答3 減価償却(2)・記帳方法(2)

	日付	時間	学習メモ
1回目	／	／15分	
2回目	／	／15分	
3回目	／	／15分	

問1

(1)

決算整理前残高試算表 （単位：円）

建物	(2,800,000)	建物減価償却累計額	(1,134,000)
機械	(1,200,000)	車両減価償却累計額	(140,000)
車両	(800,000)	備品減価償却累計額	(264,000)
備品	(560,000)		

(2)

（単位：円）

借方科目	金額	貸方科目	金額
減価償却費※	429,000	建物減価償却累計額	126,000
		機械減価償却累計額	72,000
		車両減価償却累計額	135,000
		備品減価償却累計額	96,000

※ 残高試算表で用いられている勘定科目を用いて仕訳を行います。

(3)

決算整理後残高試算表　(単位：円)

建物	(2,800,000)	建物減価償却累計額	(1,260,000)
機械	(1,200,000)	機械減価償却累計額	(72,000)
車両	(800,000)	車両減価償却累計額	(275,000)
備品	(560,000)	備品減価償却累計額	(360,000)
減価償却費	(429,000)		

問2

(1)

決算整理前残高試算表　(単位：円)

建物	(1,666,000)
機械	(1,200,000)
車両	(660,000)
備品	(296,000)

(2)

(単位：円)

借方科目	金額	貸方科目	金額
減価償却費※	429,000	建物	126,000
		機械	72,000
		車両	135,000
		備品	96,000

※　残高試算表で用いられている勘定科目を用いて仕訳を行います。

(3)

決算整理後残高試算表　(単位：円)

建物	(1,540,000)
機械	(1,128,000)
車両	(525,000)
備品	(200,000)
減価償却費	(429,000)

解説

問1

(1) 決算整理前残高試算表

決算整理前残高試算表　（単位：円）

借方科目	金額	貸方科目	金額
建　　物	2,800,000*1	建物減価償却累計額	1,134,000*2
機　　械	1,200,000*1	車両減価償却累計額	140,000*3
車　　両	800,000*1	備品減価償却累計額	264,000*4
備　　品	560,000*1		

＊1　取得原価

＊2　期首減価償却累計額：$2,800,000円 \times 0.9 \times \frac{償却済9年}{20年} = 1,134,000円$

＊3　期首減価償却累計額：（800,000円－新規240,000円）× 0.25 ＝ 140,000円

＊4　期首減価償却累計額：$560,000円 \times 0.9 \times \frac{償却済6+5}{総項数21} = 264,000円$

総項数：$\frac{6 \times (6+1)}{2} = 21$

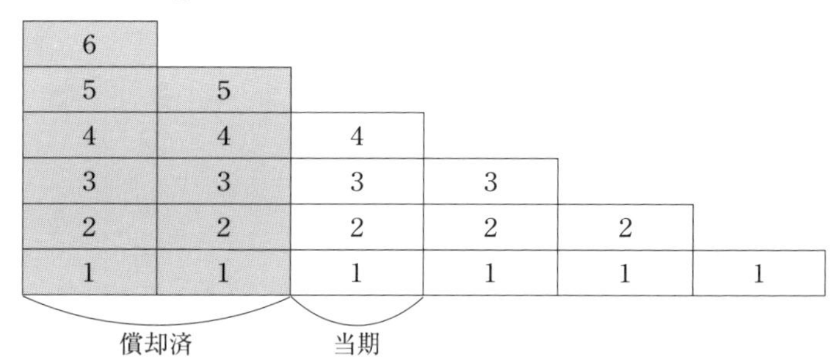

(2) 決算整理

① 建物

（減価償却費）	126,000 *	（建物減価償却累計額）	126,000

＊　$2,800,000円 \times 0.9 \times \frac{1年}{耐用年数20年} = 126,000円$

② 機械

生産高比例法の場合には、減価償却費の月割計算は行いません。

（減価償却費）	72,000 *	（機械減価償却累計額）	72,000

＊　$1,200,000円 \times 0.9 \times \frac{20万トン}{300万トン} = 72,000円$

③ 車両

期中に新たに車両を取得しているため、既存分と新規分に区別して減価償却計算を行う必要があります。

(減価償却費)	135,000 *	(車両減価償却累計額)	135,000

* 既存分 (560,000円－期首減価償却累計額140,000円)× 0.25 = 105,000円
 新規分 240,000円× 0.25 × $\frac{6カ月}{12カ月}$ = 30,000円
 計 135,000円

④ 備品

(減価償却費)	96,000 *	(備品減価償却累計額)	96,000

* 560,000円× 0.9 × $\frac{当期項数4}{総項数21}$ = 96,000円

問2

(1) 決算整理前残高試算表

決算整理前残高試算表 (単位：円)

建物	1,666,000 *1	
機械	1,200,000 *2	
車両	660,000 *3	
備品	296,000 *4	

*1 期首帳簿価額：2,800,000円－期首減価償却累計額1,134,000円＝ 1,666,000円
*2 取得原価
*3 期首帳簿価額：800,000円－期首減価償却累計額140,000円＝ 660,000円
*4 期首帳簿価額：560,000円－期首減価償却累計額264,000円＝ 296,000円

(2) 決算整理(減価償却の計算は**問1**参照)

① 建物

(減価償却費)	126,000	(建物)	126,000

② 機械

(減価償却費)	72,000	(機械)	72,000

③ 車両

(減価償却費)	135,000	(車両)	135,000

④ 備品

(減価償却費)	96,000	(備品)	96,000

出題論点

・有形固定資産の記帳方法
・有形固定資産の償却方法

学習のポイント

・間接控除法と直接控除法では、使う勘定科目に違いがあります。直接控除法では減価償却累計額勘定は使いません。また、どちらの方法を採用した場合でも、帳簿価額は同じになる点にも注意しましょう。

解答4 減価償却(3)

	日付	時間	学習メモ
1回目	／	／15分	
2回目	／	／15分	
3回目	／	／15分	

問1

損　益　計　算　書
自X6年4月1日　至X7年3月31日
(単位：円)

⋮

Ⅲ　販売費及び一般管理費
　減価償却費　(　186,000　)

貸　借　対　照　表

X7年3月31日

（単位：円）

建　　　　物	（3,000,000）	
減価償却累計額	（375,000）	（2,625,000）
土　　　　地		（600,000）
備　　　　品	（450,000）	
減価償却累計額	（210,000）	（240,000）
機　　　　械	（225,000）	
減価償却累計額	（180,000）	（45,000）
工具器具備品	（30,000）	
減価償却累計額	（6,000）	（24,000）

問2

工具器具備品の減価償却費　1,966 円

解説

問1

1　決算整理前残高試算表の推定

(1)　建物：建物減価償却累計額300,000円 $\times \frac{40年}{4年}$ = 3,000,000円

(2)　機械減価償却累計額：225,000円 $\times \frac{償却済9}{総項数15}$ = 135,000円

5				
4	4			
3	3	3		
2	2	2	2	
1	1	1	1	1
償却済		当期		

2　建物

（減　価　償　却　費）	75,000 *	（建物減価償却累計額）	75,000

＊　減価償却費：3,000,000 円 ÷ 40 年 = 75,000 円

3 土地

土地は非償却性資産であるため、減価償却は行いません。

仕　訳　な　し

4 備品

（減価償却費）	60,000 *	（備品減価償却累計額）	60,000

＊　（450,000円－150,000円）×20%＝60,000円

5 機械

（減価償却費）	45,000 *	（機械減価償却累計額）	45,000

＊　$225{,}000円 \times \frac{当期項数3}{総項数15} = 45{,}000円$

6 工具器具備品

（減価償却費）	6,000 *	（工具器具備品減価償却累計額）	6,000

＊　① 定率法償却率：$\frac{1年}{10年} \times 200\% = 0.200$

② 30,000円×0.200＝6,000円

問2

（単位：円）

	1年目	2年目	3年目	4年目	5年目	6年目	7年目	8年目	9年目	10年目
期　首	30,000	24,000	19,200	15,360	12,288	9,830	7,864	5,898	3,932	1,966
減価償却費	6,000	4,800	3,840	3,072	2,458	1,966	1,966	1,966	1,966	1,965
期　末	24,000	19,200	15,360	12,288	9,830	7,864	5,898	3,932	1,966	1
定率償却	6,000	4,800	3,840	3,072	2,458	1,966	1,573			
保証額	1,966*	1,966	1,966	1,966	1,966	1,966	1,966	1,966		

＊　償却保証額：30,000円×保証率0.06552＝1,966円（円未満四捨五入）

・1年目～6年目：定率償却額 ≧ 償却保証額なので、定率償却額がそのまま減価償却費になります。

・7年目：償却保証額1,966円 ＞ 定率償却額1,573円となるため、改定償却率0.250を用いた均等償却に切り替えます。

・7年目の工具器具備品減価償却費：7年目の期首簿価7,864円×0.250＝1,966円

出題論点

・有形固定資産の減価償却方法
・200%定率法

学習のポイント

・有形固定資産の各償却方法についておさえましょう。また、本問において期首の取得原価を推定する問題がありますが、減価償却累計額から逆算して求めることができます。
・200%定率法で保証率、改定償却率が与えられている場合は、定率法償却額と償却保証額を比較して減価償却費を算定するので、判定に注意しましょう。

解答5 売却

	日付	時間	学習メモ
1回目	／	／6分	
2回目	／	／6分	
3回目	／	／6分	

問1

決算整理後残高試算表 （単位：円）

車　　　両	（ 512,000）		
減価償却費	（ 140,288）		
車両売却損	（ 73,472）		

問2

決算整理後残高試算表 （単位：円）

車　　　両	（ 512,000）	車両売却益	（ 6,528）
減価償却費	（ 140,288）		

解説

問1

1　売却の修正

(1)　適正な仕訳

（減価償却費）	12,288 *1	（車　　両）	245,760
（現金預金）	160,000		
（車両売却損）	73,472 *2		

＊1　245,760円 × 0.2 × $\frac{3カ月}{12カ月}$ = 12,288円

＊2　貸借差額

(2)　当社が行った仕訳

（現金預金）	160,000	（仮受金）	160,000

(3)　修正仕訳（(1)−(2)）

（減価償却費）	12,288	（車　　両）	245,760
（仮受金）	160,000		
（車両売却損）	73,472		

2　減価償却（期末保有分）

売却分が控除されていないため、決算整理前残高試算表の車両は期末保有分および売却分の合計額となっています。

（減価償却費）	128,000 *	（車　　両）	128,000

＊　（前T/B車両885,760円 − 売却245,760円） × 0.2 ＝ 128,000円

問2

1　売却の修正

(1)　適正な仕訳

（減価償却費）	12,288 *1	（車　　両）	245,760
（現金預金）	240,000	（車両売却益）	6,528 *2

＊1　245,760円 × 0.2 × $\frac{3カ月}{12カ月}$ = 12,288円

＊2　貸借差額

(2)　当社が行った仕訳

（現金預金）	240,000	（車　　両）	240,000

⑶　修正仕訳（⑴－⑵）

（減価償却費）	12,288	（車両）	5,760
		（車両売却益）	6,528

（参考）誤処理の修正方法

上記方法のほか、⑴誤った仕訳の逆仕訳を行い、そのうえで、⑵適正な仕訳を行うという方法もあります。この場合、修正仕訳は次のとおりです。

⑴　誤った仕訳（当社が行った仕訳）の逆仕訳

（車両）	240,000	（現金預金）	240,000

⑵　適正な仕訳

（減価償却費）	12,288	（車両）	245,760
（現金預金）	240,000	（車両売却益）	6,528

⑶　修正仕訳（⑴＋⑵）

（減価償却費）	12,288	（車両）	5,760
		（車両売却益）	6,528

2　減価償却（期末保有分）

前T/Bの車両は、期末保有分および売却分（帳簿価額）の合計額から売却代金240,000円が控除されています。

（減価償却費）	128,000 *	（車両）	128,000

＊　（前T/B車両645,760円－5,760円）× 0.2 = 128,000円

車両

借方		貸方	
		売却代金	240,000円
保有分	640,000円		
売却分	245,760円		

（保有分・売却分）前T/B　645,760円

出題論点

・有形固定資産の売却（修正仕訳あり）

学習のポイント

・有形固定資産の売却が期中に行われた場合には、月割計算で減価償却費の計上を行います。そのため、いつの時点で売却したか、注意しながら問題を読みましょう。また、売却代金と帳簿価額との貸借差額は損益として処理する点にも注意しましょう。
・有形固定資産の売却の修正では、あるべき適正な仕訳と誤った仕訳を比較して、その差異について修正仕訳を行えるようにしましょう。

解答6 除却

	日付	時間	学習メモ
1回目	／	／3分	
2回目	／	／3分	
3回目	／	／3分	

決算整理後残高試算表　（単位：円）

備品	（40,000）	減価償却累計額	（19,520）
減価償却費	（5,760）		
備品除却損	（5,960）		

解説

1　除却

(1)　適正な仕訳

（減価償却累計額）	3,600 *1	（備品）	10,000
（減価償却費）	640 *2	（現金預金）	200
（備品除却損）	5,960 *3		

＊1　取得原価 10,000 円－期首帳簿価額 6,400 円＝ 3,600 円

＊2　期首帳簿価額 6,400 円× 0.200 × $\frac{6カ月}{12カ月}$ ＝ 640 円

＊3　貸借差額

(2) 当社が行った仕訳

(仮払金)	200	(現金預金)	200

(3) 修正仕訳 ((1)−(2))

(減価償却累計額)	3,600	(備品)	10,000
(減価償却費)	640	(仮払金)	200
(備品除却損)	5,960		

2 減価償却(期末保有分)

除却分が控除されていないため、決算整理前残高試算表の備品および減価償却累計額は期末保有分および除却分の合計額となっています。

(減価償却費)	5,120 *	(減価償却累計額)	5,120

* {(前T/B備品50,000円−除却分10,000円) − (前T/B減価償却累計額18,000円−除却分3,600円)} × 0.200 = 5,120円

出題論点

・有形固定資産の除却(廃棄した場合)

学習のポイント

・有形固定資産の除却が期中に行われた場合には、除却時点までの減価償却費を月割計算して計上します。そのため、いつの時点で除却したかにつき、注意して問題を読みましょう。また、除却した有形固定資産を後日売却する場合には、貯蔵品勘定として処理する点もあわせておさえておきましょう。

焼失

	日付	時間	学習メモ
1回目	/	/6分	
2回目	/	/6分	
3回目	/	/6分	

問1

（単位：千円）

借方科目	金額	貸方科目	金額
建物減価償却累計額※	24,000	建物	40,000
減価償却費※	600	保険差益	4,600
雑収入	20,000		

※　決算整理前残高試算表と同じ勘定科目を用いること。

問2

決算整理後残高試算表　（単位：千円）

建物	（640,000）	建物減価償却累計額	（249,600）
減価償却費	（19,800）	（保険差益）	（4,600）

解説（仕訳の単位：千円）

1　焼失および保険金の受領に係る修正

(1)　適正な仕訳

（建物減価償却累計額）	24,000	（建物）	40,000
（減価償却費）	600 *1	（保険差益）	4,600 *2
（現金預金）	20,000		

＊1　$40,000千円 \times 0.9 \times \frac{1年}{30年} \times \frac{6カ月}{12カ月} = 600千円$

＊2　貸借差額

(2)　当社が行った仕訳

（現金預金）	20,000	（雑収入）	20,000

(3)　修正仕訳（(1)−(2)、**問1**）

（建物減価償却累計額）	24,000	（建物）	40,000
（減価償却費）	600	（保険差益）	4,600
（雑収入）	20,000		

2　減価償却（期末保有分）

焼失分が控除されていないため、決算整理前残高試算表の建物および減価償却累計額は期末保有分および焼失分の合計額となっています。

（減　価　償　却　費）	19,200 *	（建物減価償却累計額）	19,200

*　（前 T/B 建物 680,000 千円－焼失分 40,000 千円）× 0.9 × $\frac{1年}{30年}$ = 19,200 千円

出題論点

・有形固定資産の焼失

学習のポイント

・有形固定資産の焼失が期中におきた場合には、焼失時点までの減価償却費を月割計算して計上します。そのため、いつの時点で焼失したかにつき、注意して問題を読みましょう。また、有形固定資産の帳簿価額と保険金受取額の貸借差額が、保険金の額によって火災損失または保険差益となる点にも注意しましょう。

解答 8　買換え

	日付	時間	学習メモ
1回目	／	／5分	
2回目	／	／5分	
3回目	／	／5分	

問1

（単位：千円）

借方科目	金額	貸方科目	金額
車両減価償却累計額※	18,000	車両	30,000
車両減価償却費※	4,000	車両売却益	2,000
車両	46,000	当座預金	36,000

※　車両減価償却累計額は減価償却累計額、車両減価償却費は減価償却費でも可。

問2

（単位：千円）

借方科目	金額	貸方科目	金額
車両減価償却累計額※	18,000	車両	30,000
車両減価償却費※	4,000	当座預金	36,000
車両売却損	2,000		
車両	42,000		

※　車両減価償却累計額は減価償却累計額、車両減価償却費は減価償却費でも可。

解説（仕訳の単位：千円）

問1　下取価額 ＝ 適正評価額の場合

(1)　車両減価償却費：$30{,}000\text{千円} \times \dfrac{1\text{年}}{5\text{年}} \times \dfrac{8\text{カ月}}{12\text{カ月}} = 4{,}000\text{千円}$

(2)　車両売却益：適正評価額10,000千円－売却時帳簿価額（30,000千円－減価償却累計額18,000千円－減価償却費4,000千円）＝2,000千円

(3)　新車両：定価46,000千円

(4)　追加支払額：定価46,000千円－下取価額10,000千円＝36,000千円

(5)　仕訳の考え方

①　売却取引（適正評価額で売却し、売却代金を現金で受け取ると考えます。）

（車両減価償却累計額）	18,000	（車両）	30,000
（車両減価償却費）	4,000	（車両売却益）	2,000
（現金）	10,000		

②　購入取引（新資産を定価で購入し、①の売却代金と追加支払額を支払うと考えます。）

（車両）	46,000	（現金）	10,000
		（当座預金）	36,000

問2　下取価額 ＞ 適正評価額の場合

(1)　車両減価償却費：問1と同様。

(2)　車両売却損：売却時帳簿価額（30,000千円－減価償却累計額18,000千円－減価償却費4,000千円）－適正評価額6,000千円＝2,000千円

(3)　新車両：定価46,000千円－値引（下取価額10,000千円－適正評価額6,000千円）＝42,000千円

(4)　追加支払額：問1と同様。

(5) 仕訳の考え方

① 売却取引（適正評価額で売却し、売却代金を現金で受け取ると考えます。）

借方	金額	貸方	金額
(車両減価償却累計額)	18,000	(車　　　　両)	30,000
(車両減価償却費)	4,000		
(車　両　売　却　損)	2,000		
(現　　　　金)	6,000		

② 購入取引（新資産を「定価－値引額」で購入し、①の代金と追加支払額を支払うと考えます。）

借方	金額	貸方	金額
(車　　　　両)	42,000	(現　　　　金)	6,000
		(当　座　預　金)	36,000

出題論点

・有形固定資産の買換え（値引なしと値引ありの比較）

学習のポイント

・有形固定資産の買換えが行われた場合には、旧資産の売却取引と新資産の購入取引にわけて考えるようにしましょう。
・下取価額 > 適正評価額の場合、新資産の取得価額は新資産の定価ではなく、定価から値引を控除した額になる点をおさえましょう。
・本問では、問1と問2で下取価額が同じであるため、追加支払額は同じ金額になります。

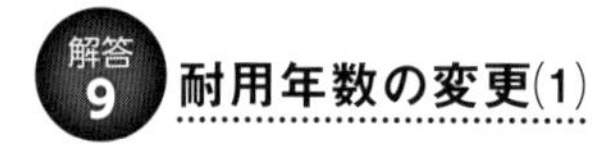

解答9 耐用年数の変更(1)

	日付	時間	学習メモ
1回目	／	／2分	
2回目	／	／2分	
3回目	／	／2分	

決算整理後残高試算表　(単位：千円)

機　　　　　械　(　4,480)	
機械減価償却費　(　1,120)	

解説 (仕訳の単位：千円)

借方	金額	貸方	金額
(機械減価償却費)	1,120 *	(機　　　　械)	1,120

＊　変更後年数８年－償却済３年＝残存耐用年数５年
5,600千円×0.200（５年の償却率）＝1,120千円

出題論点

・耐用年数の変更が行われたときの会計処理
・決算整理前残高試算表の読取り

学習のポイント

・耐用年数の変更が行われた場合の減価償却方法をおさえましょう。
・直接控除法が採用されている場合には、決算整理前残高試算表の有形固定資産の金額が未償却残高になる点に注意しましょう。

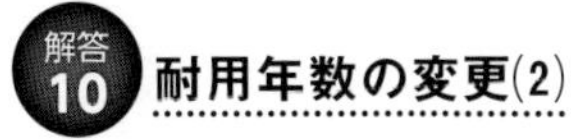

解答10 耐用年数の変更(2)

	日付	時間	学習メモ
1回目	／	／2分	
2回目	／	／2分	
3回目	／	／2分	

決算整理後残高試算表　（単位：千円）

借方科目	金額	貸方科目	金額
機械	(8,000)	機械減価償却累計額	(3,168)
機械減価償却費	(1,008)		

解説（仕訳の単位：千円）

借方	金額	貸方	金額
（機械減価償却費）	1,008 *	（機械減価償却累計額）	1,008

＊ $(8{,}000\text{千円} - 2{,}160\text{千円} - 8{,}000\text{千円} \times 10\%) \times \dfrac{1\text{年}}{\text{変更後年数8年} - \text{償却済3年}}$
$= 1{,}008\text{千円}$

出題論点

・耐用年数の変更が行われたときの会計処理
・残存価額がある場合

学習のポイント

・耐用年数が変更されても、残存価額は取得原価の10％となっています。未償却残高に10％を掛けないように注意しましょう。

解答11 償却方法の変更(1)

	日付	時間	学習メモ
1回目	／	／2分	
2回目	／	／2分	
3回目	／	／2分	

決算整理後残高試算表　（単位：千円）

車　両	（143,360）
減価償却費	（20,480）

解説 （仕訳の単位：千円）

1　決算整理前の車両勘定残高の算定

1年目：256,000千円 × 0.200 = 51,200千円

2年目：（256,000千円 − 51,200千円） × 0.200 = 40,960千円

256,000千円 − 51,200千円 − 40,960千円 = 163,840千円

2　減価償却

定率法から定額法への償却方法の変更を行った場合には、変更後の定額法による減価償却は、残存耐用年数により行います。

（減価償却費）20,480 *　（車両）20,480

＊ $163,840千円 \times \frac{1年}{8年} = 20,480千円$

出題論点

・償却方法の変更（定率法→定額法）

学習のポイント

・有形固定資産の償却方法が定率法から定額法に変更された場合、変更後は未償却残高を残存耐用年数で割って減価償却費を算定する点に注意しましょう。

解答12 償却方法の変更(2)

	日付	時間	学習メモ
1回目	／	／2分	
2回目	／	／2分	
3回目	／	／2分	

決算整理後残高試算表　（単位：千円）

車　両	（153,600）	
減価償却費	（51,200）	

解説　（仕訳の単位：千円）

1　決算整理前の車両勘定残高の算定

$$256{,}000\text{千円} - 256{,}000\text{千円} \times \frac{2\text{年}}{10\text{年}} = 204{,}800\text{千円}$$

2　減価償却

定額法から定率法への償却方法の変更を行った場合には、変更後の定率法による減価償却は、残存耐用年数により行う場合と当初耐用年数により行う場合がありますが、本問では当初耐用年数による償却率は与えられていないため、残存耐用年数による償却率を用いて計算します。

（減価償却費）	51,200 *	（車　両）	51,200

*　期首帳簿価額204,800千円×0.250 ＝ 51,200千円

出題論点

・償却方法の変更（定額法→定率法）

学習のポイント

・有形固定資産の償却方法が定額法から定率法に変更された場合、変更後は未償却残高と定率法償却率に基づいて減価償却費を算定する点に注意しましょう。

解答13 資本的支出と収益的支出(1)

	日付	時間	学習メモ
1回目	／	／6分	
2回目	／	／6分	
3回目	／	／6分	

問1 残存耐用年数を使用する場合

改修支出時

(単位：千円)

借方科目	金額	貸方科目	金額
建物	120,000	当座預金	180,000
修繕費	60,000		

決算整理前残高試算表 (単位：千円)

建物	(1,080,000)	建物減価償却累計額	(720,000)
修繕費	(60,000)		

決算時

(単位：千円)

借方科目	金額	貸方科目	金額
建物減価償却費	12,000	建物減価償却累計額	12,000

決算整理後残高試算表 (単位：千円)

建物	(1,080,000)	建物減価償却累計額	(732,000)
建物減価償却費	(12,000)		
修繕費	(60,000)		

問2 当初耐用年数を使用する場合

決算時

(単位：千円)

借方科目	金額	貸方科目	金額
建物減価償却費	27,000	建物減価償却累計額	27,000

解説

問1　残存耐用年数を使用する場合

(1)　資本的支出と収益的支出の区分計算

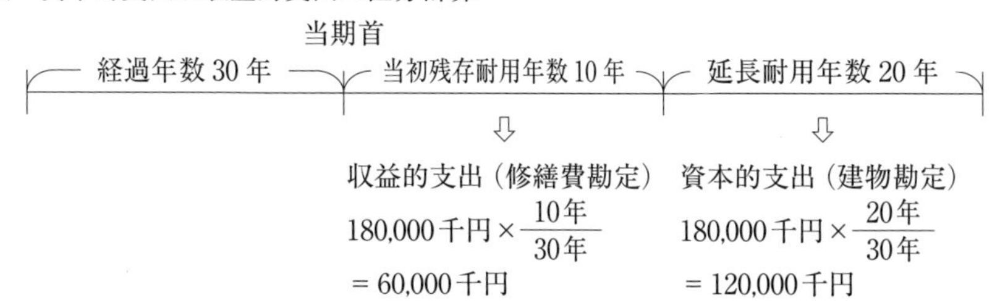

(2)　建物減価償却費

既存分：(960,000千円－720,000千円)×$\frac{1年}{30年}$＝8,000千円
資本的支出分：120,000千円×$\frac{1年}{30年}$＝4,000千円
} 12,000千円

問2　当初耐用年数を使用する場合

(1)　建物減価償却費

既存分：960,000千円×$\frac{1年}{40年}$＝24,000千円
資本的支出分：120,000千円×$\frac{1年}{40年}$＝3,000千円
} 27,000千円

出題論点

・資本的支出と収益的支出（内訳が不明な場合）

学習のポイント

・減価償却計算に用いる耐用年数は、問題文に従う必要があるので、注意しましょう。
・収益的支出と資本的支出の区分の仕方、会計処理の違いをおさえましょう。

資本的支出と収益的支出(2)

	日付	時間	学習メモ
1回目	／	／6分	
2回目	／	／6分	
3回目	／	／6分	

決算整理後残高試算表　(単位：千円)

科目	金額	
建物	(2,063,460)	
減価償却費	(70,040)	
修繕費	(102,000)	

解説　(仕訳の単位：千円)

1　資本的支出と収益的支出の区分計算

改修費のうち、資本的支出として計上すべき部分と収益的支出として計上すべき部分との区分計算をします。

(1)　改修費用

前T / B建物2,235,500千円－期首簿価(建物X 1,122,000千円＋建物Y 943,500千円)
＝170,000千円

(2)　区分計算

耐用年数の延長年数相当分については、資本的支出として建物の取得原価に加算されます。それ以外については、収益的支出として当期の費用となります。

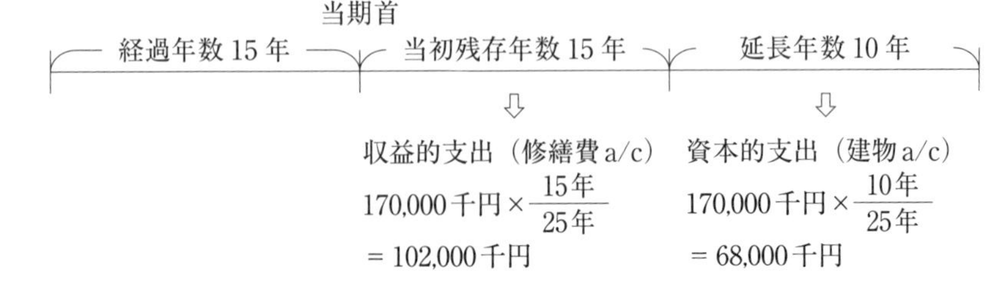

2　収益的支出部分の修正

本問では、本来なら収益的支出として処理されなければならない部分についても、建物勘定に計上されています。修正仕訳を行い、正しい処理への修正を行います。

(1) 適正な仕訳

（建　　　　　物）	68,000	（現　金　預　金）	170,000
（修　　繕　　費）	102,000		

(2) 当社が行った仕訳

（建　　　　　物）	170,000	（現　金　預　金）	170,000

(3) 修正仕訳（(1)−(2)）

（修　　繕　　費）	102,000	（建　　　　　物）	102,000

3　減価償却費

建物の減価償却費の計上を行います。資本的支出分については、問題文の指示にある通り、残存価額はゼロで減価償却費の計算を行います。

（減　価　償　却　費）	70,040 *	（建　　　　　物）	70,040

＊　①　建物X　既存分：$(1{,}122{,}000\text{千円} - 2{,}040{,}000\text{千円} \times 0.1) \times \dfrac{1\text{年}}{25\text{年}} = 36{,}720\text{千円}$

資本的支出分：$68{,}000\text{千円} \times \dfrac{1\text{年}}{25\text{年}} = 2{,}720\text{千円}$

$36{,}720\text{千円} + 2{,}720\text{千円} = 39{,}440\text{千円}$

②　建物Y　$1{,}020{,}000\text{千円} \times 0.9 \times \dfrac{1\text{年}}{30\text{年}} = 30{,}600\text{千円}$

③　①＋②　$39{,}440\text{千円} + 30{,}600\text{千円} = 70{,}040\text{千円}$

出題論点

・資本的支出と収益的支出の区分計算
・資本的支出分を含む減価償却費の計算

学習のポイント

・延長後の耐用年数に占める延長耐用年数分を資本的支出（取得原価に加算）として計上します。それ以外については収益的支出として、当期の費用として処理します。
・延長後の残存耐用年数に基づいて、減価償却費の計算を行います。残存価額等について、問題文に指示がある場合は、指示の通りに計算を行います。問題文を隅々まで読むようにしましょう。

圧縮記帳(1)

	日付	時間	学習メモ
1回目	／	／5分	
2回目	／	／5分	
3回目	／	／5分	

(1) 補助金受入れ、固定資産の取得

（単位：千円）

借方科目	金額	貸方科目	金額
現金	150,000	国庫補助金収入	150,000
機械	240,000	現金	240,000

(2) 決算整理

（単位：千円）

借方科目	金額	貸方科目	金額
固定資産圧縮損	150,000	機械	150,000
減価償却費	12,000	減価償却累計額	12,000

解説

(1) 補助金受入れ、固定資産の取得

国庫補助金の受入額を収益に計上します。

(2) 決算整理

減価償却は、圧縮記帳後の金額を取得原価とみなして行います。

$$(240{,}000\text{千円} - 150{,}000\text{千円}) \times 0.200 \times \frac{8\text{カ月}}{12\text{カ月}} = 12{,}000\text{千円}$$

出題論点

・圧縮記帳（直接減額方式）

学習のポイント

・直接減額方式の流れをおさえましょう。

・減価償却は圧縮後の有形固定資産の金額に基づいて行う点に注意しましょう。

解答16 圧縮記帳(2)

	日付	時間	学習メモ
1回目	／	／5分	
2回目	／	／5分	
3回目	／	／5分	

減価償却費	1,200,000円

解説

各時点での仕訳を示すと次のようになります。

・補助金の受け取り

借方	金額	貸方	金額
(現金預金)	20,000,000	(国庫補助金収入)	20,000,000

・アパートAの取得

借方	金額	貸方	金額
(建物)	80,000,000 *1	(現金預金)	88,000,000
(仮払消費税)	8,000,000 *2		

＊1　$88,000,000円 \times \frac{100\%}{110\%} = 80,000,000円$

＊2　$88,000,000円 \times \frac{10\%}{110\%} = 8,000,000円$

問題文より当社では税抜方式が採用されているので、建物は税抜価格で計上します。

・減価償却

借方	金額	貸方	金額
(減価償却費)	1,200,000 *3	(建物減価償却累計額)	1,200,000

＊3　$80,000,000円 \times 0.020 \times \frac{9月}{12月} = 1,200,000円$

積立金方式で圧縮記帳を行っている場合、減価償却の計算は取得原価に基づいて行われます。

・圧縮記帳（積立て）

借方	金額	貸方	金額
(繰越利益剰余金)	20,000,000	(圧縮積立金)	20,000,000

圧縮額を任意積立金として積み立てます。

・圧縮記帳（取崩し）

（圧縮積立金）	300,000 *4	（繰越利益剰余金）	300,000

＊4　$20,000,000円 \times 0.020 \times \frac{9月}{12月} = 300,000円$

積み立てた任意積立金を取り崩します。

出題論点

・圧縮記帳（積立金方式）の減価償却

学習のポイント

・直接減額方式と積立金方式の処理の違いに注意しましょう。

解答17 圧縮記帳(3)

	日付	時間	学習メモ
1回目	／	／5分	
2回目	／	／5分	
3回目	／	／5分	

問1

(1)　補助金受入れ、固定資産の取得　（単位：千円）

借方科目	金額	貸方科目	金額
現金	195,000	国庫補助金収入	195,000
機械	270,000	現金	270,000

(2)　決算整理　（単位：千円）

借方科目	金額	貸方科目	金額
減価償却費	27,000	減価償却累計額	27,000
繰越利益剰余金	195,000	圧縮積立金	195,000
圧縮積立金	19,500	繰越利益剰余金	19,500

問2

(1) 補助金受入れ、固定資産の取得　　(単位：千円)

借方科目	金額	貸方科目	金額
現金	195,000	国庫補助金収入	195,000
機械	270,000	現金	270,000

(2) 決算整理　　(単位：千円)

借方科目	金額	貸方科目	金額
減価償却費	27,000	減価償却累計額	27,000
法人税等調整額	58,500	繰延税金負債	58,500
繰越利益剰余金	136,500	圧縮積立金	136,500
繰延税金負債	5,850	法人税等調整額	5,850
圧縮積立金	13,650	繰越利益剰余金	13,650

解説 (仕訳の単位：千円)

問1 税効果会計を適用しない場合

(1) 補助金受入れ、固定資産の取得

直接減額方式と同様に計算します。

(2) 決算整理

① 減価償却：$270{,}000\text{千円} \times 0.2 \times \dfrac{6\text{カ月}}{12\text{カ月}} = 27{,}000\text{千円}$

② 圧縮積立金は、国庫補助金相当額を積み立てます。

③ 圧縮積立金の取崩しは、減価償却に対応する金額を取り崩します。

取崩額：$195{,}000\text{千円} \times 0.2 \times \dfrac{6\text{カ月}}{12\text{カ月}} = 19{,}500\text{千円}$

問2 税効果会計を適用する場合

(1) 補助金受入れ、固定資産の取得

問1と同様に計算します。

(2) 決算整理

・減価償却

問1と同様に処理します。

・圧縮記帳および税効果会計

イ　圧縮記帳（積立て）

（法人税等調整額）	58,500	（繰延税金負債）	58,500 [*1]
（繰越利益剰余金）	136,500	（圧縮積立金）	136,500 [*2]

＊1　195,000千円×30％＝58,500千円

＊2　195,000千円×（1－30％）＝136,500千円

積立金方式により圧縮積立金を積み立てた場合、会計上の簿価は取得原価のままになりますが、税務上の簿価は圧縮額を控除した後の金額になるので、会計上の簿価と税務上の簿価との間に将来加算一時差異が生じます。したがって、当該差異については税効果会計を適用し、繰延税金負債を計上し、同額を法人税等調整額として処理します。

なお、各時点の会計上と税務上の差異を表にすると以下のようになります。

（単位：千円）

	会計上		税務上		一時差異	繰延税金負債
	償却費	簿価	償却費	簿価		
取得時	—	270,000	—	75,000[*3]	195,000[*4]	58,500[*5]
X4年度末	27,000[*6]	243,000	7,500[*7]	67,500	175,500[*8]	52,650[*9]

＊3　270,000千円－195,000千円＝75,000千円

＊4　270,000千円－75,000千円＝195,000千円

＊5　195,000千円×30％＝58,500千円

＊6　270,000千円×20％×$\frac{6カ月}{12カ月}$＝27,000千円

＊7　75,000千円×20％×$\frac{6カ月}{12カ月}$＝7,500千円

＊8　243,000千円－67,500千円＝175,500千円

＊9　175,500千円×30％＝52,650千円

ロ　圧縮記帳（取崩し）

（繰延税金負債）	5,850 [*10]	（法人税等調整額）	5,850
（圧縮積立金）	13,650 [*11]	（繰越利益剰余金）	13,650

＊10　表より取得時の繰延税金負債58,500千円－X4年度末の繰延税金負債52,650千円＝5,850千円

＊11　136,500千円×20％×$\frac{6カ月}{12カ月}$＝13,650千円

圧縮額による将来加算一時差異は、減価償却を行うことにより解消していきます。したがって当該解消額について繰延税金負債を取り崩します。

出題論点

・圧縮記帳（積立金方式）
・圧縮記帳の税効果会計

学習のポイント

・積立金方式の流れをおさえましょう。
・圧縮積立金の取崩しをどのように行うかに注意しましょう。
・積立金方式では減価償却費の金額が圧縮額の影響を受けない点に注意しましょう。
・積立金方式では将来加算一時差異が発生するため、税効果会計の適用が必要となります。問題文に税効果会計に関する指示があるときは注意しましょう。

Chapter 8

リース会計

リース会計(1)

	日付	時間	学習メモ
1回目	／	／5分	
2回目	／	／5分	
3回目	／	／5分	

問1

（単位：千円）

借方科目	金額	貸方科目	金額
支払利息	3,444	現金預金	12,000
リース債務	8,556		

問2 8,200 千円

問3 9,840 千円

解説

問1　リース料の支払い

リース料のうち、利息相当額は支払利息勘定で、残額は元本返済部分であるためリース債務勘定を減額します。

問2　所有権移転ファイナンス・リース

所有権移転ファイナンス・リース取引であるため、耐用年数は経済的耐用年数6年を用いて償却計算を行います。なお、残存価額は問題文の指示に従って計算してください。

$$49{,}200\text{千円} \times \frac{1\text{年}}{6\text{年}} = 8{,}200\text{千円}$$

問3　所有権移転外ファイナンス・リース

所有権移転外ファイナンス・リース取引であるため、残存価額は0円、耐用年数はリース期間5年を用いて償却計算を行います。

$$49{,}200\text{千円} \times \frac{1\text{年}}{5\text{年}} = 9{,}840\text{千円}$$

出題論点

・リース会計（支払時および決算時の処理）

学習のポイント

・リース料の内訳が利息相当額と元本返済部分で構成されている点をおさえましょう。
・所有権移転ファイナンス・リース取引と所有権移転外ファイナンス・リース取引とでは、耐用年数などの減価償却方法が異なることに注意しましょう。

解答2　リース会計(2)

	日付	時間	学習メモ
1回目	／	／3分	
2回目	／	／3分	
3回目	／	／3分	

問1

（単位：千円）

借方科目	金額	貸方科目	金額
支払利息	12,915	現金預金	45,000
リース債務	32,085		

問2

（単位：千円）

借方科目	金額	貸方科目	金額
支払利息	10,669	現金預金	45,000
リース債務	34,331		

解説

問1　X2年3月31日

① 期首リース債務残高：184,500千円

② 支払利息計上額：184,500千円×７％＝12,915千円

③ リース債務返済額：45,000千円－12,915千円＝32,085千円

問2　X3年3月31日

① 期首リース債務残高：184,500千円－32,085千円＝152,415千円

② 支払利息計上額：152,415千円×７％＝10,669千円（千円未満切捨て）

③ リース債務返済額：45,000千円－10,669千円＝34,331千円

〈リース債務の返済スケジュール（単位：千円）〉

×利子率７％

	支払リース料	支払利息	リース債務返済	リース債務残高
X1年４月１日	——	——	——	184,500
X2年３月31日	45,000	12,915	32,085	152,415
X3年３月31日	45,000	10,669	34,331	118,084
X4年３月31日	45,000	8,265	36,735	81,349
X5年３月31日	45,000	5,694	39,306	42,043
X6年３月31日	45,000	2,957*	42,043	0
合計	225,000	40,500	184,500	——

＊　最終年度はリース債務残高を０円にするために差額で計算します。
45,000千円－42,043千円＝2,957千円

出題論点

・リース会計（利息相当額の算定）

学習のポイント

・利息相当額は利息法に基づいて算定する点をおさえましょう。

解答3 リース会計(3)

	日付	時間	学習メモ
1回目	／	／6分	
2回目	／	／6分	
3回目	／	／6分	

（単位：千円）

①	②	③
4,620	60	2,308
④	⑤	⑥
1,848	924	60

解説 （仕訳の単位：千円）

1　前期

(1)　X9年4月1日

①　リース契約

借方	金額	貸方	金額
（リース資産）	4,620 *	（リース債務）	4,620

＊　リース料総額 4,800 千円 − 利息相当額 180 千円 = 4,620 千円

②　リース料の支払い

リース料を前払いした場合、初回支払日は契約日と同日になるため、利息は発生しません。よって、リース料の全額が元本の返済額となります。

借方	金額	貸方	金額
（リース債務）	1,200	（現金預金）	1,200

(2) X10年3月31日（決算日）

① 減価償却

（減価償却費）	924 *	（減価償却累計額）	924

* 4,620千円 × $\frac{1年}{5年}$ = 924千円

② 支払利息の見越計上

X10年4月1日に支払うリース料の利息はX9年度（X9年4月1日からX10年3月31日）に発生した利息であるため、決算時に見越計上する必要があります。

（支払利息）	88 *	（未払費用）	88

* （4,620千円－1,200千円）×2.6%＝88千円（千円未満切捨て）

(3) 前期末の残高勘定

残高

リース資産	4,620	未払費用	88
		リース債務	3,420
		減価償却累計額	924

2 当期

(1) X10年4月1日

① 再振替仕訳

（未払費用）	88	（支払利息）	88

② リース料の支払い

（支払利息）	88 *1	（現金預金）	1,200
（リース債務）	1,112 *2		

*1 （4,620千円－1,200千円）×2.6%＝88千円（千円未満切捨て）

*2 貸借差額

(2) X11年3月31日（決算日）

① 減価償却

（減価償却費）	924 *	（減価償却累計額）	924

* 4,620千円 × $\frac{1年}{5年}$ = 924千円

② 支払利息の見越計上

(支払利息)	60*	(未払費用)	60

＊ (3,420千円－1,112千円)×2.6％＝60千円（千円未満切捨て）

⑶ 当期末の残高勘定および損益勘定

残高 (単位：千円)

リース資産 ①	4,620	未払費用 ②	60
		リース債務 ③	2,308*
		減価償却累計額 ④	1,848

＊ 4,620千円－1,200千円－1,112千円＝2,308千円

損益 (単位：千円)

減価償却費 ⑤	924		
支払利息 ⑥	60		

〈リース債務の返済スケジュール（単位：千円）〉

×利子率2.6％

	支払リース料	支払利息	リース債務返済	リース債務残高
X9年4月1日	1,200	0	1,200	3,420
X10年4月1日	1,200	88	1,112	2,308
X11年4月1日	1,200	60	1,140	1,168
X12年4月1日	1,200	32*	1,168	0
合計	4,800	180	4,620	――

＊ 最終年度はリース債務残高を0円にするために差額で計算します。
1,200千円－1,168千円＝32千円

出題論点

・リース会計（前払いの場合）

学習のポイント

・当期にかかるリース料を前払いしているケースでは、初年度の支払時には利息相当額が含まれていないことに注意しましょう。
・決算整理において、当期にかかる利息相当額を未払費用として計上する必要があります。忘れがちになりますので注意しましょう。

解答4 リース会計(4)

	日付	時間	学習メモ
1回目	／	／5分	
2回目	／	／5分	
3回目	／	／5分	

(1) リース資産取得

借方科目	金額	貸方科目	金額
リース資産	1,800,000	リース債務	1,800,000

(2) リース料の支払いに関する決算修正

借方科目	金額	貸方科目	金額
支払利息	40,000	営業費	160,000
リース債務	120,000		

(3) 減価償却費の計上

借方科目	金額	貸方科目	金額
リース資産減価償却費	120,000	リース資産	120,000

解説 （仕訳の単位：円）

(1) リース資産取得

（リース資産）1,800,000 * （リース債務）1,800,000

＊ 見積現金購入価額 2,200,000円 ＞ リース料総額の現在価値 1,800,000円

∴ 1,800,000円

(2) リース料の支払いに関する決算修正（当期分をまとめて示す）

（支払利息）	40,000 *2	（営業費）	160,000 *1
（リース債務）	120,000 *3		

＊1 月額 40,000 円× 4 カ月（X23年 12 月 1 日～ X24年 3 月 31 日）= 160,000 円

＊2 (a)リース料総額：月額 40,000 円× 60 カ月 = 2,400,000 円

(b)利息相当額：2,400,000 円 − 1,800,000 円 = 600,000 円

(c) $600{,}000\text{円} \times \dfrac{4\text{カ月}}{60\text{カ月}} = 40{,}000\text{円}$

＊3 貸借差額

(3) 減価償却費の計上

（リース資産減価償却費）	120,000 *	（リース資産）	120,000

＊ $1{,}800{,}000\text{円} \times \dfrac{4\text{カ月}}{60\text{カ月}} = 120{,}000\text{円}$

出題論点

・リース会計（定額法による利息相当額の配分）

学習のポイント

・利息相当額の配分（定額法）をおさえましょう。
・リース料の支払いが毎月末である点に注意しましょう。

解答5 リース会計(5)

	日付	時間	学習メモ
1回目	／	／5分	
2回目	／	／5分	
3回目	／	／5分	

（単位：千円）

①	②	③
73,890	33,048	14,778
④	⑤	
2,821	60,259	

解説（仕訳の単位：千円）

1　期中処理の修正

(1)　ファイナンス・リース取引

①　取得日（X20年4月1日）

本来であれば、見積現金購入価額とリース料総額の現在価値を比較して、いずれか低い金額を資産計上することになりますが、本問では貸手の計算利子率も借手の追加借入利子率も与えられていないため、リース料総額の割引計算を行うことができません（問題で与えられている利子率は「利息相当額の算定」のためのものであって、貸手の計算利子率でも追加借入利子率でもありません）。したがって、見積現金購入価額をもって資産計上することとなります。

(リース資産)	73,890 *	(リース債務)	73,890

*　見積現金購入価額

②　リース料支払日（X20年9月30日）

支払うリース料は、半年分です。また、発生している利息も半年分のみで良いため、一年分の利息相当額を月割りする必要があります。

(支払利息)	1,478 *2	(現金預金)	8,226 *1
(リース債務)	6,748 *3		

*1　リース料月額1,371千円×6カ月＝8,226千円

*2　リース債務残高73,890千円×適用利子率4％×$\frac{6カ月}{12カ月}$
　＝1,478千円（千円未満四捨五入）

*3　貸借差額

③　リース料支払日（X21年3月31日）

(支払利息)	1,343 *2	(現金預金)	8,226 *1
(リース債務)	6,883 *3		

*1　リース料月額1,371千円×6カ月＝8,226千円

*2　リース債務残高（73,890千円－6,748千円）×適用利子率4％×$\frac{6カ月}{12カ月}$
　＝1,343千円（千円未満四捨五入）

*3　貸借差額

(2) 当社が行った仕訳

(営　　業　　費)	16,452 *	(現　金　預　金)	16,452

* リース料月額1,371千円×12カ月＝16,452千円

(3) 修正仕訳 ((1)－(2))

(リ ー ス 資 産)	73,890	(リ ー ス 債 務)	73,890
(支　払　利　息)	2,821	(営　　業　　費)	16,452
(リ ー ス 債 務)	13,631		

2　減価償却

所有権移転外ファイナンス・リースであるため、残存価額を0円、耐用年数をリース期間として減価償却を行います。

(減 価 償 却 費)	14,778 *	(減価償却累計額)	14,778

* $73,890千円 \times \frac{1年}{5年} = 14,778千円$

〈リース債務の返済スケジュール（単位：千円)〉

×利子率4％×$\frac{6カ月}{12カ月}$

	支払リース料	支払利息	リース債務返済	リース債務残高
X20年4月1日	――	――	――	73,890
〃 9月30日	8,226	1,478	6,748	67,142
X21年3月31日	8,226	1,343	6,883	60,259
〃 9月30日	8,226	1,205	7,021	53,238
X22年3月31日	8,226	1,065	7,161	46,077
〃 9月30日	8,226	922	7,304	38,773
X23年3月31日	8,226	775	7,451	31,322
〃 9月30日	8,226	626	7,600	23,722
X24年3月31日	8,226	474	7,752	15,970
〃 9月30日	8,226	319	7,907	8,063
X25年3月31日	8,226	163*	8,063	0
合　　計	82,260	8,370	73,890	――

本問で問われている部分（X20年4月1日～X21年3月31日）

* 最終年度はリース債務残高を0円にするために差額で計算します。
8,226千円－8,063千円＝163千円

出題論点

・リース会計（リース料の支払いが年２回の場合）

学習のポイント

・リース取引の修正は、あるべき適正な仕訳と誤った仕訳を比較して、その差異について修正仕訳を行えるようにしましょう。
・リース料の支払いが年２回ある場合の支払利息の計算方法をおさえましょう。

解答6 リース会計(6)

	日付	時間	学習メモ
1回目	／	／5分	
2回目	／	／5分	
3回目	／	／5分	

決算整理後残高試算表　（単位：千円）

リース資産	（3,200）	リース債務	（3,317）
減価償却費	（800）		
支払利息	（317）		

解説（仕訳の単位：千円）

1　リース資産の計上価額

貸手の購入価額が明らかでないため、見積現金購入価額とリース料総額の現在価値のうちいずれか低い方をリース資産の計上価額とします。

リース料総額の現在価値4,100千円 ＞ 見積現金購入価額4,000千円　∴4,000千円

2　X9年４月１日（リース取引開始日）

（リース資産）　4,000　（リース債務）　4,000

3　X10年３月31日（リース料支払時）

リース資産の計上価額が見積現金購入価額であるため、利息の計算にはリース料総額の現在価値が当該見積現金購入価額と等しくなる利子率（7.93％）を用います。

(支払利息)	317 *1	(現金預金)	1,000
(リース債務)	683 *2		

＊1　リース債務残高 4,000 千円× 7.93% = 317 千円（千円未満四捨五入）

＊2　貸借差額

4　X10年3月31日（決算時）

所有権移転外ファイナンス・リース契約であるため、残存価額を0円、償却期間をリース期間として計算します。

(減価償却費)	800 *	(リース資産)	800

＊　$4{,}000$ 千円 $\times \frac{1年}{5年} = 800$ 千円

〈リース債務の返済スケジュール（単位：千円）〉

×利子率7.93%

	支払リース料	支払利息	リース債務返済	リース債務残高
X9年4月1日	——	——	——	4,000
X10年3月31日	1,000	317	683	3,317
X11年3月31日	1,000	263	737	2,580
X12年3月31日	1,000	205	795	1,785
X13年3月31日	1,000	142	858	927
X14年3月31日	1,000	73*	927	0
合計	5,000	1,000	4,000	——

＊　最終年度はリース債務残高を0円にするために差額で計算します。
1,000 千円 − 927 千円 = 73 千円

出題論点

・リース会計（リース資産の計上額の算定および利息法に用いる一定の利子率の選択）

学習のポイント

・リース資産の計上額は、貸手の購入価額が明らかかどうか、および、所有権の有無によって算定方法が異なる点をおさえましょう。
・利息法の計算に用いる一定の利子率は、リース資産の計上価額によって異なる点をおさえましょう。

解答7 リース会計(7)

	日付	時間	学習メモ
1回目	／	／8分	
2回目	／	／8分	
3回目	／	／8分	

決算整理後残高試算表　（単位：千円）

現金預金	（244,731）	リース債務	（99,582）
リース資産	（147,000）	長期前受収益	（10,500）
減価償却費	（33,750）	減価償却累計額	（39,000）
支払利息	（4,851）		

解説（仕訳の単位：千円）

1　決算整理仕訳等

(1)　セール・アンド・リースバック取引（未処理・ファイナンス・リース取引）

所有権移転ファイナンス・リース取引であり、貸手の購入価額は売却価額として明らかであるため、当該金額がリース資産計上額となります。

（減価償却累計額）	168,750	（機械）	300,000
（現金預金）	147,000 *	（長期前受収益）	15,750
（リース資産）	147,000 *	（リース債務）	147,000

*　売却価額＝貸手の購入価額

(2)　リース料の支払い（未処理）

リース料のうち、利息相当額は支払利息で、残額は元本返済部分であるためリース債務を減額します。

（支払利息）	4,851 *1	（現金預金）	52,269
（リース債務）	47,418 *2		

＊1　147,000千円×3.3%＝4,851千円

＊2　支払リース料52,269千円－4,851千円＝47,418千円

(3)　リース資産の減価償却

耐用年数はリースバック以後の経済的耐用年数3年を用います。なお、所有権移転ファイナンス・リース取引に該当する場合、残存価額には当初の取得原価に基づいた残存価額が用いられます。

（減　価　償　却　費）	39,000 *	（減 価 償 却 累 計 額）	39,000

＊　（147,000 千円－残存価額 30,000 千円）÷ 3 年＝ 39,000 千円

(4)　長期前受収益の取崩および減価償却費への調整

機械の売却に伴い計上された長期前受収益または長期前払費用は、リース資産の減価償却の割合に応じて配分し、減価償却費に加減算して計上します。

（長　期　前　受　収　益）	5,250 *	（減　価　償　却　費）	5,250

＊　15,750 千円÷ 3 年＝ 5,250 千円

〈リース債務の返済スケジュール（単位：千円）〉

×利子率3.3%

	支払リース料	支　払　利　息	リース債務返済	リース債務残高
X 9 年 4 月 1 日	——	——	——	147,000
X10年 3 月31日	52,269	4,851	47,418	99,582
X11年 3 月31日	52,269	3,286	48,983	50,599
X12年 3 月31日	52,269	1,670*	50,599	0
合　　計	156,807	9,807	147,000	——

＊　最終年度はリース債務残高を 0 円にするために差額で計算します。
52,269 千円－ 50,599 千円＝ 1,670 千円

出題論点

・リース会計（セール・アンド・リースバック取引、所有権移転ファイナンス・リース）

学習のポイント

・セール・アンド・リースバック取引（所有権移転ファイナンス・リース）から生じる売却損益は、原則として長期前払費用または長期前受収益として繰り延べます。
・通常、長期前払費用と長期前受収益は長短分類せず、それぞれ固定資産または固定負債に計上します。

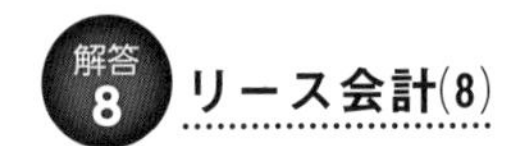

解答8 リース会計(8)

	日付	時間	学習メモ
1回目	／	／10分	
2回目	／	／10分	
3回目	／	／10分	

（単位：千円）

(1) 当期の売上高	74,800
(2) 当期の売上原価	65,460
(3) 当期末のリース投資資産勘定	106,333
(4) 当期末のリース債権勘定	22,200
(5) 当期末の繰延リース利益勘定	1,090

解説（仕訳の単位：千円）

Ⅰ　機器X（取得日：X4年10月1日）

1．ファイナンス・リース取引の判定と会計処理方法

(1) 現在価値基準による判定

$$\frac{\text{リース料7,400千円} \times 5.4172^{*}}{\text{購入価額40,250千円}} = \frac{\text{40,087千円（千円未満四捨五入）}}{\text{40,250千円}}$$

$= 99.5\cdots\% \geqq 90\%$

＊　全6回の回収となるため、資料より6回の年金現価係数を用いて現在価値を算定します。

(2) 経済的耐用年数基準による判定

$$\frac{\text{リース期間3年}}{\text{経済的耐用年数3年}} = 100\% \geqq 75\%$$

(3) 上記(1)または(2)より、当該リース取引は「ファイナンス・リース取引」と判定されます。

(4) 当該ファイナンス・リース取引は「所有権移転条項」が付いているため、「所有権移転ファイナンス・リース取引」に該当し、問題文の指示により「リース取引開始日に売上高と売上原価を計上する方法」により会計処理を行います。

2．リース債権の回収スケジュール

（単位：千円）

回収日	前回回収後元本	回収合計	利息分	元本分	回収後元本
X5年3月31日	40,250	7,400	1,208	6,192	34,058
X5年9月30日	34,058	7,400	1,022	6,378	27,680
X6年3月31日	27,680	7,400	830	6,570	21,110
⋮	⋮	⋮	⋮	⋮	⋮
合計	—	44,400 *	4,150	40,250	—

＊　リース料 7,400 千円× 6 回＝ 44,400 千円

　　　　は X5 年度（当期）を示しています。

3．会計処理

(1)

期首試算表（一部）～機器X

リ ー ス 債 権*1	37,000	繰 延 リ ー ス 利 益*2	2,942

＊1　リース料総額44,400千円－リース料7,400千円× 1 回＝37,000千円

＊2　代金未回収部分に対応する利息相当額4,150千円－1,208千円＝2,942千円

(2) リース料受取時（まとめて示す）

（現　金　預　金）	14,800	（リ　ー　ス　債　権）	14,800 *

＊　リース料 7,400 千円× 2 回＝ 14,800 千円

(3) 決算時（X6年3月31日）

（繰 延 リ ー ス 利 益）	1,852	（繰延リース利益戻入）	1,852 *

＊　1,022 千円＋ 830 千円＝当期対応分の利息 1,852 千円

(4)

決算整理後残高試算表（一部）～機器X

リ ー ス 債 権	22,200	繰 延 リ ー ス 利 益	1,090
		繰延リース利益戻入	1,852

Ⅱ　機器Ｙ（取得日：X4年10月１日）

1．ファイナンス・リース取引の判定と会計処理方法

(1)　現在価値基準による判定

$$\frac{\text{リース料}37{,}400\text{千円}\times 5.4172^{*}}{\text{購入価額}203{,}100\text{千円}}=\frac{202{,}603\text{千円（千円未満四捨五入）}}{203{,}100\text{千円}}$$

$=99.7\cdots\%\geqq 90\%$

＊　全６回の回収となるため、資料より６回の年金現価係数を用いて現在価値を算定します。

(2)　経済的耐用年数基準による判定

$$\frac{\text{リース期間３年}}{\text{経済的耐用年数５年}}=60\%<75\%$$

(3)　上記(1)より、当該リース取引は「ファイナンス・リース取引」と判定されます。

(4)　当該ファイナンス・リース取引は所有権移転条項等は付いていないため、「所有権移転外ファイナンス・リース取引」に該当し、問題文の指示により「リース料受取時に売上高と売上原価を計上する方法」により会計処理を行います。

2．リース投資資産の回収スケジュール

（単位：千円）

回収日	前回回収後元本	回収合計	利息分	元本分	回収後元本
X5年３月31日	203,100	37,400	6,093	31,307	171,793
X5年９月30日	171,793	37,400	5,154	32,246	139,547
X6年３月31日	139,547	37,400	4,186	33,214	106,333
⋮	⋮	⋮	⋮	⋮	⋮
合計	—	224,400＊	21,300	203,100	—

＊　リース料 37,400 千円× ６回＝ 224,400 千円

▒▒ は X5 年度（当期）を示しています。

3．会計処理

(1)

期首試算表（一部）～機器Ｙ

リース投資資産＊	171,793	

＊　前期末回収後元本

(2) リース料受取時（まとめて示す）

（現金預金）	74,800	（売上高）	74,800 *1
（売上原価）	65,460 *2	（リース投資資産）	65,460

＊1　リース料37,400千円×2回＝74,800千円

＊2　32,246千円＋33,214千円＝当期対応分の元本65,460千円

(3)

決算整理後残高試算表（一部）～機器Y

リース投資資産	106,333	売上高	74,800
売上原価	65,460		

（単位：千円）

	機器X	機器Y	合計
(1) 当期の売上高		74,800	74,800
(2) 当期の売上原価		65,460	65,460
(3) 当期末のリース投資資産勘定		106,333	106,333
(4) 当期末のリース債権勘定	22,200		22,200
(5) 当期末の繰延リース利益勘定	1,090		1,090

出題論点

・リース会計（貸手の会計処理）

学習のポイント

本問は本試験レベルの問題です。

・リース取引の貸手側の会計処理をおさえましょう。

・年金現価係数が資料で与えられている場合は、年金現価係数を使って計算する点に注意しましょう。

Chapter 9

固定資産の減損会計

解答1 減損会計(1)

	日付	時間	学習メモ
1回目	／	／4分	
2回目	／	／4分	
3回目	／	／4分	

問1

(単位：千円)

借方科目	金額	貸方科目	金額
減損損失	99,000	土地	99,000
繰延税金資産	29,700	法人税等調整額	29,700

問2

貸借対照表 (単位：千円)

土地 (60,000)	
繰延税金資産 (29,700)	

損益計算書 (単位：千円)

減損損失 (99,000)	法人税等調整額 (29,700)

解説

減損損失：(1) 回収可能価額

使用価値と正味売却価額のいずれか高い方が回収可能価額となります。

使用価値０円* ＜ 正味売却価額60,000千円　∴ 60,000千円

* 遊休地の将来キャッシュ・フローは０円と見込まれているため、使用価値も０円になります。

(2) 帳簿価額159,000千円－回収可能価額60,000千円＝99,000千円

繰延税金資産、法人税等調整額：減損損失99,000千円×実効税率30%＝29,700千円

（参考）財務諸表上の表示

1　貸借対照表

減損処理を行った資産の貸借対照表における表示は、原則として、減損処理前の取得原価から減損損失を直接控除し、控除後の金額をその後の取得原価とする形式（直接控除形式）で行います。ただし、当該資産が償却資産に該当する場合には、減損損失累計額を取得原価から間接控除する形式（間接控除形式）で表示することもできます。

①　直接控除形式

貸借対照表

借方	金額	貸方
建　　物	XXX	

②　間接控除形式

貸借対照表

借方	金額	貸方
建　　物	XXX	
減損損失累計額	△XXX	

2　損益計算書

減損損失は、原則として、特別損失とします。

出題論点

・減損損失の測定
・減損処理の仕訳
・税効果会計の処理

学習のポイント

・減損損失の測定の流れをおさえましょう。
・指示がある場合は、税効果会計の処理（会計上の土地の帳簿価額が税務上の土地の帳簿価額より低くなるので、繰延税金資産を認識）を行う点をおさえましょう。

解答2 減損会計(2)

	日付	時間	学習メモ
1回目	／	／6分	
2回目	／	／6分	
3回目	／	／6分	

1　X11年度

(1)　減価償却

（単位：千円）

借方科目	金額	貸方科目	金額
減価償却費	3,000	建物減価償却累計額	1,500
		器具備品減価償却累計額	1,500

(2)　減損処理

（単位：千円）

借方科目	金額	貸方科目	金額
減損損失	30,000	建物	4,500
		器具備品	3,000
		土地	22,500

2　X12年度

（単位：千円）

借方科目	金額	貸方科目	金額
減価償却費	2,100	建物減価償却累計額	1,200
		器具備品減価償却累計額	900

解説　（仕訳の単位：千円）

1　X11年度

(1)　減価償却

（減価償却費）	3,000	（建物減価償却累計額）	1,500 *1
		（器具備品減価償却累計額）	1,500 *2

＊1　30,000千円 × 0.9 × $\frac{1年}{18年}$ = 1,500千円

＊2　15,000千円 × 0.9 × $\frac{1年}{9年}$ = 1,500千円

(2)　減損処理

（減損損失）	30,000	（建物）	4,500
		（器具備品）	3,000
		（土地）	22,500

〈減損損失の測定・配分〉

	建　物	器具備品	土　地	合　計	備　考
帳簿価額	13,500	9,000	67,500	90,000	①
減損損失	4,500	3,000	22,500	30,000	③
減損処理後の帳簿価額	9,000	6,000	45,000	60,000	②

①　建物：30,000千円－30,000千円×0.9×$\frac{11年}{18年}$＝13,500千円

器具備品：15,000千円－15,000千円×0.9×$\frac{4年}{9年}$＝9,000千円

土地：67,500千円

合計90,000千円

②　i　使用価値：60,000千円

使用価値とは、資産または資産グループの継続的使用と使用後の処分によって生ずると見込まれる将来キャッシュ・フローの現在価値をいいます。

ii　正味売却価額：時価55,500千円－処分費用見込額1,500千円＝54,000千円

正味売却価額とは、資産または資産グループの時価から処分費用見込額を控除した金額をいいます。

iii　回収可能価額

使用価値60,000千円 ＞ 正味売却価額54,000千円　　∴　60,000千円

③　帳簿価額合計90,000千円－回収可能価額60,000千円＝減損損失30,000千円

i　建物：30,000千円×$\frac{13,500千円}{90,000千円}$＝4,500千円

ii　器具備品：30,000千円×$\frac{9,000千円}{90,000千円}$＝3,000千円

iii　土地：30,000千円×$\frac{67,500千円}{90,000千円}$＝22,500千円

帳簿価額に基づいて、減損損失を各構成資産に配分します。

2　X12年度

（減価償却費）	2,100	（建物減価償却累計額）	1,200 *1
		（器具備品減価償却累計額）	900 *2

＊1　（減損処理後の帳簿価額9,000千円－30,000千円×10%）×$\frac{1年}{5年}$＝1,200千円

＊2　（減損処理後の帳簿価額6,000千円－15,000千円×10%）×$\frac{1年}{5年}$＝900千円

出題論点

・減損損失の測定・配分
・減損処理の仕訳
・減損処理後の減価償却

学習のポイント

・資産グループ全体の減損損失を測定後、各構成資産に配分するという手順をおさえましょう。
・減損処理後の減価償却は、減損損失控除後の帳簿価額に基づいて行う点に注意しましょう。

解答3　減損会計(3)

	日付	時間	学習メモ
1回目	／	／3分	
2回目	／	／3分	
3回目	／	／3分	

300	千円

解説

1　資産グループごとの減損損失の認識の判定および測定

(1)　認識の判定

①　資産グループA　帳簿価額1,500千円 < 割引前将来CF2,100千円

→減損損失は認識しない

②　資産グループB　帳簿価額3,000千円 < 割引前将来CF3,300千円

→減損損失は認識しない

③　資産グループC　帳簿価額1,800千円 > 割引前将来CF1,500千円

→減損損失を認識する

(2)　資産グループCの減損損失の測定

帳簿価額1,800千円－回収可能価額1,200千円＝減損損失600千円

2　資産グループに共用資産を加えた、より大きな単位での減損損失の認識の判定および測定

(1)　認識の判定

減損損失控除前の帳簿価額合計：

資産グループA・B・C 6,300千円＋共用資産1,875千円＝8,175千円

減損損失控除前の帳簿価額合計8,175千円 > 割引前将来CF6,900千円

→減損損失を認識する

(2)　減損損失の測定

減損損失控除前の帳簿価額合計8,175千円－回収可能価額6,000千円＝2,175千円

3　減損損失の増加額

共用資産を加えることによって算定される減損損失の増加額は、原則として、共用資産に配分します。

上記2(2) 2,175千円－上記1(2) 600千円＝1,575千円→共用資産に配分する

4　共用資産の減損処理後の帳簿価額

帳簿価額1,875千円－減損損失1,575千円＝300千円

出題論点

・共用資産の取扱い
・より大きな単位による減損損失の配分方法

学習のポイント

・資産または資産グループごとの減損処理を行った後で、共用資産を含めたより大きな単位での減損処理を行うという手順をおさえましょう。
・共用資産を加えることによって算定される減損損失の増加額は、原則として、共用資産に配分する点に注意しましょう。
・減損損失の認識の判定に用いる将来CFは、割引「前」である点に注意しましょう。

解答4 減損会計(4)

	日付	時間	学習メモ
1回目	／	／10分	
2回目	／	／10分	
3回目	／	／10分	

ア 8,160 千円　イ 5,440 千円　ウ 50,400 千円

エ 18,000 千円　オ 82,000 千円

解説

1　各資産グループごとの減損の兆候、減損損失の認識の判定および測定

(1) 減損の兆候

① 仙台支店　減損の兆候なし　→　減損損失は認識しない
② 名古屋支店　減損の兆候あり　→　減損損失の認識の判定を行う
③ 大阪支店　減損の兆候あり　→　減損損失の認識の判定を行う

(2) 減損損失の認識の判定

① 名古屋支店　帳簿価額117,600千円 ＜ 割引前将来キャッシュ・フロー119,940千円
→　減損損失は認識しない

② 大阪支店　帳簿価額126,000千円 ＞ 割引前将来キャッシュ･フロー87,500千円
→ 減損損失を認識する

(3) 減損損失の測定（大阪支店のみ）

帳簿価額126,000千円－回収可能価額75,600千円*＝（ウ）50,400千円

＊ 使用価値75,600千円 ＞ 正味売却価額73,126千円

∴ いずれか高い方　75,600千円

2 各資産グループに共用資産を含めた、より大きな単位での減損の兆候、減損損失の認識の判定および測定

(1) 減損の兆候

減損の兆候あり → 減損損失の認識の判定を行う

(2) 減損損失の認識の判定

帳簿価額540,000千円* ＞ 割引前将来キャッシュ・フローの総額530,000千円
→ 減損損失を認識する

＊ 仙台支店176,400千円＋名古屋支店117,600千円＋大阪支店126,000千円＋共用資産120,000千円＝540,000千円

(3) 減損損失の測定

帳簿価額540,000千円－回収可能価額458,000千円＝（オ）82,000千円

3 共用資産への減損損失の配分

減損損失の増加額31,600千円*1 ＞ 共用資産の帳簿価額と正味売却価額の差額18,000千円*2

＊1 より大きな単位による減損損失82,000千円－大阪支店の減損損失50,400千円＝31,600千円

＊2 帳簿価額120,000千円－正味売却価額102,000千円＝18,000千円

したがって、共用資産への減損損失の配分額は（エ）18,000千円となります。さらに、減損損失の増加額が共用資産の帳簿価額と正味売却価額との差額を13,600千円超過（31,600千円－18,000千円）しているため、当該超過額を各資産グループに配分します。

4 共用資産の減損損失超過額13,600千円の各資産グループへの配分

【資料2】(3)に「すでに減損損失が測定されている資産グループを除く」とあるので、大阪支店には共用資産の減損損失超過額は配分しません。

$$\text{仙台支店：}13{,}600\text{千円}\times\frac{\text{仙台支店}176{,}400\text{千円}}{\text{仙台支店}176{,}400\text{千円}+\text{名古屋支店}117{,}600\text{千円}}=\text{（ア）}8{,}160\text{千円}$$

$$\text{名古屋支店：}13{,}600\text{千円}\times\frac{\text{名古屋支店}117{,}600\text{千円}}{\text{仙台支店}176{,}400\text{千円}+\text{名古屋支店}117{,}600\text{千円}}=\text{（イ）}5{,}440\text{千円}$$

出題論点

・共用資産の取扱い
・より大きな単位による減損損失の配分方法

学習のポイント

・共用資産の減損損失超過額の各資産グループへの配分処理は、忘れがちなので、減損損失の増加額が共用資産の帳簿価額と正味売却価額との差額を超過しているかどうかは必ず確認するようにしましょう。
・仮に各資産グループや共用資産の構成資産へ減損損失を配分する旨の指示が問題文に与えられている場合には、さらに構成資産への配分手続きも必要となる点をあわせておさえておきましょう。

解答5 減損会計(5)

	日付	時間	学習メモ
1回目	／	／8分	
2回目	／	／8分	
3回目	／	／8分	

問1

決算整理後残高試算表　(単位：千円)

借方科目	金額	貸方科目	金額
建物	(287,820)	減価償却累計額	(189,000)
土地	(65,880)		
減価償却費	(9,450)		
減損損失	(45,300)		

問2

翌期の減価償却費　19,764　千円

解説 （仕訳の単位：千円）

問1

1　減価償却

（減価償却費）	9,450 *	（減価償却累計額）	9,450

＊　315,000千円 × 0.9 × $\frac{1年}{30年}$ = 9,450千円

2　減損損失の認識の判定

(1)　帳簿価額

①　建物：315,000千円 −（179,550千円 + 9,450千円）= 126,000千円

②　土地：84,000千円

③　合計：210,000千円

(2)　割引前将来キャッシュ・フローの総額

経済的残存耐用年数は５年なので、各年度の割引前将来キャッシュ・フローに５年後の正味売却価額を加算して割引前将来キャッシュ・フローの総額を算定します。

30,000千円 + 30,000千円 + 30,000千円 + 30,000千円 + 30,000千円 + 45,000千円
= 195,000千円

(3)　判定

(1)帳簿価額210,000千円　＞　(2)割引前将来キャッシュ・フローの総額195,000千円

∴　減損損失を認識する。

3　減損損失の測定

(1)　使用価値

30,000千円 × 期間５年の年金現価係数4.32 + 45,000千円 × ５年後の現価係数0.78
= 164,700千円

(2)　正味売却価額

150,000千円

(3)　回収可能価額

(1)使用価値164,700千円　＞　(2)正味売却価額150,000千円

∴　164,700千円

(4)　減損損失

帳簿価額210,000千円 − 回収可能価額164,700千円 = 45,300千円

4　減損損失の配分

(減損損失)	45,300	(建物)	27,180 *1
		(土地)	18,120 *2

＊1　45,300千円 × $\frac{126,000千円}{210,000千円}$ = 27,180千円

＊2　45,300千円 × $\frac{84,000千円}{210,000千円}$ = 18,120千円

問2

(減価償却費)	19,764 *	(減価償却累計額)	19,764

＊　①　減損処理後の帳簿価額
取得原価315,000千円 − 減損損失27,180千円 − 減価償却累計額189,000千円
= 98,820千円

②　98,820千円 × $\frac{1年}{経済的残存耐用年数5年}$ = 19,764千円

出題論点

・減損損失の認識の判定
・減損損失の測定
・減損処理後の減価償却

学習のポイント

・割引前将来キャッシュ・フローの算定に当たって５年後の正味売却価額を考慮し忘れないように注意しましょう。
・現価係数が与えられている場合の計算方法をおさえましょう。
・本問では、減損処理後の残存価額が０円となっている点に注意しましょう。

TAC
出版
TAC PG

この冊子には、問題集の答案用紙がとじこまれています。

別冊ご利用時の注意

この色紙を残したまま冊子をていねいに抜き取り、留め具を外さない状態で、ご利用ください。また、抜き取りの際の損傷についてのお取替えはご遠慮願います。

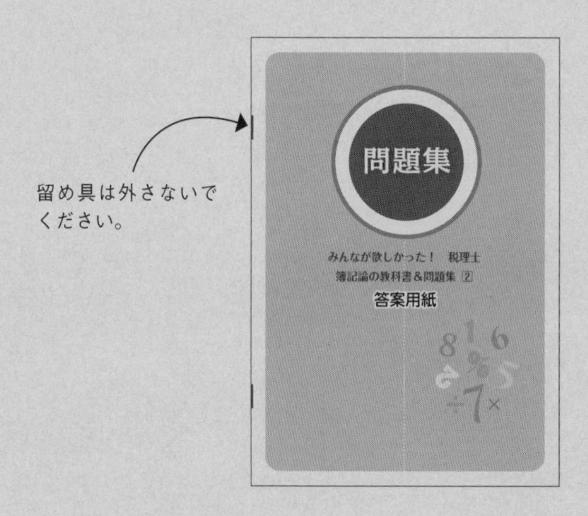

留め具は外さないでください。
問題集
みんなが欲しかった！　税理士
簿記論の教科書&問題集 2
答案用紙

なお、答案用紙については、ダウンロードでもご利用いただけます。TAC出版書籍販売サイト・サイバーブックストアにアクセスしてください。

https://bookstore.tac-school.co.jp/

みんなが欲しかった！　税理士

簿記論の教科書＆問題集 [2]

答案用紙

現金・預金

問題1 現金過不足・小口現金

問1

（単位：円）

	借方科目	金額	貸方科目	金額
(1)				
(2)				

問2

決算整理後残高試算表　（単位：円）

現金預金	（　　）	未払金	（　　）
給料手当	（　　）	雑収入	（　　）
交際費	（　　）		
旅費交通費	（　　）		
消耗品費	（　　）		
雑損失	（　　）		

問題2 当座借越

（単位：円）

	借方科目	金額	貸方科目	金額
(1)				
(2)				
(3)				

問題3 定期預金

現金及び預金	長期性預金
円	円

問題4 銀行勘定調整(1)

決算整理後残高試算表　（単位：円）

現金預金	（　　）	支払手形	（　　）
売掛金	（　　）	買掛金	（　　）
営業費	（　　）	（　　）	（　　）

問題5 銀行勘定調整(2)

修正および決算整理後残高試算表　（単位：千円）

借方科目	金額	貸方科目	金額
現金預金	（　　）	短期借入金	（　　）
売掛金	（　　）		
営業費	（　　）		

Chapter 3

手形・債権

不渡手形

1　自己所有の手形が不渡りとなった場合　　　(単位：円)

	借方科目	金額	貸方科目	金額
(1)				
(2)				

2　裏書譲渡した手形が不渡りとなった場合　　　(単位：円)

	借方科目	金額	貸方科目	金額
(1)				
(2)				

3　割り引きした手形が不渡りとなった場合　　　(単位：円)

	借方科目	金額	貸方科目	金額
(1)				
(2)				

保証債務

（単位：千円）

	借方科目	金額	貸方科目	金額
(1)				
(2)				
(3)				
(4)				

問題3 為替手形

（単位：円）

			借方科目	金額	貸方科目	金額
1	(1)	A社				
		B社				
		C社				
	(2)	A社				
		B社				
		C社				
	(3)	A社				
		B社				
		C社				
2	A社					
	D社					
3	A社					
	E社					

問題4 営業外手形

1　A社の仕訳

（単位：千円）

借方科目	金額	貸方科目	金額
車両運搬具	20,000		

2　B社の仕訳

（単位：千円）

借方科目	金額	貸方科目	金額

問題5 金融手形

（単位：円）

	借方科目	金額	貸方科目	金額
(1)				
(2)				

問題6 売掛金の売却（ファクタリング）

（単位：円）

借方科目	金額	貸方科目	金額

金銭債権の評価

問題1 貸倒引当金(1)

問1

(1)破産更生債権等	(2)貸倒懸念債権	(3)一般債権
円	円	円

問2

決算整理後残高試算表　(単位：円)

売掛金	400,000	貸倒引当金	(　　)
貸付金	(　　)		
破産更生債権等	(　　)		
貸倒引当金繰入額	(　　)		

問題2 貸倒引当金(2)

問1

(単位：千円)

借方科目	金額	貸方科目	金額

問2

(1)破産更生債権等	(2)貸倒懸念債権	(3)一般債権
千円	千円	千円

問3

決算整理後残高試算表　　　　　（単位：千円）

受取手形	（　　　）	貸倒引当金	（　　　）
売掛金	（　　　）		
破産更生債権等	（　　　）		
貸倒引当金繰入額	（　　　）		

問題3 貸倒引当金(3)

問1　一般債権

(1)　貸倒実績率 ［　　　　］%

(2)　貸倒見積高 ［　　　　］円

(3)　決算整理仕訳

（単位：円）

借方科目	金額	貸方科目	金額

問2　貸倒懸念債権

(1)　貸倒見積高 ［　　　　］円

(2)　決算整理仕訳

（単位：円）

借方科目	金額	貸方科目	金額

問3　破産更生債権等

(1)　貸倒見積高 ［　　　　　　］円

(2)　決算整理仕訳

（単位：円）

借方科目	金額	貸方科目	金額

問4

決算整理後残高試算表　（単位：円）

受取手形	(　　　)	貸倒引当金	(　　　)
売掛金	(　　　)	預り保証金	160,000
(　　　)	(　　　)		
貸倒引当金繰入額	(　　　)		

問5

①　一般債権

（単位：円）

借方科目	金額	貸方科目	金額

②　貸倒懸念債権

（単位：円）

借方科目	金額	貸方科目	金額

③　破産更生債権等　(単位：円)

借　方　科　目	金　　額	貸　方　科　目	金　　額

④　当期に発生したE社に対する売掛金　(単位：円)

借　方　科　目	金　　額	貸　方　科　目	金　　額

貸倒引当金(4)

(単位：円)

	借　方　科　目	金　　額	貸　方　科　目	金　　額
(1)				
(2)				
(3)				
(4)				

決算整理前残高試算表　(単位：円)

売　掛　金	(　　)	貸倒引当金	(　　)
貸　倒　損　失	(　　)	売　上	200,000

（単位：円）

	借方科目	金額	貸方科目	金額
決算整理				

決算整理後残高試算表　（単位：円）

売掛金	（　　）	貸倒引当金	（　　）
破産更生債権等	（　　）	売上	200,000
貸倒損失	（　　）	貸倒引当金戻入益	（　　）
貸倒引当金繰入額	（　　）		

貸倒引当金(5)

問1

(1)

残　　高　（単位：千円）

日付	摘　　要	金　　額	日付	摘　　要	金　　額
3/31	貸　付　金	10,000	3/31	貸倒引当金	

(2)

決算整理後残高試算表　（単位：千円）

貸　付　金	10,000	貸倒引当金	(　　　)
		受　取　利　息	(　　　)

問2

(1)

残　　高　（単位：千円）

日付	摘　　要	金　　額	日付	摘　　要	金　　額
3/31	貸　付　金	10,000	3/31	貸倒引当金	

(2)

決算整理後残高試算表　（単位：千円）

貸　付　金	10,000	貸倒引当金	(　　　)
		受　取　利　息	(　　　)

貸倒引当金(6)

決算整理後残高試算表　（単位：千円）

貸　付　金	120,000	貸倒引当金	(　　　)
貸倒引当金繰入額	(　　　)	受　取　利　息	(　　　)

Chapter 5

有価証券

問題1 売買目的有価証券

1 前期

決算整理後残高試算表 (単位：千円)

有価証券 (　　　)	
有価証券運用損益 (　　　)	

2 当期

決算整理後残高試算表 (単位：千円)

有価証券 (　　　)	有価証券運用損益 (　　　)

問題2 満期保有目的の債券(1)

問1 利息法

(1) (単位：千円)

	借方科目	金額	貸方科目	金額
X4年3月31日	現金預金			

(2) 償却原価 [　　　] 千円

問2 定額法

(1) (単位：千円)

	借方科目	金額	貸方科目	金額
X4年3月31日	現金預金			

(2) 償却原価 [　　　] 千円

問題3 満期保有目的の債券(2)

(単位：千円)

	借　方　科　目	金　　額	貸　方　科　目	金　　額
X1年 9月30日				
X2年 3月31日				

問題4 満期保有目的の債券(3)

(1) 決算整理前残高試算表の投資有価証券 [　　　　] 千円

決算整理前残高試算表の有価証券利息 [　　　　] 千円

(2) 決算整理後残高試算表

決算整理後残高試算表　(単位：千円)

投資有価証券(　　　　)	有価証券利息(　　　　)

問題5 子会社株式および関連会社株式

(1) 決算整理　(単位：千円)

借　方　科　目	金　　額	貸　方　科　目	金　　額

(2) 決算整理後残高試算表

決算整理後残高試算表　(単位：千円)

関係会社株式(　　　　)	

問題6 その他有価証券(1)

問1 決算整理前残高試算表の投資有価証券 [ ] 千円

問2

決算整理後残高試算表 (単位：千円)

繰延税金資産	( )	繰延税金負債	( )
投資有価証券	( )		
その他有価証券評価差額金	( )		

問3 翌期首の振戻処理

(単位：千円)

	借方科目	金額	貸方科目	金額
P社株式				
S社株式				

振戻処理後の投資有価証券 [ ] 千円

問題7 その他有価証券(2)

問1 決算整理前残高試算表の投資有価証券 [ ] 千円

問2

決算整理後残高試算表 (単位：千円)

繰延税金資産	( )	繰延税金負債	( )
投資有価証券	( )	その他有価証券評価差額金	( )
投資有価証券評価損益	( )	法人税等調整額	( )

問3　翌期首の振戻処理

（単位：千円）

	借方科目	金額	貸方科目	金額
P社株式				
S社株式				

問題8 その他有価証券(3)

（単位：千円）

借方科目	金額	貸方科目	金額

問題9 有価証券の減損処理

決算整理後残高試算表　（単位：千円）

投資有価証券　（　　　）	
関係会社株式　（　　　）	
投資有価証券評価損　（　　　）	
関係会社株式評価損　（　　　）	

問題10 配当金の処理

問1

（単位：千円）

借　方　科　目	金　　　額	貸　方　科　目	金　　　額

問2

（単位：千円）

借　方　科　目	金　　　額	貸　方　科　目	金　　　額

保有目的区分の変更

問1

（単位：千円）

借　方　科　目	金　　　額	貸　方　科　目	金　　　額

問2

（単位：千円）

借　方　科　目	金　　　額	貸　方　科　目	金　　　額

問3 （単位：千円）

借方科目	金額	貸方科目	金額

問4 （単位：千円）

借方科目	金額	貸方科目	金額

問5 （単位：千円）

借方科目	金額	貸方科目	金額

問題12 売買契約の認識

⑴ X2年1月10日における売却に係る仕訳 （単位：千円）

借方科目	金額	貸方科目	金額

⑵ X2年1月13日における売却代金の受取りに係る仕訳 （単位：千円）

借方科目	金額	貸方科目	金額

⑶ X2年3月30日における購入に係る仕訳 （単位：千円）

借方科目	金額	貸方科目	金額

(4) X2年3月31日における決算整理仕訳

(単位：千円)

借方科目	金額	貸方科目	金額

(5) X2年4月1日における振戻処理

(単位：千円)

借方科目	金額	貸方科目	金額

(6) X2年4月2日における購入代金の支払いに係る仕訳

(単位：千円)

借方科目	金額	貸方科目	金額

Chapter 6

デリバティブ取引

問題1 デリバティブ取引(1)

問1

損 益 計 算 書
自X3年4月1日 至X4年3月31日
(単位：千円)

⋮

Ⅳ 営業外収益	
先物利益	(　　　)
金利スワップ差益	(　　　)
Ⅴ 営業外費用	
先物損失	(　　　)
金利スワップ差損	(　　　)
支払利息	(　　　)

問2

勘定科目	金額
現金預金	千円
借入金	千円
金利スワップ資産	千円

問題2 デリバティブ取引(2)

問1

貸借対照表
X3年3月31日
(単位：千円)

先物取引差金	(　　)	先物取引差金	(　　)
投資有価証券	(　　)	その他有価証券評価差額金	(　　)
その他有価証券評価差額金	(　　)	繰延ヘッジ損益	(　　)
繰延ヘッジ損益	(　　)		

損益計算書
自X2年4月1日　至X3年3月31日
(単位：千円)

⋮

Ⅳ　営業外収益
　投資有価証券評価益　(　　)
Ⅴ　営業外費用
　投資有価証券評価損　(　　)

問2

貸借対照表
X3年3月31日
(単位：千円)

先物取引差金	(　　)	先物取引差金	(　　)
投資有価証券	(　　)	その他有価証券評価差額金	(　　)
その他有価証券評価差額金	(　　)	繰延ヘッジ損益	(　　)
繰延ヘッジ損益	(　　)		

損益計算書
自X2年4月1日　至X3年3月31日
(単位：千円)

⋮

Ⅳ　営業外収益
　投資有価証券評価益　(　　)
Ⅴ　営業外費用
　投資有価証券評価損　(　　)

問１　Ｚ銀行に対する借入金に係る利息の支払い　(単位：円)

借方科目	金額	貸方科目	金額

問２　金利スワップ契約による固定金利と変動金利の差額の受け渡し　(単位：円)

借方科目	金額	貸方科目	金額

問３　金利スワップの評価　(単位：円)

借方科目	金額	貸方科目	金額

Chapter 7

有形固定資産

問題 1 有形固定資産

(1)

(単位：千円)

借方科目	金額	貸方科目	金額

(2)

決算整理後残高試算表 (単位：千円)

建物	( )	未払金	( )
構築物	( )		
建物付属設備	( )		
土地	( )		

減価償却(1)・記帳方法(1)

問1

(1) 決算整理仕訳

① 建物

(単位：千円)

借方科目	金額	貸方科目	金額

② 備品

(単位：千円)

借方科目	金額	貸方科目	金額

③ 車両

(単位：千円)

借方科目	金額	貸方科目	金額

(2)

決算整理後残高試算表 (単位：千円)

建物	(　　)	建物減価償却累計額	(　　)
備品	(　　)	備品減価償却累計額	(　　)
車両	(　　)	車両減価償却累計額	(　　)
建物減価償却費	(　　)		
備品減価償却費	(　　)		
車両減価償却費	(　　)		

問2

(1)

決算整理前残高試算表 (単位：千円)

建物	(　　)		
備品	(　　)		
車両	(　　)		

(2) 決算整理仕訳

① 建物

(単位：千円)

借方科目	金額	貸方科目	金額

② 備品

(単位：千円)

借方科目	金額	貸方科目	金額

③ 車両

(単位：千円)

借方科目	金額	貸方科目	金額

(3)

決算整理後残高試算表 (単位：千円)

建物	( )	
備品	( )	
車両	( )	
建物減価償却費	( )	
備品減価償却費	( )	
車両減価償却費	( )	

減価償却(2)・記帳方法(2)

問1

(1)

決算整理前残高試算表　(単位：円)

借方		貸方	
建物	( )	建物減価償却累計額	( )
機械	( )	車両減価償却累計額	( )
車両	( )	備品減価償却累計額	( )
備品	( )		

(2)

(単位：円)

借方科目	金額	貸方科目	金額

(3)

決算整理後残高試算表　(単位：円)

借方		貸方	
建物	( )	建物減価償却累計額	( )
機械	( )	機械減価償却累計額	( )
車両	( )	車両減価償却累計額	( )
備品	( )	備品減価償却累計額	( )
減価償却費	( )		

問2

(1)

決算整理前残高試算表　(単位：円)

借方		貸方	
建物	( )		
機械	( )		
車両	( )		
備品	( )		

(2)

(単位：円)

借方科目	金額	貸方科目	金額

(3)

決算整理後残高試算表 (単位：円)

建物	(　　　)	
機械	(　　　)	
車両	(　　　)	
備品	(　　　)	
減価償却費	(　　　)	

問題 4 減価償却(3)

問1

損益計算書
自X6年4月1日　至X7年3月31日
（単位：円）

⋮

Ⅲ　販売費及び一般管理費
　減価償却費　（　　　　　）

貸借対照表
X7年3月31日
（単位：円）

建物	（　　　）		
減価償却累計額	（　　　）	（　　　）	
土地		（　　　）	
備品	（　　　）		
減価償却累計額	（　　　）	（　　　）	
機械	（　　　）		
減価償却累計額	（　　　）	（　　　）	
工具器具備品	（　　　）		
減価償却累計額	（　　　）	（　　　）	

問2

工具器具備品の減価償却費 [　　　　] 円

問題5 売却

問1

決算整理後残高試算表　(単位：円)

車両	(　　)		
減価償却費	(　　)		
車両売却損	(　　)		

問2

決算整理後残高試算表　(単位：円)

車両	(　　)	車両売却益	(　　)
減価償却費	(　　)		

問題6 除却

決算整理後残高試算表　(単位：円)

備品	(　　)	減価償却累計額	(　　)
減価償却費	(　　)		
備品除却損	(　　)		

問題7 焼失

問1

(単位：千円)

借方科目	金額	貸方科目	金額

問2

決算整理後残高試算表　(単位：千円)

建物	(　　)	建物減価償却累計額	(　　)
減価償却費	(　　)	(　　)	(　　)

問題8 買換え

問1

（単位：千円）

借　方　科　目	金　　額	貸　方　科　目	金　　額

問2

（単位：千円）

借　方　科　目	金　　額	貸　方　科　目	金　　額

問題9 耐用年数の変更(1)

決算整理後残高試算表　（単位：千円）

機　　　械	（　　）		
機械減価償却費	（　　）		

問題10 耐用年数の変更(2)

決算整理後残高試算表　（単位：千円）

機　　　械	（　　）	機械減価償却累計額	（　　）
機械減価償却費	（　　）		

問題11 償却方法の変更(1)

決算整理後残高試算表　(単位：千円)

車　両 (　　)	
減価償却費 (　　)	

問題12 償却方法の変更(2)

決算整理後残高試算表　(単位：千円)

車　両 (　　)	
減価償却費 (　　)	

問題13 資本的支出と収益的支出(1)

問1　残存耐用年数を使用する場合

改修支出時　(単位：千円)

借方科目	金額	貸方科目	金額

決算整理前残高試算表　(単位：千円)

建　物 (　　)	建物減価償却累計額 (　　)
修繕費 (　　)	

決算時　(単位：千円)

借方科目	金額	貸方科目	金額

決算整理後残高試算表　(単位：千円)

建　物 (　　)	建物減価償却累計額 (　　)
建物減価償却費 (　　)	
修繕費 (　　)	

問2　当初耐用年数を使用する場合

決算時　　　　　　　　　　　　　　　　　　　　（単位：千円）

借　方　科　目	金　　　額	貸　方　科　目	金　　　額

問題14 資本的支出と収益的支出(2)

決算整理後残高試算表　　　　　　（単位：千円）

建　　　　　　物（　　　　　）	
減　価　償　却　費（　　　　　）	
修　　繕　　費（　　　　　）	

問題15 圧縮記帳(1)

(1)　補助金受入れ、固定資産の取得　　　　　　　　（単位：千円）

借　方　科　目	金　　　額	貸　方　科　目	金　　　額

(2)　決算整理　　　　　　　　　　　　　　　　　（単位：千円）

借　方　科　目	金　　　額	貸　方　科　目	金　　　額

問題16 圧縮記帳(2)

減価償却費	円

問題17 圧縮記帳(3)

問1

(1) 補助金受入れ、固定資産の取得　　　　(単位：千円)

借 方 科 目	金 額	貸 方 科 目	金 額

(2) 決算整理　　　　(単位：千円)

借 方 科 目	金 額	貸 方 科 目	金 額

問2

(1) 補助金受入れ、固定資産の取得　　　　(単位：千円)

借 方 科 目	金 額	貸 方 科 目	金 額

(2) 決算整理　　　　(単位：千円)

借 方 科 目	金 額	貸 方 科 目	金 額

Chapter 8

リース会計

問題1 リース会計(1)

問1

(単位：千円)

借方科目	金額	貸方科目	金額
		現金預金	

問2 　　　　千円

問3 　　　　千円

問題2 リース会計(2)

問1

(単位：千円)

借方科目	金額	貸方科目	金額
		現金預金	

問2

(単位：千円)

借方科目	金額	貸方科目	金額
		現金預金	

(単位：千円)

①	②	③
④	⑤	⑥

(1) リース資産取得

借方科目	金額	貸方科目	金額

(2) リース料の支払いに関する決算修正

借方科目	金額	貸方科目	金額

(3) 減価償却費の計上

借方科目	金額	貸方科目	金額

リース会計(5)

（単位：千円）

①	②	③

④	⑤

問題6 リース会計(6)

決算整理後残高試算表　（単位：千円）

リース資産	（　　）	リース債務	（　　）
減価償却費	（　　）		
支払利息	（　　）		

問題7 リース会計(7)

決算整理後残高試算表　（単位：千円）

現金預金	（　　）	リース債務	（　　）
リース資産	（　　）	長期前受収益	（　　）
減価償却費	（　　）	減価償却累計額	（　　）
支払利息	（　　）		

問題8 リース会計(8)

（単位：千円）

(1)　当期の売上高	
(2)　当期の売上原価	
(3)　当期末のリース投資資産勘定	
(4)　当期末のリース債権勘定	
(5)　当期末の繰延リース利益勘定	

Chapter 9

固定資産の減損会計

問題1 減損会計(1)

問1

（単位：千円）

借方科目	金額	貸方科目	金額

問2

貸借対照表　（単位：千円）

土地（　　　）	
繰延税金資産（　　　）	

損益計算書　（単位：千円）

減損損失（　　　）	法人税等調整額（　　　）

問題2 減損会計(2)

1 X11年度

(1) 減価償却

(単位：千円)

借方科目	金額	貸方科目	金額
減価償却費		建物減価償却累計額	
		器具備品減価償却累計額	

(2) 減損処理

(単位：千円)

借方科目	金額	貸方科目	金額

2 X12年度

(単位：千円)

借方科目	金額	貸方科目	金額
減価償却費		建物減価償却累計額	
		器具備品減価償却累計額	

問題3 減損会計(3)

[ ] 千円

問題4 減損会計(4)

ア [ ] 千円　イ [ ] 千円　ウ [ ] 千円

エ [ ] 千円　オ [ ] 千円

問題5 減損会計(5)

問1

決算整理後残高試算表　　(単位：千円)

建　　　　物	(　　　)	減価償却累計額	(　　　)
土　　　　地	(　　　)		
減価償却費	(　　　)		
減　損　損　失	(　　　)		

問2

翌期の減価償却費 [ ] 千円